걸프 사태

재외동포 철수 및 보호 1

쿠웨이트 및 이라크(1)

걸프 사태

재외동포 철수 및 보호 1

쿠웨이트 및 이라크(1)

| 머리말

걸프 전쟁은 미국의 주도하에 34개국 연합군 병력이 수행한 전쟁으로, 1990년 8월 이라크의 쿠웨이트 침공 및 합병에 반대하며 발발했다. 미국은 초기부터 파병 외교에 나섰고, 1990년 9월 서울 등에 고위 관리를 파견하며 한국의 동참을 요청했다. 88올림픽 이후 동구권 국교 수립과 유엔 가입 추진 등 적극적인 외교 활동을 펼치는 당시 한국에 있어 이는 미국과 국제사회의 지지를 얻기 위해서라도 피할 수 없는 일이었다. 결국 정부는 91년 1월부터 약 3개월에 걸쳐 국군의료지원단과 공군수송단을 사우디아라비아 및 아랍 에미리트 연합 등에 파병하였고, 군·민간 의료 활동, 병력 수송 임무를 수행했다. 동시에 당시 걸프 지역 8개국에 살던 5천여 명의 교민에게 방독면 등 물자를 제공하고, 특별기 파견 등으로 비상시 대피할 수 있도록 지원했다. 비록 전쟁 부담금과 유가 상승 등 어려움도 있었지만, 걸프전 파병과 군사 외교를 통해 한국은 유엔 가입에 박차를 가할 수 있었고 미국 등 선진 우방국, 아랍권 국가 등과 밀접한 외교 관계를 유지하며 여러 국익을 창출할 수 있었다.

본 총서는 외교부에서 작성하여 30여 년간 유지한 걸프 사태 관련 자료를 담고 있다. 미국을 비롯한 여러 국가와의 군사 외교 과정, 일일 보고 자료와 기타 정부의 대응 및 조치, 재외동포 철수와 보호, 의료지원단과 수송단 파견 및 지원 과정, 유엔을 포함해 세계 각국에서 수집한 관련 동향 자료, 주변국 지원과 전후복구사업 참여 등 총 48권으로 구성되었다. 전체 분량은 약 2만 4천여 쪽에 이른다.

2024년 3월

한국학술정보(주)

| 일러두기

· 본 총서에 실린 자료는 2022년 4월과 2023년 4월에 각각 공개한 외교문서 4,827권, 76만 여 쪽 가운데 일부를 발췌한 것이다.

· 각 권의 제목과 순서는 공개된 원본을 최대한 반영하였으나, 주제에 따라 일부는 적절히 변경하였다.

· 원본 자료는 A4 판형에 맞게 축소하거나 원본 비율을 유지한 채 A4 페이지 안에 삽입 하였다. 또한 현재 시점에선 공개되지 않아 '공란'이란 표기만 있는 페이지 역시 그대로 실었다.

· 외교부가 공개한 문서 각 권의 첫 페이지에는 '정리 보존 문서 목록'이란 이름으로 기록물 종류, 일자, 명칭, 간단한 내용 등의 정보가 수록되어 있으며, 이를 기준으로 0001번부터 번호가 매겨져 있다. 이는 삭제하지 않고 총서에 그대로 수록하였다.

· 보고서 내용에 관한 더 자세한 정보가 필요하다면, 외교부가 온라인상에 제공하는 『대한 민국 외교사료요약집』 1991년과 1992년 자료를 참조할 수 있다.

| 차례

정리보존문서목록					

기록물종류	일반공문서철	**등록번호**	2020120192	**등록일자**	2020-12-28
분류번호	721.1	**국가코드**	XF	**보존기간**	영구
명 칭	걸프사태 : 재외동포 철수 및 보호, 1990-91. 전14권				
생 산 과	북미1과/중동1과	**생산년도**	1990~1991	**담당그룹**	
권 차 명	V.1 쿠웨이트 및 이라크, 1990.8.2-10				
내용목차	1. 대책 2. 쿠웨이트 3. 이라크 4. 요르단 * 공관 직원 및 가족, 동포 철수 * 재외동포 철수 및 비상철수계획 수립 등				

0001

1. 대책

0002

이라크 및 쿠웨이트 아국 교민 철수 기본 계획(안)

1. 상 황

- 8.2. 새벽 2시 이라크군의 쿠웨이트 침공에 의해 쿠웨이트 전역 완전 장악(8.4)

- 10만 이라크군 병력, 사우디 국경 중립 지대 집결 상황아래 미국의 대이라크 무기 사용 경고 및 강력 대응 표명(8.5)

- 이라크의 이라크군 철수 개시(8.5) 사실 발표에도 불구, 미국 대응에 따른 이라크 행동등 향후 사태 불투명

2. 목 적

- 이라크, 쿠웨이트 침공 사태 관련, 향후 사태 진전 불투명함에 따라, 사전에 아국인을 안전하게 철수

3. 기본 방침

- 아국인의 생명과 재산의 보호에 주안점을 두고 계획 수립, 시행
- 현지 공관의 비상 철수 계획과 연계, 종합 철수 세부 계획 수립
- 사태 진전에 따른 단계적 비상 철수
- 아국의 수송 수단을 우선적으로 이용하되 필요시 외국 수송 수단 활용
- 아국인과 동시 철수 예상 우방국과 긴밀한 사전 협조
- 철수 통제 기구를 편성, 운영(관련 부처와 협조)
- 관련 부처와 긴밀한 협조 아래 철수 추진

제2차완보:

양 포 제	중동 아프 리카과	90 8 6	담 당	과 장	심의관	국 장	차관보	차 관	장 관
			弘						

0003

4. 기본 철수 계획(안)

가. 예상 상황

- 전 세계 각국의 대이라크 비난 및 미국등 서방 국가의 제제등 감안, 이라크군 8.5.부터 단계적 철수 실시

- 그러나, 이라크군의 철수 지연시 미국의 군사 개입이 예상, 쿠웨이트 및 이라크와 아울러 인근국들로 분쟁 확대 가능

나. 철수 방법

1) 직접 아국 수송편(KAL 등) 이용, 본국으로의 철수 개시

2) 상황에 따라 우방국과 협조, 우방국 철수 교통편을 이용 긴급 대피, 본국으로 철수

3) 사태가 급격 악화, 본국으로의 단계별 철수 불가시, 사전 단계로 인접국에 피난처를 우선 준비, 철수

다. 철수 단계

1) 사태 진전에 따라 다음과 같이 구분, 아국인 보호 및 철수 개시

단계\구분	사 태	조 치	대 상
1	사태 악화에 따른 소요 발생등으로 신변 위협과 공사 진행 불가	· 모든 기관 비상 근무 실시 · 공관과의 비상 연락 대책 강구 · 현장별보 안전 대책 수립(현지 공관장 지휘)	· 일반 근로자 · 비필수요원 (주력)
2	미국의 군사 개입으로 인한 이라크와의 무력 분쟁 발발시	· 공관 특별 경비 · 철수 지역으로 집결 · 비상철수 대책에 따라 대피 또는 철수	· 공관 직원 · 필수요원

0004

2) 사태가 급격히 악화될시는 단계 구분없이 비상 철수

  ※ 이라크의 제3국과의 전쟁 또는 미국의 군사 개입으로 이라크 전역

    으로 대규모 확전시

3) 재산 및 물자등은 철수 우선 순위를 정해 수송 수단 가용시 단계별 철수

  하되, 긴급시 인원만 우선 대피 또는 철수

  ※ 철수 지역 선정은 현지 상황과 수송 수단의 이용 가능성을 고려,

    현지 공관 및 본부 판단에 따라 적의 계획 수립 실시

라. 철수 대상

  ㅇ 이라크 및 쿠웨이트에 거주하는 모든 아국인

대상 \ 국명	공관원 (KOTRA 포함)	아국 진출 건설업체	진출 상사	기 타	계
쿠웨이트	37	319	38	254	648
이 라 크	12	621	10	18	661
계	49	940	48	272	1,309

마. 철수 방안

  ㅇ 집 결

    - 사태 악화시 현지 공관 판단 아래 지역별로 집결, 자체 경비 강화

      및 안전 조치

    - 집결지 선정은 공항이나 항만으로 하되 급격한 사태 악화 대비 주재국

      내외의 안전 지역 또는 인접국 집결도 계획

    - 현지 공관장 지휘 아래 인근국으로의 긴급 철수가 가능한 공로,

      해로, 육로등으로 집결

    - 우방국 작전군 지원을 받을수 있는 상황에서는 동 군용 수송 수단을

      이용할 예비 계획도 고려

0005

o 수   송

　　　- 수송 수단 :　• 대한항공 여객기 투입

　　　　　　　　　　• 전세기(대한항공 또는 외국항공) 및 가용 선박

　　　　　　　　　　　(이라크 및 쿠웨이트 또는 여타 인근 국가 정박)

　　　　　　　　　　　파견

　　　　　　　　　　• 필요시 우방국 선박, 항공기등 이용

　　　- 수송 방법 :　• 사태가 급박한 경우, 육로 이동 가능 지역으로 철수

　　　　　　　　　　• 육로 이동 불가시, 전세기 이용 인접국까지 신속

　　　　　　　　　　　수송

　　　　　　　　　　• 해상 이동 가능시 아국 선박(화물선, 어선)이나

　　　　　　　　　　　외국 선박 이용 인접국까지 수송

　　　　　　　　　　• 철수를 진행하는 우방국 수송 수단에의 동승

　　　　　　　　　　　수단 고려

　　　　　　　　　　• 필요시 아국까지의 철수 고려

5. 행정 사항

o 관계 부처, 기관 및 현지 공관은 철수 지휘 계획을 사전 작성하고, 철수
　통제 기구를 편성 유사시 즉각 대응

o 합동 대책 회의 운영(11개 관련 부처 편성)
　※ 관계 부처의 철수 업무 관련 소관 사항(별첨 1 참조)

o 기타 철수 업무 관련 필요 사항은 외무부가 수시 관계 부처와의 협의
　아래 시행

o 아국인 안전 철수를 위한 이라크 정부와의 교섭

6. 당면 요조치 사항(별첨 2 참조)

0006

첨 부(1)

〈관계부처 철수 업무 관련 소관 사항〉

- 외무부 : 철수 계획 및 실시 주무 부서로 철수 통제 체제 구성,
  철수 업무 관장
- 경제기획원, 재무부 : 아국인 특히 건설업체 철수에 따른 경제 협력
  관계 조정, 철수 관련 예산 확보
- 안기부 : 철수 계획 협의
- 교통부, 농수산부 : 철수에 소요되는 수송 수단 조치
- 국방부 : 외무부 활동 지원 및 인근 작전중인 우방국으로부터
  대피 및 철수에 대해 지원되도록 노력(필요시 수송
  수단 제공)
- 건설부, 상공부 및 동자부 :
  · 주재국과의 사태후 업무 처리 수행(공사 계약 해지 대책 강구등)
    진출 상사 및 건설 업체 사업장별 철수 지도, 감독
  · 장비 철수를 위한 절차 추진등
- 노동부 : · 근로자 철수 세부 계획 수립 및 근로자 안전 보호
    방침 강구등
  · 현지 대책 본부에 대한 적극 협조 및 지원
    (현지 업체, 기관의 인원 철수에 따른 효율적 수행 지도)
  · 진출업체 근로자 임금 및 노사 문제 해결

0007

첨 부 (2)

〈당면 조치 사항〉

1) 외교적 측면

o 미,영,불등 우방국 정부의 사태 해결 전망 타진

o 아국민의 철수를 위한 미국, 일본등 우방국의 지원 요청
  (예) KAL 전세기의 착륙 허가, 미군용기 아국인 탑승, 정박중인
       우방국 선박 아국인 승선 타진

o 이라크 정부측의 지원 요청 교섭

o 철수 중계 지역 정부와 안전 철수 협조 교섭

2) 비상 철수 세부 계획 수립

특히 하기 사항에 대한 세부 계획, 지침 및 자료 요완비

o 제1차 집결지 선정

o 안전 지대 집결지 선정(자위 가능)

o 인원 수송 방안

o 안전 통로 및 차량 수배

o 이용 대상 민간 항공에서의 사용 가능 기종 확정

o 긴급 철수시 최대한 동원 가능 KAL 항공기 기종 및 대수 확인

o 타국 항공기의 이용 가능성 검토

o 이용 대상 항구(공군 기지 포함)에 관한 제원 및 자료 수집

o 동원 대상 화물선 및 어선

o 이란, 바레인, UAE, 애급등 철수 중계 지역에서 접수 태세 확립

0008

쿠웨이트 이플 지역 이원 현황

이 지역	한국인			비 고
	직원	근로자	소계인	
KT-300	16	58	351	한국인 근로자 2명 (조 순태 가 신 반 장, 노 지 향 가 설 반) 이 태 풍 일 경 비 - 3월 손 제 탈 의 중
KURES-III	13	52	202	
KIST	13	37	141	김 영 호 (정 비 반 장) 파 테 국 인 100 이 세 타 트 III.T 까
HIRQAB	22	74	453	
AZOUR KADIS	3	5	13	
FAJIF	1	5	45	
KWT JJ	10	4	3	신 아 GJ (VEJA) 외 3인 김 준 태 GJ (JEJO) 외 2인 이 준 열 SY (HEJH) 외 3인
계	78	235	1,208	# 가 족 총 합 인 원
총 계	313		1,208	총 원 : 1,611 (외 가 족 8인)

이라크, 쿠웨이트 사태 악화 대비 아국인 철수 계획 관련 CHECK LIST

1. 긴급 철수 기본 대책 수립

2. 관련부처 실무자 회의 소집(합동 대책반 구성 운영)

3. 현지 공관 지시
   - 아국 근로자 자체의 동요 방지 위한 구체적 대책 수립
   - 긴급 철수방안 수립
   - 기타 철수 관련 필요사항

4. 인근국 아국 공관에 지시
   - 긴급 철수 관련 입국가능 인근국에 대한 사전 교섭

5. KAL 등 항공업체 협조 요청
   - 특별 전세기 운항 방안 강구

6. 걸프만 운항 아국 화물선 및 상선등 파악
   - 용선 가능 여부등 파악

7. 우방국과의 사전 협조 요청
   〈이라크 정부〉
   · 아국인 집결지에 대한 보호 경비
   · 아국인 수송 안전 보장
   · 공항, 항만 사용 지원(군용 포함)
   · 환자 처리 지원

   〈우방국(미,영,일,불등)〉
   · 아국인의 우방국 시설 사용 및 보호(수송 수단 포함)
   · 자국민 철수시(피난 구조 항공기 파견에 대한 협의 포함)아국인 탑승
   · 환자 처리 지원
   · 미국등 군사 강국의 대이라크 군사 조치 여부 사전 파악 노력

0010

〈주변국가〉
- 아국인 대피 입국 지원
- 항공기, 선박등 가용 수송 수단의 임대 지원

8. 주이라크 및 쿠웨이트 비상금 증액 및 인접국가(바레인,이란,UAE,애굽등) 공관에도 비상금 확보

9. 진출 우방 국가 철수 계획 파악 지시(주미, 영, 불, 일대사등)

10. 긴급 상황시 공관원 철수 및 현지 공관장 재량하 긴급 철수 허용 지시

11. 합동 대책반 구성 운영(10개 부처 편성) :
경기원, 외무, 안기, 건설, 상공, 교통, 노동(항만청, 수산청)

12. 관련 부처에 협조 요청
- 경기원 : . 예산 확보(외국업체 근로자 및 부동 인력 철수 경비 포함)
- 안기부 : 철수 계획 협의
- 국방부 : 인접국 또는 우방국 공군 기지 이용 협의
- 건설부, : . 진출업체 사업장별 철수 지도
  상공부
  . 공사 계약 해지에 따른 대책 강구
  . 장비 철수를 위한 절차 추진
- 노동부 : . 근로자 철수 세부 계획 수립 및 근로자 안전 보호 방침 강구
  . 진출업체 근로자 임금 및 노사 관계등 해결
- 교통, 수산청 및 해운항만청 : 교통 수단 지원
- K A L : 특별 전세기 운항
- 외무부 : 철수계획 수립
  철수업무 관장

13. 기타 필요 사항

0011

1. 이라크, 쿠웨이트, 사우디 아국 교민 현황

구분	교민 현황	교민 피해 현황	철수관련 문제점
이라크	o 현재 총 721명 - 진출업체 근로자 666명 - 상사원 및 가족 10명 - 주관공관원 및 가족 40명 - 기타 6명	o 현재로서는 없음 (공관 보고)	o 공항, 해로 및 국경 폐쇄와 외국인의 출입국 통제로 현재로서 비상 철수 사실상 불가능 o 특별기 이용후, 접수만이 유일한 방법(주재국 정부 허가 여부 문제)
쿠웨이트	o 현재 총 642명 - 진출업체 근로자 319명 - 상사원 및 가족 38명 - 공관원 및 가족(KORTA 포함) 39명 - 기타 252명	o 미귀환자 3명(1명은 이라크군 영내 억류, 2명은 행방불명)	o 쿠웨이트에서의 일체 출국 금지 o 육로로 이라크, 사우디 경우 출국가능 및 해상 피난 방법이 있으나, 결국 교통수단 해경 난망 및 이라크 정부 허가 여부가 문제
사우디	o 현재 총 6,091명 - 진출업체 근로자 3,856명 - 상사 및 은행 주재원 225명 - 공관원 및 가족(교사 포함) 173명 - 기타 1,837명	o 현재로서는 없음(공관보고)	

2. 이라크 및 쿠웨이트 아국 교민 철수 문제 현황 (8.10)

구분 공관명	상 황 및 국경 폐쇄	비상철수계획	당면조치사항	비고(당부기초지사항)
주이라크 대사관	○ 공항 및 국경 폐쇄 ○ 외국인의 출입국 제한 - 단기사증 입국 외국인은 출국 허용 - 장기체류 외국인에게 출국비자 불허 ○ 쿠웨이트 체류 아국 교민의 이라크 경유 아국 출국 문제는 양국과 협의할 사항 (이라크 외무성 ejjam 영사국장 시사) ○ 공항, 국경을 통한 인접국 철수 불가능 ○ 2개월분 정도의 비상식량 비축 ○ 지금 이후 모든 자국의 대 쿠웨이트 송금 중단 ○ 바그다드 주재 KOTRA는 공관주도하에 비상 대피키로	○ 공항, 국경을 통한 인접국 철수는 불가능, 장기체류자 사실상 출국비자 불허로 비상철수 불가능 ○ 유일한 방법은 특별기 투입, 철수 * 특별기 이외 전체 하 철수 기본 원칙 - 단기여행자 긴급 철수 등록 - 장기체류자중 1인 또는 소수인원 주재 엄선제외 - 철수 가능 방법 모색 - 장기 체류자의 출국 지시 - 사증 및 당국자의 지원 확보 및 진출업체 지대 - 당국과 철수방법 최대 모색	○ 특별기 투입 협의 및 이라크 당국과 정부 지원 교섭 ※ 주 이라크 대사, 특별기 투입 문제, 주재국 당국과 협의 예정이라 함	○ 교민 철수문제 판단하여 긴급 공관장 공관장 철수 지시 (8.7) ○ 요르단 국경 출구 하여 대피 파악 보고 지시 (8.7) (주 요르단, 터어키 대사) ○ 인접국 공관에 아국 교민 철수 대비, 필요 사항 준비 지시(8.8) (주 바레인, UAE, 터어키, 이란, 요르단 대사) ○ 국제 적십자사 접촉, 교민 안전 철수 문제 협조 요청 지시 (주 제네바 대사)(8.8)

구분 공관별	상 황	비상철수계획	당면조치사항	비고(당부기조치사항)
주 쿠웨이트 대사관	o 쿠웨이트에서의 일체 출국 금지 o 4명의 공관 직원 제외 공관원 및 가족 전원 철수, 예정 o 바그다드로의 이동문제 판단 곤란 o 2주일 정도의 비상식품 비축(현대건설 제외) o 8.3. 이태 500여명 대피 인원 공관 피난처 및 사택 여유도 따라 200명 정도 대피 예상 o 교민 긴급 소집 완료	o 철수 방안 검토 - 쿠웨이트에서 출국, 일단 이라크로 이동, 이라크 출국 - 육로로 사우디 주변으로 출국 - 해상 피난등 o 철수시까지 대피 예정 ※ 현대측은 이라크의 바그다드, 바스라 이동 검토중	o 이라크행 교통 수단 방안 강구 o 특별기 투입 문제 검토 o 이라크 정부의 동의를 얻기 위한 교섭	
주 사우디 대사관				o 교민 비상 대피 철수 계획 수립 지시(8.5)

0014

이라크 및 쿠웨이트 아국 교민 철수 대책 (안)

1. 상　　황
   o 현재 이라크 및 쿠웨이트 아국 교민은 1,314명
     (이라크 666명, 쿠웨이트 648명)
   o 이라크, 쿠웨이트 무력 사태 악화로 이라크, 쿠웨이트 국경 및
     공항이 폐쇄된 긴박한 상태임
   o 동 사태로 치안 부재 상태가 지속되는 가운데 이라크, 쿠웨이트
     아국 교민용 식량 문제가 심각함
   o 이라크는 정치적 목적을 위해 쿠웨이트 체류 인원을 인질로 삼을
     가능성 있으며, 서방 진영 370여명이 체포된 것으로 추정
   o 상기와 같은 급박한 상황아래 아국 교민의 긴급 철수 필요성이
     있으나, 현재로서 철수 방법 모색이 어려운 상태임

2. 기본 방침
   1 o 사태 진전에 따른 단계적 비상 철수
   3 o 안전 철수를 위한 이라크 정부와의 사전 긴밀 교섭
   2 o 관련 부처와 긴밀한 협조 아래 철수 추진
   4 o 철수 인근국가 및 우방국가의 긴밀한 사전 협조
   5 o 긴급상황 발생시, 현지 공관장 판단 아래 긴급 대피 철수

3. 철수 대책(안)

   가. 철수를 위한 교섭 대상 : 이라크 및 쿠웨이트, 인근국과 미.
                              일.영등 우방국가

   나. 철수 단계
       (1) 사태 진전에 따라 단계적 철수 개시

0015

2) 사태가 급격히 악화될시는 단계 구분없이 비상 철수하되, 사전
단계로 인접국에 피난처를 우선 준비, 철수

※ 철수 지역 선정은 현지 상황과 수송 수단의 이용 가능성을
고려, 현지공관 및 본부 판단에 ~~따라 적의 계획 수립 실시~~ 의거

3) 재산 및 물자등은 철수 우선 순위를 정해 수송 수단 가용시
~~단계별~~ 철수하되, 긴급시 인원만 우선 대피 또는 철수

※ 이라크의 제3국과의 전쟁 또는 미국의 군사 개입으로 이라크
전역으로 대규모 확전시

다. 철수 방법

1) 지역별로 집결, 가능한 공로, 육로 및 해로 이용 대피, 철수

2) 직접 아국 수송편(KAL 및 아국선박) 이용, 인접국 또는 본국으로의
철수 개시(필요시 우방국 수송 수단 이용)

3) 이라크 정부측과 사전 교섭, 긴급 철수시 교민 안전 확보

4) 인접국에 긴급 대피, 철수 대비, 긴급 대피지역 국가와 사전
교섭

. 대피지역 주재 아국 공관, 주재국 접촉, 지원 협조 요청

5) 이라크 및 쿠웨이트 지원 거부시 상황에 따라 인근국 및 우방국
(미.일.영.불등)과 협조, 우방국 철수 교통편을 이용 긴급 대피

. 주 이라크 대사, 이라크 정부 접촉 교섭 본부, 주한 이라크 대사
접촉 대리 교섭

. 우방국 주재 아국 공관, 우방국 접촉, 지원 교섭

※ 진출 업체별 자체 비상 철수 계획에 의거, 시행시는 현지
공관의 긴밀 협조하 추진

0016

라. 세부 철수 방안

1) 집   결

ㅇ 시   기
   - 현지 공관 또는 본부 판단에 의거한 긴급 상황 발생시
     (또는 진출업체 자체 비상 철수 계획 의거 추진시)

ㅇ 장   소
   - 인근 아국업체 공사장 안전 및 방위 용이한 아국 공사장
     및 아국 공관 (필요시 우방국 시설물)
     . 각 공사 현장별
   - 최종 집결지는 공항(공군기지 포함) 또는 항구이나, 공항 및
     항구 폐쇄시 현 공사현장 및 아국공관

ㅇ 방   법
   - 산재 거주 교민의 인근 공사장등 집결
   - 취약지구 공사장으로 부터 보다 안전 및 방위 용이한
     공사장등 이동 합류
   - 사태 악화시 현지 공관장 판단아래 지역별로 집결, 자체
     경비 강화 안전 조치 및 철수준비
   - 급격한 사태 악화 대비 주재국 내외의 안전지역 또는 인접국
     집결도 계획
   - 긴급시 현지 업체별 자체 비상 철수계획에 의해 시행
     (현지 공관장 지휘아래)

2) 철   수

ㅇ 수송(철수)지
   <공로 및 해로 이용 가능시>
   - 인근국가인 바레인 (또는 UAE)으로 임시 철수
   - 사태 진전에 따라 공로 경우, 바레인(UAE) - 서울

0017

〈육로 이용 가능시〉

- 터어키 또는 요르단으로 임시 철수

O 수송 방법 및 수단

가) 공 로

- KAL 전세기를 이용 하기 공항을 통해 철수
- 필요시 우방국 수송 수단 이용

(민간 국제 공항)

. KAL 전세기 B 747 1대 이용 (360명 수송)

. (1차)

서울 → 쿠웨이트 국제공항 → 바레인 공항 2회 운항

(쿠웨이트 교민 648명 수송)

. (2차)

바레인 → 바그다드, 사담공항 → 바레인공항 2회 운항

(이라크 교민 666명 수송)

. 소요비용 : 총 9억 6천만원 (137만불 상당)

. 수송 소요 시간 : 서울 → 쿠웨이트 → 바레인간 운항

소요시간 (1회) 18시간

바레인 → 바그다드 → 바레인 운항

소요시간 (1회) 6시간

〈이라크 및 쿠웨이트 공군 기지〉

. 민간 국제공항 이용 불능시 추진

. KAL 전세기 B 747 1대 (동 기지 활용시 이라크 정부 지원 필요)

. 소요 비용은 상기와 동일

~~문제점 :~~ 공항 폐쇄된 현 상황아래, 공로 이용 방법은 현실적으로

부적절

0018

나) 해　　로
- 이용 가능한 항구는 바스라항(이라크) 및 쿠웨이트항,
  슈와이크항 및 미날 압둘항(쿠웨이트)등임
- 긴급 대피 기항지는 바레인 마나마 항구임

- 상　　선
- 이란.사우디.이라크 취항 아국 화물선 3척 동원(척당
  350명 수송 가능) 출동 명령후 1-2일내 바레인 기항
- 이라크 경우 :
  집결지 →(육로) 쿠웨이트항 → 바레인 마나마항
- 쿠웨이트 경우 :
  집결지 →(육로) 쿠웨이트항 → 바레인 마나마항
- 긴급시 아국 선원 탑승 외국적 선박등 동원 (이용 가능시)

- 어　　선
- 홍해 근처 조업중인 구일산업 소속 트롤선 1척 (125 大급,
  ~~관급시~~ 100명 수송) 및 사우디 국적 용선 4척(300 大급,
  ~~긴급시~~ 400명 수송) 동원
- 출동후 2일내 집결항 입항 가능
- 필요시 우방국 수송 선박 이용(가능 경우) 방법도
※ 해상이 봉쇄된 현 상황 아래서는 해로 이용 어려움 예상
  현실적으로
다) 육　　로
- 현재의 가능한 육로 탈출 방법은 이라크에서 요르단 또는
  터어키 국경 경유 철수 (별첨 자료 참조)
- 수송 수단은 각 현장장별 차량 활용(현지 실정 의거)

0019

. 수 송 로

이라크 경우 :

.1)지역별 집결지(각 공사현장 SITE별등) → 바그다드 →

요르단 국경(루트바근쳐)(538 ㎞, 7시간 소요)

. 지역별 집결지 → 바그다드 → 터어키국경 (자코)

(516 ㎞, 7시간 소요)

단, 바그다드 북부위치 집결지는 바로 요르단 및 터어키

국경으로 이동

쿠웨이트 경우 :

. 쿠웨이트 시내 → 이라크(사판지역) → 요르단(루트바근쳐)

(총 1124 ㎞, 15시간 소요)

. 쿠웨이트 시내 → 이라크(사판) → 터어키국경(자코)

현재로서는 육로 이용 긴급 대피 철수가 가장 바람직할 하나,

라) 우방국의 항공기나 선박 이용 방안 모색

- 미.영.일.불등 우방국 교민 철수시 아국 교민도 동승 철수

토록 교섭

4. 조치사항

가. 관계부처 합동 회의 소집

- 안기부, 노동부, 건설부, 상공부, 국방부, 수산청, 해운항만청등

유관부처 회의 소집코 철수 시기 및 방안등 논의

나. 상기 회의 결과에 따라 구체적 철수 추진

- 이라크, 쿠웨이트 정부를 대상으로 아국 전세기 및 선박을 통한

철수 방안에 대한 협조 요청

(전세기 착륙 및 선박기항 허가등 병행 교섭)

0020

- 상기 교섭이 부진할 경우 우선 전세기를 통한 식량 및 생필품
  공수 가능성 타진
- 우방국 운송 수단 이용 가능성 타진을 위한 교섭 실시
다. 인접국에 대한 교섭
- 1차 철수 대상국에 아국민 입국 편리 제공 요청 교섭 실시
라. 아국 공관원 철수
- 상기 아국민 철수가 완료될 시점에서 사태가 악화될 경우 공관원도
  철수

5. 유의사항
가. 상기 공로, 해로, 육로에 의한 방법을 최대한 활용하더라도 아국
  교민 전원을 안전하게 철수시키는 것은 사실상 어려운 실정
나. 현 상황 아래서 교민 철수 필요성이 있으나, 구체적 철수에는
  다음과 같은 문제점
  1) 철수 교섭 상대자가 아측 요청에 응하지 않을 가능성
  2) 교섭 방법과 철수 추진 방법등에서의 문제점
다. 긴급한 상황 아래 대다수 교민이 철수하지 못할 사태가 발생할
  것이므로 이러한 사태 대응 아래와 같이 대처
  1) 가능한한 다수가 한장소에 집결, 자위력 강화
  2) 미국등 우방국의 이라크 제재 요청 및 유엔 결의등에 가능한
     미온적으로 대응함으로서 아국민의 인질화 방지
  3) 국제 적십자사등을 통한 철수 방안 모색

6. 당면 조치 사항
  o 이라크, 쿠웨이트 사태 관련 우방국 정부의 사태 해결 전망 타진

0021

철수 대책(안)

3. ~~기본 철수 계획~~ (안)

가. 철수 단계

1) 사태 진전에 따라 다음과 같이 구분, 아국인 보호 및 철수 개시

(1) 사태 진전에 따라 아국인보호 단계적 철수개시

구분 단계	사 태	조 치	대 상
1	~~사태 악화에 따른 ~~치안~~ 불안, ~~법질서 등으로 ~~신변 위협과 공사 진행 둔화~~ 재	모든 기관 비상 실시 근무·공관과의 비상 연락 대책 강구 현장별로 안전 대책 수립(현지 공관장 지휘)	일반 근로자 비필수요원 (주력) 공관 가족 외국업체 종사자 기 타
2	미국의 군사 개입 으로 인한 이라크 와의 무력 ~~전쟁~~ 발발시 *사태*	공관 특별경비 철수 지역으로 집결 비상철수 대책에 따라 대피 또는 철수	공관 직원 필수요원

2) 사태가 급격히 악화될시는 ~~단계 구분없이~~ *단계구분없이* 비상 철수하되, 사전 단계로 인접국에 피난처를 우선 준비, 철수

※ 철수 지역 선정은 현지 상황과 수송 수단의 이용 가능성을 고려, 현지공관 및 본부 판단에 따라 적의 계획 수립 실시

3) 재산 및 물자등은 철수 우선 순위를 정해 수송 수단 가용시 단계별 철수하되, 긴급시 인원만 우선 대피 또는 철수

※ 이라크의 제3국과의 전쟁 또는 미국의 군사 개입으로 이라크 전역으로 대규모 확전시

나. 철수 방법

1) *별아국선박* 직접 아국 수송편(KAL등) 이용, 인접국 또는 본국으로의 철수 개시 (필요시 ~~외국~~ 수송 수단 이용) *주변국*

2) 지역별로집결, ~~아국 수~~ *활용가능한* ~~수송수단~~ *공로, 육로 및 해로로 이용 때되,* 철수

0022

3) 이라크 정부측과 사전 교섭, 긴급 철수시 교민 안전 확보

4) 인접국에 긴급 대피 철수 대비, 긴급 대피지역 국가와 사전

교섭

· 대피지역 주재 아국 공관, 주재국 접촉, 지원 협조 요청

5) 이라크 정부 지원 거부시 상황에 따라 우방국과 협조, 우방국

철수 교통편을 이용, 긴급 대피

· 우방국 주재 아국 공관, 우방국(외무 및 국방부) 접촉, 지원

교섭

· 외무부, 주한 우방국 공관장 접촉, 교섭

※ 진출 업체별 자체 비상 철수 계획에 의거 시행시는 현지

공관의 긴밀 협조하 추진

다. 철수 방안

1) 집   결

○ 시   기

- 현지 공관 또는 본부 판단에 의거한 긴급 상황 발생시

(또는 진출업체 자체 비상 철수 계획 의거 추진시)

○ 장   소

- 인근 아국업체 공사장 안전 및 방위 용이한 아국 공사장

및 아국 공관 (필요시 우방국 시설물)

- 최종 집결지는 공항(공군기지 포함) 또는 항구

○ 방   법

- 산재 거주 교민의 인근 공사장등 집결

- 취약지구 공사장으로 부터 보다 안전 및 방위 용이한

공사장등 이동 합류

- 사태 악화시 현지 공관장 판단아래 지역별로 집결, 자체

경비 강화 안전 조치 및 철수준비

0023

걸프사태 : 재외동포 철수 및 보호, 1990-91. 전14권 (V.1 쿠웨이트 및 이라크, 1990.8.2-10) 29

- 공격 한 사태시 악화 대비 주재중 ₩₩의 안전
지역 ₩는 인접국 잠결도 계획
- 현지업체 별 지체 이상 철수계획에 의해
시행 (현지공관장 지휘 아래)

2) 철수

○ 주송 (철수) 지
공로 및 해로 이용가능시:
- 인근국가인 바레인 (또는 UAE)으로
임시 철수
- 사태 진전에 따라 바레인 (UAE) -
서울   공로 경우,

☆ 육로 이용가능시 :
- 터어키 또는 요르단 으로 임시철수

○ 수송 및 수단
가) 공로
- KAL 전세기를 이용 하기 공항을
통해 철수
- 필요시 우방국 수송 수단 이용
< 민간 국제공항 >
· KAL 전세기 B747기 1대이용 (360명
0024   수송)
· 1 차

① 서울 ──→ 쿠웨이트ⓧ국제공항 ──→ ~레인ⓧ외운항
　(쿠웨이트교민 648
　명 수송)

· (2차)
　바레인 ──→ 바그다드 사담공항 ──→ 바레인공항 2회
　운항 (이라크교민 666명 수송)
· 소요비용 : 총 9억 6천만원 (137만은 보상액)
※ 수송소요시간 : · 서울 ─ 쿠웨이트 ─ 바레인운항
　　　소요시간 (1회) 18시간
　　　　　· 바레인 ──→ 바그다드 ──→ 바레인
　　　　　운항소요시간 (1회)·6시간

< 이라크및 쿠웨이트 공군기지 >
· 민간 국제공항 이용불능시 추진
· ~~비행~~ KAL전세기 747 1대 (동기지
　활용시 이라크 정부지원 필요)

◦ 소요비용은 상기ⓧ동일

ⓧ 공항폐쇄된 현
　~~상황~~ ~~상황~~ 이래, 공로이용 방법은
　현실적으로 부적절

나) 해로
· 이용가능한 항구는 바스라항 (이라크)
　~~및~~ 쿠웨이트항 ~~및~~, 슈와이크항 및 미나 압둘라
　(쿠웨이트) 등임.
· 긴급 대피기항지는 바레인 마나마
　항구임.

― 상선

• 이란. 사우디, 이라크 취항 아국 화물선
3척 동원 (척당 350명 수송가능)
출동 명령 후 1~2일 내 바레인 기항

― 이라크경우 :
집결지 육로→ 이라크 움카스라항 →
바레인 마나마항

― 쿠웨이트경우 :
집결지 육로→ 쿠웨이트항 →
바레인 마나마항

※ 긴급시 아국 선원 탑승 외국적
선박동원 (이용가능시)

― 어선

• 홍해논처 조업중인 구일산업 소속
트롤선 1척 (125t급, 긴급시 100명
수송가능) 및 사우디 국적 용선 4척
(300t급, 긴급시 ~~300~~ 400 명 수송)

동원

• 출동후 2일 내 집결항 입항 가능

0026

③ · ※ 필요시 제3국 수송 ~~선박~~ 선박, 쿠웨이트 (·가능 경우)

— 해상이 봉쇄된 현 상황아래서는
해로이용에 어려운 예상

다. 육로

- 가능한 육로 할순 방법 은 이라크에서 ~~현재의~~

  ~~헌~~ 오르단 및 ~~및 ~~ 또는 터어키국경

  경유 철수

  ~~<운송수단>~~

- ~~운 기~~ 현장장별 차량 활용 (현지
  운송수단은,   실정
                                    의거)

- 수송로
  이라크경우: 지역 별 집결지 ~~< 7,~~ site 별 ~~활동~~ 용사현장
  ~~쿠웨이트~~   → ~~이라크~~ 바그다드 538Km, 2일
                                              소요
                         오르단국경(루트바르허)
  ~~총거리 538Km 소요~~
              ~~요르고 ~~;

  ~~쿠웨이트 경유:~~
  5161Cm   → 지역 별 집결지 → 바그다드
  제1지역소   터어키국경 ((자고)
              - 단 바그다드 북부위치 ~~~~ 집결지는
                 바로 오르단 및 터어키국경 으로 이동

  쿠웨이트경우:
                   · 쿠웨이트 → 이라크(사판지역)→ <총 1146Cm, 15시간소요>
                        지띠
                    ~~바그~~ 오르단 (루트바르허)
                                          <총 1124Km, 15시간소요>
                   · 쿠웨이트 시버 →이라크(사판) →
                        터어키국경 (자고)   0028
라) 우방국의 항공기나 선박이용 방안 모색
   - 미~~국~~. 영~~국~~. ~~독~~ 인 분등 우방 국 ~~교민 철 수시~~ 운송 철수로록광. 아국교미

~~너가 가능한 육로 탈출 방법은 이라크에서 터어키 국경을 통한 철수가~~
~~있을수 있으나 동 방안을 채택지 않음이 바람직~~ 오르간 또는

2(나) 우방국의 항공기나 선박 이용 방안 모색

- 미국, 영국, ~~독일등~~ 일본 우방국 교민 철수시 아국 교민도 동승 철수토록 교섭

4 호 조치 사항

가. 관계부처 합동 회의 소집

- 안기부, 노동부, 건설부, 상공부, 국방부, 수산청, 해운항만청등
  유관부처 회의 소집코 철수 시기 및 방안등 논의

나. 상기 회의 결과에 따라 구체적 철수 추진

- 이락, 쿠웨이트 정부를 대상으로 아국 전세기 및 선박을 통한 철수
  방안에 대한 협조 요청
  (전세기 착륙 및 선박기항 허가등 병행 교섭)

- 상기 교섭이 부진할 경우 우선 전세기를 통한 식량 및 생필품 공수
  가능성 타진

- 우방국 운송 수단 이용 가능성 타진을 위한 교섭 실시

다. 인접국에 대한 교섭

- 1차 철수 대상국에 아국민 입국 편리 제공 요청 교섭 실시

라. 아국 공관원 철수

- 상기 아국민 철수가 완료될 시점에서 사태가 악화될 경우 공관원도
  철수

5. 호 유의 사항

가. 상기 공로, 해로, 육로에 의한 방법을 최대한 활용하더라도 아국
  교민 전원을 안전하게 철수시키는 것은 사실상 어려운 실정

0029

나. 현 상황 아래서 교민 철수 필요성이 있으나, 구체적 철수에는 다음과
   같은 문제점

   1) 철수 교섭 상대자가 아측 요청에 응하지 않을 가능성

   2) 교섭 방법과 철수 추진 방법등에서의 문제점

다. 긴급한 상황 아래 대다수 교민이 철수하지 못할 사태가 발생할
   것이므로 이러한 사태 대응 아래와 같이 대처

   1) 가능한한 다수가 한장소에 집결, 자위력 강화

   2) 미국등 우방국의 이락 제재 요청 및 유엔 결의등에 가능한 미온적
      으로 대응함으로서 아국민의 인질화 방지

   3) 국제 적십자사등을 통한 철수 방안 모색

6. ~~5.~~ 당면 조치 사항

   ○ 이라크, 쿠웨이트 사태 관련 우방국 정부의 사태 해결 전망 타진

0030

이라크 및 쿠웨이트 아국 교민 철수 대책 (안)

1. 상 황

○ 현재 이라크 및 쿠웨이트 아국 교민은 1,314명
  (이라크 666명, 쿠웨이트 648명)

○ 이라크, 쿠웨이트 무력 사태 악화로 이라크, 쿠웨이트 국경 및
  공항이 폐쇄

○ 동 사태로 치안 부재 상태가 지속되는 가운데 이라크, 쿠웨이트내
  아국 교민의 식량 문제가 심각

○ 이라크는 쿠웨이트 체류 인원을 인질로 삼을 가능성 있으며, 서방
  진영 400여명이 이라크로 강제 이동된 것으로 추정

○ 상기와 같은 상황아래 아국 교민의 긴급 철수 필요성이 있으나,
  현재로서는 철수 방법 모색이 어려운 상태임

2. 기본 방침

○ 일시, 전원 철수 추진을 원칙으로 함
○ 관련 부처와 긴밀한 협조 아래 추진
○ 안전 철수를 위한 이라크 정부와의 사전 긴밀 교섭
○ 철수 인근국가 및 우방국가의 긴밀한 협조 유지
○ 긴급상황 발생시, 현지 공관장 판단 아래 긴급 대피 철수

3. 철수 대책(안)

가. 철수 단계

1) 가능한 조속한 시기내 철수 개시
   - 인접국으로 우선 철수후 사태를 보아 국내로 철수

앙고재	충군동과	90년 제월 제일	담 당	과 장	심의관	국 장	차관보	차 관	창 관
			舞	郭			밀2질 8/9		

0031

- 인접 철수 대상국은 요르단, 터키, 바레인, UAE, 이란을 우선
  고려
- 철수 지역은 현지 상황과 수송 수단의 이용 가능성등 고려 선정
2) 물자등은 우선 순위를 정해 수송 수단 보아 단계별 철수하되,
   긴급시 인원만 우선 철수

나. 철수 방법
1) 지역별로 집결, 가능한 공로, 육로 및 해로 이용 철수
2) 직접 아국 수송편(KAL 및 아국선박) 이용, 인접국 또는 본국으로의
   철수 개시(필요시 우방국 수송 수단 이용)
3) 이라크 정부측과 사전 교섭, 긴급 철수시 교민 안전 확보
4) 인접국으로 철수 대비, 동 인접국과 사전 교섭
5) 이라크 및 쿠웨이트 지원 거부시 상황에 따라 인근국 및 우방국
   (미.일.영.불등)과 협조, 우방국 철수 교통편을 이용 철수
6) 진출 업체별 자체 철수 계획에 의거 시행시는 현지 공관과의
   긴밀 협조하 추진

다. 세부 철수 방안
1) 집결
   ㅇ 시기
     - 철수 가능 방법 확인시 가능한 조속 철수
   ㅇ 장소
     - 인근 아국업체 공사장 또는 아국 공관(필요시 우방국 시설물)
     - 최종 집결지는 공항(공군기지 포함) 또는 항구이나, 공항 및
       항구 폐쇄시 현 공사현장 및 아국공관

0032

o 방   법
  - 산재 거주 교민의 인근 공사장등 집결
    (취약지구 공사장으로 부터 보다 안전하고 방위 용이한
    공사장등으로 이동 합류)

2) 철   수
  o 수송(철수)지
    <공로 및 해로 이용 가능시>
    - 인접국가인 바레인 (또는 UAE)으로 임시 철수
    - 사태 진전에 따라 바레인(UAE) - 서울로 철수
    <육로 이용 가능시>
    - 터어키 또는 요르단으로 임시 철수(가능시될 경우 이란도 고려)
  o 수송 방법 및 수단
    가) 공   로
    - KAL 전세기를 이용 하기 공항을 통해 철수
    - 필요시 우방국 수송 수단 이용
      (민간 국제 공항)
      . KAL 전세기 B 747 1대 이용(360명 수송)
      . (1차)
        서울 → 쿠웨이트 국제공항 → 바레인 공항 2회 운항
        (쿠웨이트 교민 648명 수송)
      . (2차)
        바레인 → 바그다드, 사담공항 → 바레인공항 2회 운항
        (이라크 교민 666명 수송)
      . 소요비용 : 총 9억 6천만원 (137만불 상당)
      . 수송 소요 시간 : 서울 → 쿠웨이트 → 바레인간 운항
                        소요시간(1회) 18시간
                        바레인 → 바그다드 → 바레인 운항
                        소요시간(1회) 6시간

0033

(이라크 및 쿠웨이트 공군 기지)

. 민간 국제공항 이용 불능시 추진

. KAL 전세기 B 747 1대 (동 기지 활용시 이라크 정부 지원 필요)

. 소요 비용은 상기와 동일

문제점 : 공항 폐쇄된 현 상황아래, 공로 이용 방법은 현실적

　　　　　으로 ~~부적절~~ 어려움

나) 해　　로

. 이용 가능한 항구는 바스라항(이라크) 및 쿠웨이트항,
  슈와이크항 및 미날 압둘항(쿠웨이트)등임

. 긴급 철수 기항지는 바레인 마나마 항구임

- 상　　선

. 이란.사우디.이라크 취항 아국 화물선 3척 동원(척당
  350명 수송 가능) 출항후 1-2일내 바레인 기항

. 이라크 철수 :
  집결지 →(육로) 쿠웨이트항 → 바레인 마나마항

. 쿠웨이트 철수 :
  집결지 →(육로) 쿠웨이트항 → 바레인 마나마항

※ 여건에 따라 아국 선원 탑승 외국적 선박등 이용

- 어　　선

. 홍해 근처 조업중인 구일산업 소속 트롤선 1척 (125 大급,
  100명 수송) 및 사우디 국적 용선 4척(300 大급, 400명
  수송) 동원

. 출항후 2일내 집결항 입항 가능

※ 필요시 우방국 수송 선박 이용(가능 경우)

문제점 : 해상이 봉쇄된 현 상황 아래서는 해로 이용에 어려움
　　　　　예상

0034

다) 육   로
　　• 현재의 가능한 육로 철수 방법은 이라크에서 요르단 또는
　　　터어키 국경 경유 철수 (별첨 자료 참조)
　　• 수송 수단은 각 현장장별 차량 활용(현지 실정 의거)
　　• 수 송 로
　　　이라크 철수 :
　　　1) 지역별 집결지(각 공사현장 SITE별등) → 바그다드 →
　　　　　요르단 국경(루트바근처, 538 ㎞, 7시간 소요)
　　　2) 지역별 집결지 → 바그다드 → 터어키국경 (자코,
　　　　　(516 ㎞, 7시간 소요)
　　　단), 바그다드 북부위치 집결지는 바로 요르단 및 터이키
　　　　　국경으로 이동
　　　쿠웨이트 철수 :
　　　1) 쿠웨이트 시내 → 이라크(사판지역) → 요르단(루트바
　　　　　근처, 총 1146 ㎞, 15시간 소요)
　　　2) 쿠웨이트 시내 → 이라크(사판) → 터어키국경(자코,
　　　　　총 1124 ㎞, 15시간 소요)
　　※ 현재로서는 육로 이용 긴급 철수가 바람직 함 (이박정부의 출국 제가르건)
　　라) 우방국의 항공기나 선박 이용 방안 모색
　　　- 미.영.일.불등 우방국 교민 철수시 아국 교민도 동승 철수
　　　　토록 교섭

4. 조 치 사 항

가. 관계부처 합동 회의 소집
　- 안기부, 노동부, 건설부, 상공부, 국방부, 수산청, 해운항만청등
　　유관부처 회의 소집코 철수 시기 및 방안등 논의

0035

나. 상기 회의 결과에 따라 구체적 철수 추진
　　- 이라크, 쿠웨이트 정부를 대상으로 아국 전세기 및 선박을 통한
　　　철수 방안에 대한 협조 요청
　　　(전세기 착륙 및 선박기항 허가등 병행 교섭)
다. 육로 철수 실시
　　- 공,해로 철수가 불가능할 경우 육로 철수 실시
　　- 가능한 모든 교민 동시에 철수 추진
라. 인접국에 대한 교섭
　　- 1차 철수 대상국에 아국민 입국 편리 제공 요청 교섭 실시
마. 아국 공관원 철수
　　- 상기 아국민 철수가 완료될 시점에서 공관원도 철수

5. 유의사항

가. 상기 공로, 해로, 육로에 의한 방법을 최대한 활용하더라도 아국
　　교민 전원을 안전하게 철수시키는 것은 사실상 어려운 실정
나. 현 상황 아래서 교민 철수 필요성이 있으나, 구체적 철수에는
　　다음과 같은 문제점
　1) 철수 교섭 상대자가 아측 요청에 응하지 않을 가능성
　2) 교섭 방법과 철수 추진 방법등에서의 문제점
다. 긴급한 상황 아래 대다수 교민이 철수하지 못할 사태가 발생할
　　것이므로 이러한 사태 대응 아래와 같이 대처
　1) 가능한한 다수가 한장소에 집결, 자위력 강화
　2) 미국등 우방국의 이라크 제재 요청 및 유엔 결의등에 가능한
　　　미온적으로 대응함으로서 아국민의 인질화 방지
　3) 국제 적십자사등을 통한 철수 방안 모색

0036

6. 당면 조치 사항

　ㅇ　이라크, 쿠웨이트 사태 관련 우방국 정부의 사태 해결 전망 타진

0037

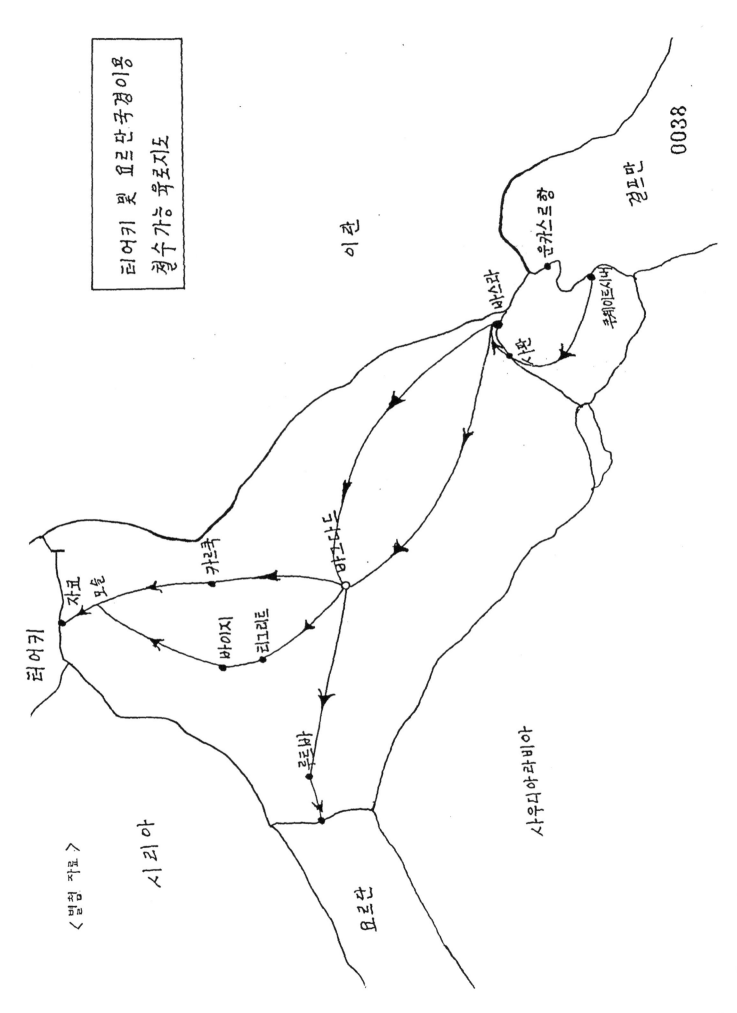

이란기 및 요르단 주경이용
청수가능 유조지도

이란

바스라

움카스르 항

쿠웨이트시

경파르

0038

하버니아

카르쿡

바그다드

모술

사우디아라비아

시리아

자료
모듬

바이지

터크릿

요르단

이라기

< 범례 자료 >

이라크 및 쿠웨이트 아국 교민 철수 대책 (안)

1. 상 황

○ 현재 이라크 및 쿠웨이트 아국 교민은 1,314명
 (이라크 666명, 쿠웨이트 648명)

○ 이라크, 쿠웨이트 무력 사태 악화로 이라크, 쿠웨이트 국경 및
 공항이 폐쇄

○ 동 사태로 치안 부재 상태가 지속되는 가운데 이라크, 쿠웨이트내
 아국 교민의 식량 문제가 심각

○ 이라크는 쿠웨이트 체류 인원을 인질로 삼을 가능성 있으며, 서방
 진영 400여명이 이라크로 강제 이동된 것으로 추정

○ 상기와 같은 상황아래 아국 교민의 긴급 철수 필요성이 있으나,
 현재로서는 철수 방법 모색이 어려운 상태임

2. 기본 방침

○ 일시, 전원 철수 추진을 원칙으로 함

○ 관련 부처와 긴밀한 협조 아래 추진

○ 안전 철수를 위한 이라크 정부와의 사전 긴밀 교섭

○ 철수 인근국가 및 우방국가의 긴밀한 협조 유지

○ 긴급상황 발생시, 현지 공관장 판단 아래 긴급 대피 철수

3. 철수 대책(안)

가. 철수 단계

 1) 가능한 조속한 시기내 철수 개시

  - 인접국으로 우선 철수후 사태를 보아 국내로 철수

0039

- 인접 철수 대상국은 요르단, 터키, 바레인, UAE, 이란을 우선
  고려
- 철수 지역은 현지 상황과 수송 수단의 이용 가능성등 고려 선정
2) 물자등은 우선 순위를 정해 수송 수단 보아 단계별 철수하되,
  긴급시 인원만 우선 철수

나. 철수 방법
1) 지역별로 집결, 가능한 공로, 육로 및 해로 이용 철수
2) 직접 아국 수송편(KAL 및 아국선박) 이용, 인접국 또는 본국으로의
  철수 개시(필요시 우방국 수송 수단 이용)
3) 이라크 정부측과 사전 교섭, 긴급 철수시 교민 안전 확보
4) 인접국으로 철수 대비, 동 인접국과 사전 교섭
5) 이라크 및 쿠웨이트 지원 거부시 상황에 따라 인근국 및 우방국
  (미.일.영.불등)과 협조, 우방국 철수 교통편을 이용 철수
6) 진출 업체별 자체 철수 계획에 의거 시행시는 현지 공관과의
  긴밀 협조하 추진

다. 세부 철수 방안
1) 집   결
  ○ 시   기
   - 철수 가능 방법 확인시 가능한 조속 철수
  ○ 장   소
   - 인근 아국업체 공사장 또는 아국 공관(필요시 우방국 시설물)
   - 최종 집결지는 공항(공군기지 포함) 또는 항구이나, 공항 및
     항구 폐쇄시 현 공사현장 및 아국공관

0040

o 방   법
  - 산재 거주 교민의 인근 공사장등 집결
    (취약지구 공사장으로 부터 보다 안전하고 방위 용이한
    공사장등으로 이동 합류)
2) 철   수
o 수송(철수)지
  〈공로 및 해로 이용 가능시〉
  - 인접국가인 바레인 (또는 UAE)으로 임시 철수
  - 사태 진전에 따라 바레인(UAE) - 서울로 철수
  〈육로 이용 가능시〉
  - 터어키 또는 요르단으로 임시 철수(가능시될 경우 이란도 고려)
o 수송 방법 및 수단
  가) 공   로
  - KAL 전세기를 이용 하기 공항을 통해 철수
  - 필요시 우방국 수송 수단 이용
    (민간 국제 공항)
    . KAL 전세기 B 747 1대 이용(360명 수송)
    . (1차)
      서울 → 쿠웨이트 국제공항 → 바레인 공항 2회 운항
      (쿠웨이트 교민 648명 수송)
    . (2차)
      바레인 → 바그다드, 사담공항 → 바레인공항 2회 운항
      (이라크 교민 666명 수송)
    . 소요비용 : 총 9억 9천만원 (137만불 상당) (순수항공임 만계2)
    . 수송 소요 시간 : 서울 → 쿠웨이트 → 바레인간 운항
                      소요시간(1회) 18시간
                      바레인 → 바그다드 → 바레인 운항
                      소요시간(1회) 6시간

0041

(이라크 및 쿠웨이트 공군 기지)

  . 민간 국제공항 이용 불능시 추진

  . KAL 전세기 B 747 1대 (동 기지 활용시 이라크 정부 지원 필요)

  . 소요 비용은 상기와 동일

 문제점 : 공항 폐쇄된 현 상황아래, 공로 이용 방법은 현실적
         으로 부적절 하나, 공군기지 사용 가능시 동방법이 가장 효율적인 것 같음.

나) 해 로

  . 이용 가능한 항구는 바스라항(이라크) 및 쿠웨이트항,
    슈와이크항 및 미날 압둘항(쿠웨이트)등임

  . 긴급 철수 기항지는 바레인 마나마 항구임

- 상   선

  . 이란,사우디,이라크 취항 아국 화물선 3척 동원(척당
    350명 수송 가능) 출항후 1-2일내 바레인 기항

  . 이라크 철수 :
    집결지 →(육로) 쿠웨이트항 → 바레인 마나마항

  . 쿠웨이트 철수 :
    집결지 →(육로) 쿠웨이트항 → 바레인 마나마항

※ 여건에 따라 아국 선원 탑승 외국적 선박등 이용

- 어   선

  . 홍해 근처 조업중인 구일산업 소속 트롤선 1척 (125 大급,
    100명 수송) 및 사우디 국적 용선 4척(300 大급, 400명
    수송) 동원

  . 출항후 2일내 집결항 입항 가능

※ 필요시 우방국 수송 선박 이용(가능 경우)

 문제점 : 해상이 봉쇄된 현 상황 아래서는 해로 이용에 어려움
         예상

0042

다) 육   로

. 현재의 가능한 육로 철수 방법은 이라크에서 요르단 또는 터어키 국경 경유 철수 (별첨 자료 참조)

. 수송 수단은 각 현장장별 차량 활용 (현지 실정 의거)

. 수 송 로

이라크 철수 :

1) 지역별 집결지 (각 공사현장 SITE별등) → 바그다드 → 요르단 국경 (루트바근처, 538 km, 7시간 소요)

2) 지역별 집결지 → 바그다드 → 터어키국경 (자코, (516 km, 7시간 소요)

단), 바그다드 북부위치 집결지는 바로 요르단 및 터어키 국경으로 이동

쿠웨이트 철수 :

1) 쿠웨이트 시내 → 이라크 (사판지역) → 요르단 (루트바 근처, 총 1146 km, 15시간 소요)

2) 쿠웨이트 시내 → 이라크 (사판) → 터어키국경 (자코, 총 1124 km, 15시간 소요)

※ 현재로서는 육로 이용 긴급 철수가 바람직 함

라) 우방국의 항공기나 선박 이용 방안 모색

- 미 . 영 . 일 . 불등 우방국 교민 철수시 아국 교민도 동승 철수 토록 교섭

4. 조 치 사 항

가 . 관계부처 합동 회의 소집

- 안기부, 노동부, 건설부, 상공부, 국방부, 수산청, 해운항만청등 유관부처 회의 소집코 철수 시기 및 방안등 논의

0043

나. 상기 회의 결과에 따라 구체적 철수 추진
  - 이라크, 쿠웨이트 정부를 대상으로 아국 전세기 및 선박을 통한
    철수 방안에 대한 협조 요청
    (전세기 착륙 및 선박기항 허가등 병행 교섭)
다. 육로 철수 실시
  - 공,해로 철수가 불가능할 경우 육로 철수 실시
  - 가능한 모든 교민 동시에 철수 추진
라. 인접국에 대한 교섭
  - 1차 철수 대상국에 아국민 입국 편리 제공 요청 교섭 실시
마. 아국 공관원 철수
  - 상기 아국민 철수가 완료될 시점에서 공관원도 철수

5. 유의사항

가. 상기 공로, 해로, 육로에 의한 방법을 최대한 활용하더라도 아국
    교민 전원을 안전하게 철수시키는 것은 사실상 어려운 실정
나. 현 상황 아래서 교민 철수 필요성이 있으나, 구체적 철수에는
    다음과 같은 문제점
  1) 철수 교섭 상대자가 아측 요청에 응하지 않을 가능성
  2) 교섭 방법과 철수 추진 방법등에서의 문제점
다. 긴급한 상황 아래 대다수 교민이 철수하지 못할 사태가 발생할
    것이므로 이러한 사태 대응 아래와 같이 대처
  1) 가능한한 다수가 한장소에 집결, 자위력 강화
  2) 미국등 우방국의 이라크 제재 요청 및 유엔 결의등에 가능한
     미온적으로 대응함으로서 아국민의 인질화 방지
  3) 국제 적십자사등을 통한 철수 방안 모색

0044

6. 당면 조치 사항

ㅇ 이라크, 쿠웨이트 사태 관련 우방국 정부의 사태 해결 전망 타진

0045

1. 이라크, 쿠웨이트, 사우디 아국 교민 현황

구분	교민현황	교민피해현황	철수관련문제점
이라크	○ 현재 총 732명 - 진출업체 근로자 660명 - 주재 상사원 및 가족 26명 - 공관원 및 가족 26명 - 기타 20명	○ 현재로서는 없음 (공관 보고)	○ 공항, 해로 및 국경 폐쇄와 외국인의 출입국 통제로 현재로서 비상 철수 사실상 불가능 ○ 특별기 이용 투입, 철수만이 가능한 방법(주재국 정부 허가 여부 문제)
쿠웨이트	○ 현재 총 642명 - 진출업체 근로자 319명 - 주재 상사원 및 가족 38명 - 공관원 및 가족(KORTA 포함) 39명 - 기타 252명	○ 미귀환자 3명 (1명은 이라크군 영내 억류, 2명은 행방불명)	○ 쿠웨이트에서의 일체 출국 금지
사 우 디	○ 현재 총 6,091명 - 진출업체 근로자 3,856명 - 상사 및 은행 주재원 225명 - 공관원 및 가족(교사 포함) 173명 - 기타 1,837명		○ 육로로 이라크, 사우디 경유 출국 및 해상 피난 방법이 있으나, 교통수단 해결 난망 및 이라크 정부 허가 여부가 문제

2. 이라크 및 쿠웨이트 아국 교민 철수 문제 현황 (8.10)

구분 / 공관명	상 황	비상철수계획	당면조치사항	비고(당부기조치사항)
주 이라크 대사관	ㅇ 공항 및 국경 폐쇄 ㅇ 외국인의 출입국 제한 - 단기사증 입국 외국인은 출국 허용 - 장기체류 외국인에게 출국비자 불허 ㅇ 쿠웨이트 체류 아국 교민의 이라크 출국 문제는 이라크와 국교 관계의 신정부 당국과 협의할 사항 (이라크 외무성 ejjam 영사국장 지시) ㅇ 공항, 국경을 통한 인접국 철수 불가능 ㅇ 2개월분 정도의 비상 식품 비축 ㅇ 지금이후 모든 자국의 대 쿠웨이트로 송금중단 ㅇ 바그다드 KOTRA는 공관 주도하에 비상 대피중	ㅇ 공항, 국경을 통한 인접국으로의 철수는 출국비자 발급, 장기 체류자 출국비자 미발급으로 비상철수 불가능 ㅇ 유일한 방법은 특별기 투입, 철수 * 특별기 이용 전제하 철수 기본 원칙 - 단기 여행자 긴급 철수 - 장기 체류자중 1인 또는 소수 인원 우선 철수 가능 방법 모색 - 장기 체류자의 출국 사증 획득 및 진출업체 지원 - 당국 가족 철수방법 최대 모색	ㅇ 특별기 투입 협의 및 이라크 정부 지원 교섭 ※ 주 이라크 대사, 특별기 투입 문제, 주재국 당국과 협의 예정이라 함	ㅇ 교민 철수문제 본국에 긴급 지시 (8.7) ㅇ 여타 당국 당정 출국 허용 여부 파악 보고 지시 (8.7) (주 요르단, 터어키 대사) ㅇ 인접국 교민에 아국 교민 철수 준비 지시(8.8) (주 바레인, UAE, 터어키, 이란, 요르단 대사) ㅇ 국제 적십자사 접촉, 교민 안전 철수 지시 협조 요청 지시(8.8) (주 제네바 대사)

공관별 \ 구분	상 황	비상철수계획	당면조치사항	비고(당부기조치사항)
주 쿠웨이트 대사관	ㅇ 쿠웨이트에서의 일체 출국 금지 ㅇ 4명의 공관 직원 제외 공관원 및 가족 전원 철수체(?) ㅇ 바그다드로의 이동문제 바단 곤란 ㅇ 2주일 정도의 비상식품 비축(현대건설 제외) ㅇ 8.3. 이래 50여명 대피 인원 공관 피난 및 사태 여하에 따라 200명 정도 대피 예상 ㅇ 교민 긴급 소집 완료	ㅇ 철수 방안 검토 - 쿠웨이트에서 출국, 일단 이라크로 이동, 이라크 출국 - 육로로 사우디 주변으로 출국 - 해상 피난 등 ㅇ 철수시까지 대피 예정 ※ 현대측은 이라크의 바그다드, 바스라 이동 검토중	ㅇ 이라크행 교통 수단 방안 강구 ㅇ 특별기 투입 문제 검토 ㅇ 이라크 정부의 동의를 얻기 위한 교섭	ㅇ 교민 비상 대피 계획 수립 지시 (8.5)
주 사우디 대사관				

교민 철수 대책 관련

1. 이라크 및 쿠웨이트 교민 총수 1,380명
   (이라크 : 732명, 쿠웨이트 : 648명)

2. 긴급 상황시 현지 공관장 재량하에 현지 실정에 맞게 긴급 철수 실시
   토록 지시

3. 특히, 단기 체류자 부녀자등 비필수요원을 우선 철수 시키도록 하고
   가급적 현지 진출 업체 철수 계획과 연계하여 철수 추진토록 함

4. 이라크 및 쿠웨이트 국경 및 공항 폐쇄 및 이라크 장기 체류자 출국
   불허가가 문제가 되고 있어, 이라크 당국, 국제적십자 및 우방국등과 교민
   안전 철수 가능을 위한 다각적 외교 노력 전개중

5. 요르단등으로 육로 이동, 출국 가능성 외교 교섭 전개중, 출국 가능시
   쿠웨이트 및 이라크 비필수 교민 우선 출국 추진

6. 이라크 당국의 요르단 경유 교민 철수 허가 대비, 요르단, 사우디
   입국 및 수용에 따른 제반 필요조치 강구중

7. 현 상황 아래서 철수 방법 및 수단이 문제이나 우선 긴급 철수에 대비한
   KAL 특별기 확보 투입 준비 완료
   ○ 철수 문제 관련 시기 및 방법등 관련사항 진출업체와 긴밀 협의 추진

8. 참고로 사태 장기화 대비 인접국가 비필수 교민도 가급적 조속 철수 권유중임

0049

주요 조치사항

[90.8.9]

8.2.   · 이라크 침공에 대한 각국 반응 평가 파악 지시 (주미, 영, 불, 일,
        카나다, 호주, 이집트, 사우디, 이란 대사)

        · 외무부 대변인 성명 통보 (주이라크 대사)

        · 이라크 침공 사태 상황 보고 지시 (주이라크, 쿠웨이트 대사)

8.3.   · 외무부 대변인 성명 통보 (전재외공관장)

8.4.   · 주한 이라크 대사대리 면담 요지 통보 (주이라크, 쿠웨이트 대사)

8.5.   · 교민 보호 철저 지시 (주사우디, UAE, 카타르, 바레인, 오만 대사)

        · 철수계획 수립 보고 지시 (주이라크, 쿠웨이트 대사)

8.6.   · 해운항만청, 국적선사보호 관련 훈령 (주미 대사)

        · 교민 신변 안전 및 보호 만전 지시 (주쿠웨이트 대사)

        · 아국 근로자 3명 소재 확인 및 석방 교섭 지시 (주이라크 대사)

        · 외국인 이라크 압송 보도 관련 사실 확인 지시 (주영 대사)

        · 비상 대비 계획 수립 지시 (주사우디, UAE, 바레인, 카타르, 오만 대사)

8.7.   · 요르단 국경 출국 허용 여부 파악 보고 지시 (주이라크 대사)

        · 특별 예산 조치 방침 시달 (주쿠웨이트 대사)

        · 교민철수 관련 국제적십사에 협조 의뢰 (대한적십자사)

8.8.   · 교민 철수 문제 공관장 판단하에 조치 지시 (주이라크, 쿠웨이트 대사)

        · 요르단 국경 출국 허용 여부 파악 보고 지시 (주요르단, 터어키 대사)

        · 주재국 주재 이라크 대사와 접촉, 이라크, 쿠웨이트 거주 아국 교민
        안전 확보 교섭 지시 (주리비아, 튀니지, 필리핀, 태국, UAE, 일본
        인도, 파키스탄)

0050

- 이라크, 쿠웨이트 인접국 공관에 아국교민 철수 대비 필요사항 준비 지시 (주바레인, UAE, 터어키, 이란, 요르단 대사)
- 주재국 정부의 자국 교민 보호 및 철수대책 파악 및 협조 가능성 여부 타진 보고 지시 (주이태리, 일본, 영국, 불란서, 서독, 인도, 파키스탄 대사, 카이로 총영사)
- 이라크의 쿠웨이트 합병선언에 대한 주재국 반응 파악 보고 지시 (주미국, 일본, 영국, 불란서, 서독, 이태리 대사)
- 국제 적십자사측과 교섭, 아국교민 안전 및 철수에 적십자사측의 긴밀 협조 가능성 타진 보고 지시 (주제네바 대사)

8.9.
- 교민 철수 관련 특별기 운항 협조 요청 지시 (주이라크 대사)
- 남송산업 근로자 철수 협조 통보 (주쿠웨이트 대사)
- 체류 교민 현황 상세 구분 보고 지시 (주이라크, 쿠웨이트 대사)
- 외무차관 기자회견 내용 통보 (주이라크 대사)
- 해운항만청, 국적선운항 현황 통보 (주미 대사)
- 건설부, 건설 공사 관리 대책 훈령 (주이라크, 쿠웨이트 대사)

0051

2. 쿠웨이트

0052

외 무 부

종 별 : 긴 급

번 호 : KUW-0367　　　　　　　　　　　일 시 : 90 0802 0940

수 신 : 장관(중근동,영재)

발 신 : 주 쿠웨이트 대사

제 목 : 쿠웨이트.이락 분쟁(6)

　　　　연: KUW-0362

　　금일 현재 당지거주 아국인은 공관원, 무역관직원, 한국학교교사와 그가족 39 명, 주재상사원 및 그가족 38 명, 건설회사 임직원 및 근로자 319 명, 일반거류교민 252 명, 계 648 명임을 참고로 보고하며 당지시간 09:30 현재 이상없음. 끝.

　　　　(대사-국장)

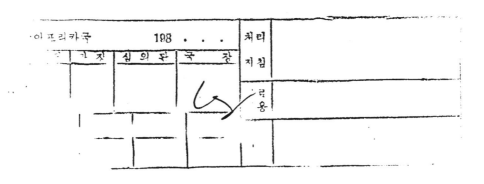

중아국　　차관　　2차보　　정론국　　영교국　　안기부

PAGE 1　　　　　　　　　　　　　　　　　　　　90.08.02　　17:15
　　　　　　　　　　　　　　　　　　　　　　　외신 2과　통제관 DH
　　　　　　　　　　　　　　　　　　　　　　　　　0053

외 무 부

종 별 : 지급

번 호 : KUW-0369   일 시 : 90 0802 1130

수 신 : 장관(중근동과장)

발 신 : 주 쿠웨이트(최종석 영사)

제 목 : 쿠웨이트-이락 분쟁

　　　당관 직원 및 정부파견 주재원 (한국학교 및 무역관) 본가에 각각 전화하여 쿠웨이트, 이락 충돌사건에도 불구하고 모두 이상없고 위급한 사정이 아니라는 점을 봉보해 주시기 바람.

　　　직원, 연고자, 전화번호순

　　　대사관직원

　　　소병용 대사: 소병철 532-7713

　　　이준화 참사관: 이순한 (0558) 33-9226

　　　임충수 건설관: 최득린 797-8980

　　　최종석 서기관: 최종태 742-8483

　　　이기권 노무관: 이기성 467-3137

　　　김영기 외신관: 김상진 (0681) 34-4260

　　　조상만(고용원): 조상철 744-0225

　　　박혁주(고용원): 박현숙 (0652) 4-2029

　　　무역관

　　　장동락 무역관장: 장선희 533-1900

　　　한국학교

　　　이경의 교사: 한장치 699-9154

　　　조성만 교사: 동영보 967-4397. 끝.

중아국

PAGE 1

90.08.02　　18:39
외신 2과　통제관 DH
0054

외 무 부

수 신 : 장관(중근동,정일,영재,기정,노동부장관,건설부장관)

발 신 : 주 쿠웨이트 대사

제 목 : 교민 및 근로자 안전상황 보고

연: KUW-0367

1. 당지 시간 12:50 현지 당관에 보고되었거나 파악된 바로는 교민이나 근로자등 쿠웨이트 체류자중에 안전사고자는 없음.

2. 다만 현대건설 취업근로자중 2 명(조준택, 노재학)이 쿠웨이트. 이락 국경으로부터 약 60 KM 지점에 있는 송전설로 공사현장에 05:30 경 출근했는데 아직 숙소에 귀환하지 않고 있음. 동현장은 전기가설 현장이므로 전화연락이 불가능하고 귀환을 기다리고 있음.

3. 자하라(쿠웨이트시에서 이락국경쪽으로 약 50KM) 숙소에서 05:00 경 출발하여 쿠웨이트 시내에 있는 키스트도로건설 작업현장으로 버스 4 대에 부(365)승하여 출근하던 현대건설 근로자중 앞의 2 대 승차인원은 작업현장에 도착하고 나머지 2 대에 분승한 인원(한국인 14 명, 태국인 100 명)은 이락군에게 억류되었다가 보고시간 현재 한국인 13 명은 석방되어 키스트현장으로 귀환하였으며 한국인 1 명(김영호)은 태국인 100 명과 함께 아직 이락군 사령부 경내 억류중임 그곳에는 약 1,000 여명의 인원이 수용되어 있음. 이일은 키스트현장에 도착되지 아니한 인원이 도중에 자하라 숙소로 돌아간 것으로 추정하고 있었는데 앞에말한 13 명이 귀환하여 사실이 확인된것임. 김영호의 조기석방을 위하여 이락대사관과 접촉시도중이나 아직 접촉되지 않고 있음. 당관 생각으로는 이락군이 진격과정에서 노상의 모든 인원을 붙잡아 수용중이며 사태가 진정됨에 따라 단계적으로 석방하고 있는것 같음으로 김영호씨에게 신체상의 위험은 없으며 조민간 석방될 것으로 봄. 경과 추후 보고 하겠음. 끝.

(대사-국장)

외 무 부

암 호 수 신

종 별 : 긴 급

번 호 : KUW-0374

일 시 : 90 0802 1600

수 신 : 장관(중근동,정일,기정동문)

발 신 : 주 쿠웨이트 대사

제 목 : 쿠웨이트,이락 분쟁(10)

연: KUW-0372

1. 쿠웨이트 국방부와 경찰사관학교등 주요시설지대로 부터 약 2KM 떨어진 지역(리까이)에 우리교민 약 20 세대가 거주중인데 정오경부터 일단 중지되었던 전부가 주요시설지대에서 오후 3 시 30 분경 재개되고 포탄 3 발이 교민 거주지역에 약 5 분 간격으로 아파트 공지에 떨어졌음.

2. 이러한 사태발전에 따라 당관에서는 그지역 교민들에게 가능하면 일단 대사관으로 철수하도록 지시 하였는바, 우선 대사관까지 약 20KM 거리에 자동차 봉행가능성 여부를 점검하여 문제가 있으면 거주지역 아파트내에 지하층으로 우선 집단대피하도록 조치중임.

3. 경찰사관학교등 지역의 전부는 치열한 전부는 아닌 산발적인 총격전이며위의 아파트 지역에 떨어진 포탄은 동지역 거주자의 관찰에 의하면 살상용포탄이 아니고 일종의 공포탄 (낙하지점에 폭팔흔적이 없고 연기와 폭발음만 크게나는종류라고 함) 이라고 함으로 당장에 위급한 상황은 아니라고 생각되나 이러한 공포탄을 사격하는 의도가 공포분위기 조성으로 쿠웨이트측에 저항의지를 꺾을려고 하는것인지 아니면 본격적인 사격을 위한 예비적 단계인지는 불확실하나 그아파트 지역에 군시설도 없고 또 방위병력도 배치되지 아니한 민간거주지역인 것으로 보아 전자의 경우가 아닌가 생각됨. 끝.

(대사-국장)

중아국 장관 차관 1차보 2차보 정문국 상황실 청와대 안기부
안기부

PAGE 1

90.08.03 00:05
외신 2과 통제관 CN
0056

외 무 부

종 별 : 긴 급

번 호 : KUW-0375　　　　　　　　　　일 시 : 90 0802 1830

수 신 : 장관(중근동,정일,기정동문), 노동부장관, 건설부장관

발 신 : 주 쿠웨이트 대사

제 목 : 교민 및 근로자 안전상황 보고(2)

연: KUW-0372

17:50 분에 현대건설 쿠웨이트 지점및 각현장에 확인하여 현재상황을 다음과 같이 종합 보고함.

1. 연호 보고드린 송전설로 공사현장 소속 2 명은 아직 숙소에 귀환치않고 있음. 그들이 간 작업현장에 태국인 근로자 수명을 보내서 확인코자 하였는데 이들은 이락군 후속 남진부대 때문에 현장에 접근할수 없어 15:00 경 되돌아 왔음. 이들 한국인 2 명이 아침에 그쪽으로 출발한 현장에는 자재보관 창고가 있고 상시 태국인 3 명이 입주하여 경비하고 있으므로 이들이 그곳에 있다면 별문제는 없을것으로 생각되나 이락군의 침공로에 비교적 가까운 곳이어서 어떤 피해가 있었는지 염려되나 현재 확인할 수 없는 상황임.

2. 또한 연호 보고드린 시내교차로 공사현장(키스트)의 "김영호"도 보고시간 현재 숙소에 귀환치 않고 있음. 세라본호텔 지역에 접근할 수 없어 확인할수 없는 실정이나 그지역에 전부가 있는것은 아니므로 신변에 위험이 있을것 같지는 않음.

3. 현대측이 다시 확인하여 보고한 바에 의하면 시내교차로 공사(키스트)현장의 십장 "이윤식"이 11:30 분에 현장에서 직원숙소로 전원이 버스로 대피할때 함께오지 아니한 것으로 확인되었는데, 그는 자기차로 별도로 출발한 것으로 추측되며 이시각 현재 도착을 기다리고 있음.

4. 이상이 17:30 분 현재 인원점검 결과이며 전술한 4 명이외에 현대건설 소속 312 명은 전원 건강. 안전하게 숙소에서 대기중임.(KUW-0367 로 보고 한 건설회사 임직원 및 근로자 319 명중 3 명은 8.1. 밤 휴가차 귀국하여 현재 총원은316 명임). 끝.

(대사-국장)

중아국	차관	1차보	2차보	정문국	청와대	안기부	건설부	노동부

PAGE 1　　　　　　　　　　　　　　　　　　　90.08.03　 01:50

외신 2과　통제관 CN

0057

외 무 부

종 별 : 긴 급

번 호 : KUW-0376　　　　　　　　　일 시 : 90 0802 1915

수 신 : 장관(중근동, 영재, 정일, 기정동문)

발 신 : 주 쿠웨이트 대사

제 목 : 쿠웨이트. 이락 분쟁(11)

　　연: KUW-0374

　　1. 19시 현재 KUW-0374로 보고한 리까이 포격과 기타지역에서 포격이 중지되고 전반적으로 비교적 조용한 상태임.

　　2. 대사관및 관저가 있는 지역 주변사항은 가로등과 도로의 신호등등이 정상적으로 들어와 있으나 차량통행은 거의 없음. BBC 방송은 이락당국이 무제한 통행금지를 포고했다고 하는데 쿠웨이트의 텔레비젼이나 라듸오 방송은 기왕에 보고한데로 음악방송만 계속될뿐 통행금지나 기타 조치에 대한 발표가 없음.

　　3. 그러나 안전을 위하여 교민들에게 대하여는 지역별로 일몰후 통행금지 준수를 지시하였음. 당관의 경우는 상황반을 구성하여 24시간 대사관에서 대기중임. 끝.

　　(대사-국장)

중아국	차관	1차보	2차보	정문국	영교국	청와대	안기부

외 무 부

종   별 : 긴 급

번   호 : KUW-0377   일   시 : 90 0802 2020

수   신 : 장관(중근동,정일,기정동문), 노동부장관, 건설부장관

발   신 : 주 쿠웨이트 대사

제   목 : 쿠웨이트.이락 사태(12)

연: KUW-0375(교민및 근로자 안전상황 보고)

20:00 시에 현대측에서 받은 보고에 의하면 연호 현대건설인원 4 명중 이원식(연호로 보고된 이윤식인바 이원식이 옳은 이름임)씨는 숙소로 무사 도착하였다고 함. 끝.

(대사-국장)

중아국   정문국   안기부   건설부   노동부

발 신 전 보

수   신 : 주 쿠웨이트 대사 ''송영식

발   신 : 장 관 (중근동)

제   목 : 교민 및 근로자 피해 상황

대 : KUW-0372

대호 관련 현재까지 교민 피해 의 상황 및 미귀환된 현대건설 소속 근로자 3명과의 연락 여부등 진전사항에 대해 지급 보고 바람. 끝.

(중동아프리카국장   이 두 복)

예 고 : 90.12.31. 일반

1990. 12. 31. 에 예고문에
의거 일반문서로 재 분류됨.

		기안자 성명		과 장		국 장		차 관	장 관		보 안 통 제	
앙 고 재	90년 8월 3일					전경일						외신과통제

0060

발 신 전 보

WKU-0172　　900803 1450　ER　종별 : 긴급

번　호 :

수　신 : 주 쿠웨이트　　대사 / 총영사

발　신 : 장　관　　(중근동)

제　목 : 교민 안전

연 : WKU-0170

　　　　연호 3명 관련, 사망설이 유포되고 있는바, 동 사실 확인 긴급 보고

바라며, 교민 안전에 최선을 기하기 바람.　끝.

(연호 동사망설이 현대 홍보실에서 유포되었 다는 설이 있고라
현대 측이 확인 하리라 사실농록이 있음)

　　　　　　　　　　　　　　　　(중동아프리카국장　　　이 두 복)

1990. 11. 31. 에 예고문에
의거 일반문서로 재 분류됨.

앙고재	90년8월3일 중근동과	기안자	과 장	국 장	차 관	장 관	보안통제	외신과통제
		人	(서명)	전결		(서명)	(서명)	

0061

외 무 부

종 별 : 긴 급

번 호 : KUW-0379   일 시 : 90 0803 0600

수 신 : 장 관(중근동, 영재, 정일, 기정)

발 신 : 주 쿠웨이트 대사

제 목 : 쿠웨이트, 이라크사태(14호)

    대: WKU-0170

    대: KUW-0375

    교민및 근로자 피해상황

    1. 현대건설 미귀환 3명은 이시간 현재 귀환치 않았음

    2. 이라크군측에 억류된 1명에 대해서는 억류현장에 접근하였으나, 확인 되지않고 있으며 금일중 재차 확인토록 노력중임

    3. 송전선로 공사 현장 소속 2명에 대해서는 현장접근이 곤란하여 현재로서는 확인에 어려움이 있으나 가능한한 계속 추적하여, 보고토록 하겠음

    4. 기타 교민들로부터는 피해상황은 보고된것은 없으며 당관에서 교민 밀집지역에 전화로 확인한바 피해 상황없음

    5. 리까이지역 한세대가 대사관에서 임시체재중임 (리까이 지역은 8.2 밤 21:30 현재 포경 및 총격은 없으며 현재까지 평온함). 끝

    (대사 소병용-국장)

중아국	차관	1차보	정문국	영교국	청와대	안기부	乙차보

원 본

외 무 부

종 별 : 긴 급

번 호 : KUW-0383   일 시 : 90 0803 1100

수 신 : 장관(중근동, 영재, 정일, 기정) 사본:노동부, 건설부장관

발 신 : 주쿠웨이트 대사

제 목 : 이라크 사태 (16호) 교민및 근자 안전대책

　　1. 연호관련(김영호,조준택,조재학)소재　확인을위해　주쿠웨이트　이라크대사관에 도움을요청하였던바 이라크대사관측은 이라크군과 전혀접촉되지 않아 도움을 줄수 없다고하였음. 본직은 8.3 08:00 경 쉐라톤호텔에 있는이라크군 사령부를 찾아가 관계 책임 장교를 면담이들 3명의 소재 확인을 위한 협력을요청하였음

　　2. 관계 책임장교는 슈비아 발전소 송전선로공사현장(KT300) 소속 2명은 자기 소관구역이　아니어서도움을　줄수없고 쉐라톤호텔에　억류되었다가미귀환한 '김영호'는백방으로 소재확인을하겠고그결과를 당관에 봉보해주겠다고약속함

　　3. 동시에 동 장교는 외국인으로서 이라크군에 의해피살된 민간인은 필리핀인 한사람뿐임으로한국인 3명의 경우 어디에 있든지안전할것이라고보며 자기들은 외국인을특별히보호하는 방침이라함. 또한 그는 현재 억류중인외국인의 경우 여자들은 쉐라톤호텔에 있고남자들은 시내 몇군데 분산수용중인데 현재잘보호하고있다함. 그는 앞으로사정이 좋아지면 이들외국인을 국적별로 분류하여 관련국 대사관에봉보하여 인도할계획이라함.

　　4. 송전선로공사 현장 소속 2명에 대해서는 지역이시내에서 원거리이고 이라크국경인접 지역이어서현재 동지역 관할 군부대에 접근이 어려운형편이라 가능한 방법으로소재 파악을 계속노력하겠고 '김영호'대해서는 동 장교와 계속접촉할 계획임

　　5. 현재 상태가 안정되어가는 분위기 이므로수용되고 있는 외국인들은 앞서말한 장교의말에의하면 조만간 석방될것으로 보임. 끝

　　(대사 소병용-국장)

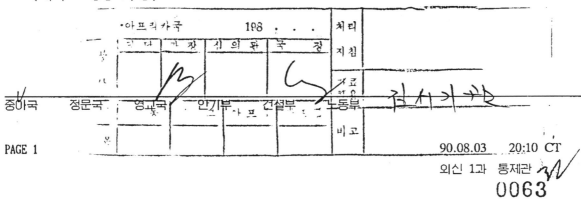

PAGE 1

90.08.03　20:10 CT

외신 1과 통제관

0063

원 본

외 무 부

종 별 : 긴급

번 호 : KUW-0387   일 시 : 90 0803 1900

수 신 : 장관(중근동,정일,기정동문)

발 신 : 주 쿠웨이트 대사

제 목 : 쿠웨이트.이락 사태(20호)

　　1. 기 보고한대로 쿠웨이트시는 총격전은 없는 비교적 조용한 상태가 유지되고 있으나 이락군이 해안선과 쿠웨이트시의 주요지역에 계속 증강되고 또한 쿠웨이트시 남쪽으로 병력이 증파되고 있는것 같음.

　　2. 현재 쿠웨이트시 상황은 쿠웨이트 군경의 무력저항은 완전히 제압되어 이락군의 통제가 확립된 상태로 보여지므로 이미 보고드린데로 외부의 무력간섭이 없으면 다시 쿠웨이트시에서 전투가 일어날것 같지는 않을것으로 생각됨.

　　3. 만일 외부의 무력간섭이 있을경우는 이락측이 기왕에 공언하고 있는 바대로 쿠웨이트를 주전장으로 삼을 것이므로 심각한 피해를 예상할수 있음.

　　제반징후로 보아 그럴 가능성은 많지않다고 보지만 만일에 대비하여 일본 (거류민, 체류자 200 여명) 불란서 (체류자 미상) 등 이락과 관계가 좋은 우방국들과 함께 이락측에 대하여 만일의 경우 피난구조 항공기를 보내는 문제를 가능하면 협의하는 일을 검토해 주실것을 건의함. 끝.

　　(대사-국장)

　　예고:90.12.31 일반

> 1990.12.31. 애 예고문에 의거 일반문서로 재 분류됨.

중아국　장관　차관　1차보　2차보　정문국　영교국　정와대　안기부
건설부　노동부

PAGE 1

90.08.04　06:19
외신 2과　통제관 DH
0064

70　걸프 사태 재외동포 철수 및 보호 1: 쿠웨이트 및 이라크(1)

외 무 부

종 별 : 지 급

번 호 : KUW-0391

일 시 : 90 0804 0830

수 신 : 장관(중근동과장)

발 신 : 주 쿠웨이트 대사

제 목 : 쿠웨이트.이락 사태

연: KUW-0369

연호 당관직원 및 정부파견 주재원(한국학교및 무역관) 본가에 연락하여 현재 국제전화는 불통이나 사태는 점점 안정되어가고 있고 모두 이상이 없다고 재차 통보바라며, 연호에 추가하여 이혜자(관저 가정부)본가 이용자(306-5052)댁에도 연락바람. 끝.

중아국

외 무 부

종 별 : 긴급

번 호 : KUW-0392

일 시 : 90 0804 0950

수 신 : 장관(중근동,정일,기정동문)

발 신 : 주 쿠웨이트 대사

제 목 : 쿠웨이트.이락 사태(24호)

연: KUW-0386

1. 대사관에 대피했던 교민들은 일단 귀가시키고 각각 집에서 외출을 삼가하는등 안전조치를 취하면서 대기토록 하였음.

2. 8.4. 09:30 현재까지 전반적인 상황은 산발적으로 기관총등 총격이 있으나 전반적으로 긴장속에 조용한 상태가 계속되고 있음. 이락군대의 차량이동 활동은 매우 활발한 편임. 끝.

(대사-국장)

중아국 노동부	장관	차관	1차보	2차보	정문국	청와대	안기부	건설부

90.08.04   16:33

외신 2과 통제관 CD

0066

외 무 부

종 별 : **긴 급**

번 호 : KUW-0399

일 시 : 90 0804 1730

수 신 : 장관(중근동,정일,기정동문,노동부장관,건설부장관)

발 신 : 주 쿠웨이트 대사

제 목 : 쿠웨이트. 이락 사태(28호)

연: KUW-0390

교민및 근로자 안전상황

1. 연호 3 인은 18:00 현재 미귀환함.

2. 위 3 인중 송전선로공사현장 소속 2 인(조준택, 노재항)의 경우 현대측에서 다시 조사해본바에 의하면 이들은 이락군 침공당일(8.2) 06:00 경 숙소(자하라 독신자 숙소)에 타고 갔던 차로 돌아온것까지는 행적이 확인되었음. 이들 2 명이 당초에 추정했다는 것과는 달리 도중에 이락 침공군을 접하여 황급히 숙소로 돌아온것으로 보이며 그이후 행적이 파악되지 않음.

3. 한편 자재야적장을 경비하던 태국인 3 명이 8.4. 자하라 숙소에 무사 귀환했으며 그들은 이들 2 인이 야적장에 오지 아니하였다 함.

4. 이로써 이들 2 인이 일단 위와같이 숙소에 돌아온후 쿠웨이트 시내쪽으로 독자적으로 대피하여 들어오다가 KUW-0372 로 보고드린 바와같이 이락군의 검문에 걸려서 현재까지 억류되고 있는것이 아닌가 추측하고 이방면으로 소재를 확인코자 노력중임. 끝.

(대사 소병용-국장)

중아국 노동부	장관	차관	1차보	2차보	정문국	청와대	안기부	건설부

분류번호	보존기간

발 신 전 보

WKU-0183   900805 2337 **DN**   종별 : 긴급
WBG -0195

번   호 :
수   신 : 주   수신처 참조 //대사// 총영사
발   신 : 장   관 (중근동)
제   목 : 철수 계획 수립 보고

　　　　1. 이라크군의 쿠웨이트 공격과 관련, 만일의 사태에 대비키 위해
기존의 비상 철수 계획을 재검토, 현실에 맞도록 재작성 보고 바람.
　　　　2. 또한 귀관 및 관아국 업체들의 비상식량 및 연호의 비축 정도도
파악 보고 바라며 가능한 사전 준비에 만전을 기하기 바람.　끝.

　　　　　　　　　　　　　　　　　(중동아국장   이 두 복)

예 고 : 90.12.31. 일반

수신처 : 주 쿠웨이트, 이라크 대사

195: 12. 31. 에 예고문에
의거 일반문서로 재 분류됨.

		보 안 통 제	
앙고재	90년 8월 5일 중근동	기안자 성명		과 장		국 장		차 관	장 관

외신과통제

0068

분류번호	보존기간

발 신 전 보

번 호 : WKU-0184   900805 2338   DN 종별 : 지급

수 신 : 주 쿠웨이트 대사//총영사

발 신 : 장 관 (중근동)

제 목 : 근로자 소재

   보도에 의하면 이라크군 당국은 11명의 미국인 석유 기술자를 석방
하였다 하는바, 아국 교민 3명 소재 파악 및 석방 교섭에 참고 바람. 끝.

                              (중동아국장   이 두 복)

예 고 : 90.12.31. 일반

1990. 12. 31. 애 예고문에
의거 일반문서로 재 분류됨.

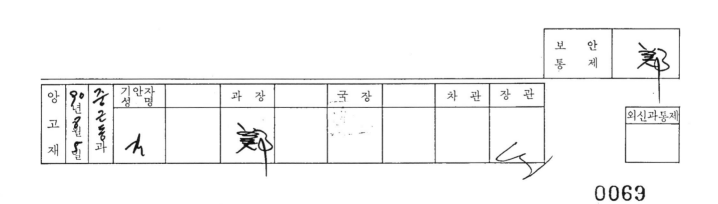

앙 고 재	90년 8월 5일 중근동과	기안 자성명	과 장	국 장	차 관	장 관
		서	🖋			🖋

보 안 통 제	🖋
외신과통제	

0069

외 무 부

관리 번호	90/ /1237

종   별 :

번   호 : KUW-0406

일   시 : 90 0805 1700

수   신 : 장관(중근동,정일,영재 ,기정)

발   신 : 주 쿠웨이트 대사

제   목 : 이라크-쿠웨이트사태(32호)

　　　1. 실종중인 현대건설 인원 3 명의 소재를 위해서 금일 13:30 쉐라톤호텔을

방문 했는데 "사령부"는 철수하고 소위가 지휘하는 일종의 지역 전무 본부가 되어

있었음. 지휘관 장교는 8.3 13:00 면담한 장교를 포함해서 모든인원이 철수했다고

말하고 먼저 인원에 대해서도 확인을 한것이 없고 질문에 대답을 하지않도록

되어있다고 완강하게 말하였음. 또한 그는 "그들 외국인들은 이라크에 가서

안전하게있다" 말하고 그것은 "거리에 방황하는 외국인들을 체포하여 이라크로

호송하라는 명령이 내려와서 빨리 돌아가는것이 좋겠다" 라고 경고하였음.

　　　2. 한 교민 교포에 의하면 금일 오전에 BBC 방송에 외국인 1500 명이 쿠웨이트에서

이라크로 압송되었으며 그중에 한국인 3 명이 포함되어 있다고 방송했다고 하는바

전항과 관련하여보면 그럴수 있을것같음

　　　3. 따라서 이라크대사관에서 이 정보의 진실성 여부와 그에따른 조치를 하게하심이

좋을것같음. 끝

　　　(대사 소병용-국장)

　　　예고:90.12.31

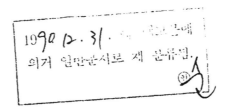

검 토 필 (1990. 6. 30.)

1990 12. 31.
의거 일반문서로 재 분류됨.

중아국	장관	차관	1차보	2차보	정문국	영교국	청와대	안기부

PAGE 1

90.08.06   05:16

외신 2과 통제관 CF

0070

<table>
<tr><td>분류번호</td><td>보존기간</td></tr>
<tr><td></td><td></td></tr>
</table>

발 신 전 보

번 호 : **WKU-0185**　　**900806 0947** FG　　종별 : 긴급

수 신 : 주 **쿠웨이트** 대사. /총영사

발 신 : 장 관 (중근동)

제 목 : 쿠웨이트 사태

　　　　　　　　　　대 : KUW-0406

　　　대호 관련, 이라크가 미국 보복 공격에 대비, 서방 외국인을 수용
인질화등 만일의 사태를 감안, 아국인이 절대 노출되지 않도록 모든 교민에게
주의 시키고 아국인의 신변 안전 및 보호에 만전을 기하기 바람. 끝.

　　　　　　　　　　　　　　　　(중동아프리카국 　 이 두 복)

예 고 : 90.12.31. 일반

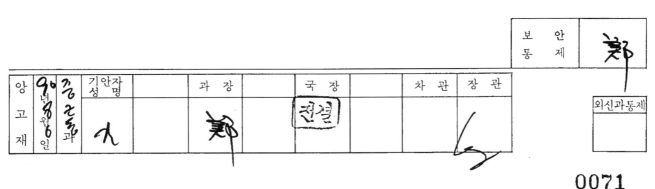

1990. 12. 31. 애 예고문에
의거 일반문서로 재 분류됨.

<table>
<tr><td rowspan="2">암
고
재</td><td rowspan="2">90
년8
월6
일</td><td>기안자
성 명</td><td>과 장</td><td>국 장</td><td>차 관</td><td>장 관</td></tr>
<tr><td></td><td></td><td>전결</td><td></td><td></td></tr>
</table>

보 안
통 제

외신과통제

0071

분류번호	보존기간

발 신 전 보

번   호 : WKU-0186   900806 1529 FA   종별 : 긴 급
                                         WBG -0198
수   신 : 주   쿠웨이트,이락 대사. /총영사

발   신 : 장   관   (중근동)

제   목 : 비상 철수 계획 보고

연 : WKU - 0183

귀지 아국인 철수 계획의 종합 검토에 참고코저 하니, 연호 철수 계획을
지급 보고 바람. 끝.

(중동아국장 이두복)

예고 : 90.12.31. 일반

1950. 12. 31. 예 예고문에
의거 일반문서로 재 분류됨.
(인)

앙 고 재	90 년 월 일 중근 동과	기안자 성명		과 장	국 장	차 관	장 관	보 안 통 제
								외신과통제

0072

외 무 부

종 별 :

번 호 : KUW-0407 일 시 : 90 0805 1700

수 신 : 장관(중근동, 영재, 정일, 기정)

발 신 : 주 쿠웨이트 대사

제 목 : 이라크-쿠웨이트사태(33호)

1. 쿠웨이트시에는 정규군이 중요지점에만 배치되어있고 전반적으로는 "민병"
(정부군인지 불명)이 배치되었는데 중동에서 흔한 모습의 무장인들로서 정규군과 달리
무질서하게 행동하고있어 아주 치안상태가 위험한 상황으로 변해가고있음

2. 교민들의 상점등이 약탈당하는 일들이 늘어나고 "가택수색"도 당하고있는
실정임.

3. 치안상태 악화로 취약지역 주민들을 대사관으로 대피시키고 있음. 끝
(대사 소병용-국장)

예고:90.12.31

1990.12.31. 에 예고문에
의거 일반문서로 재 분류됨.

중아국   장관   차관   1차보   2차보   정문국   영교국   정와대   안기부

외 무 부

종 별 :

번 호 : KUW-0410   일 시 : 90 0805 1700

수 신 : 장관(중근동,정일,기정)

발 신 : 주 쿠웨이트 대사

제 목 : 이라크-쿠웨이트사태(35호)

현대의 안전을 고려하여 현대 텔렉스로 암호전문의 통신 사용을 중지바람
(대사 소병용-국장)

예고: 90.12.31

1990.12.31. 에 예고문에
의거 일반문서로 재 분류됨.

중아국   정문국   신일   신이   안기부

PAGE 1   90.08.06   05:11

발 신 전 보

번   호 : _____   종별 : **지 급**

수   신 : 주   쿠웨이트, 이락   대사 . /총영사

발   신 : 장   관   (중근동)

제   목 :   아국인 현황 파악 및 철수 계획 보고

급번 쿠웨이트 사태 진전 여부에 따라 귀지 아국인 철수 계획 검토 계획에
참고코저 하니 하기 사항에 대한 귀견 지급 보고 바람.

1. 아국인 철수 계획 보고

    가. 철수 필요 및 예상 시기

    나. 철수 방법

      - 공로, 해로, 육로등 동원 가능한 구체적 방법

        (전세기 이용 가능 여부 및 인근 아국 선박 현황등)

      - 미국등 우방국 선박, 항공기 이용 가능 방법

      - 인근국 철수 또는 본국 철수등(인근국의 경우 국명등)

    다. 여타국들의 자국민 철수 계획 파악 보고

2. 철수 대상 아국인 현황

    가. 공관원, 국영기업체 입직원, 상사 주재원, 언론인, 은행원, 유학생,

       근로자(국내업체, 현지법인, 외국업체별), 기타직종 취업자(선원, 의사,

       간호원등) 수와 상기 분류 및 가족수 구분 보고

      - 상기 보고시 구체적 상사명 및 근로자 소속 업체등 보고

    나. 사태 악화시에도 귀지 잔류 예상 아국인 현황등은 별도 보고 바람.

(중동아국장 이두용)

예고 : 90.12.31. 일반

	보 안 통 제	

앙고재	90년 2월 6일 중근동과 기안자 성명 박중수	과 장	국 장	차 관	장 관

외신과통제

0075

분류번호	보존기간

발 신 전 보

WUK-1298   900806 0945 FG

번   호 : _____   종별 : 긴급

수   신 : 주 영 국 대사''총영사

발   신 : 장 관 (중근동)

제   목 : 쿠웨이트 사태

　　　　주 쿠웨이트 대사 보고에 의하면, 아국 교민의 말을 인용 8.5. 오전 BBC
방송에 외국인 1500명이 쿠웨이트에서 이라크로 압송 되었으며 그중에 한국인 3명이
포함되어 있다고 방송했다 하는바 귀지에서 동 사실 확인 긴급 보고 바람.   끝.

　　　　　　　　　　　　　　　　　　(중동아프리카국장   이 두 복)

예 고 : 90.12.31. 일반

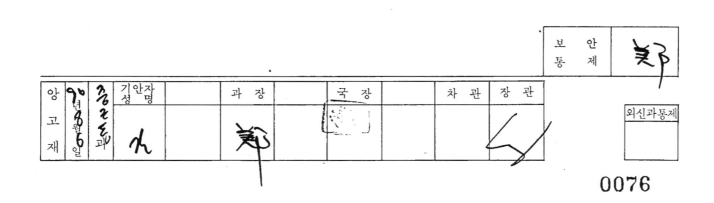

1990. 12. 31. 애 예고문에
의거 일반문서로 재 분류됨.

보 안 통 제	

앙 고 재	90 년 8 월 6 일	중근동 과	기안자 성명		과 장		국 장		차 관	장 관

외신과통제

0076

외 무 부

종 별 : 긴 급

번 호 : KUW-0411 일 시 : 90 0806 1030

수 신 : 장 관(중근동, 영재, 정일, 기정)

발 신 : 주 쿠웨이트대사

제 목 : 이라크-쿠웨이트사태(35호)

8.5일 쿠웨이트 TV 는 쿠웨이트정부의 요청에 따라 이라크에 거주하는 쿠웨이트인, 아랍인 및 외국인들이 이라크에 거주하도록 허락하였다고 보도했는데 기보고한 외국인 이동 과도 관련이 있는 주목할 내용이라고 생각됨. 끝

(대사 소병용-국장)

중아국 1차보 정문국 영교국 안기부

PAGE 1 90.08.06 16:48 WH

외신 1과 통제관

0077

외 무 부

종 별 : 긴 급

번 호 : KUW-0412   일 시 : 90 0806 1840

수 신 : 장 관 (중근동, 정일, 영재, 기정)

발 신 : 주 쿠웨이트 대사

제 목 : 이라크-쿠웨이트사태 (36호)

1. 교민들의 비축식품과 현금부족으로 점점 어려움을 겪고 있는데 다행히 한국인 경영 식품상점 수개소 합하여 현대건설을 제외한 교민및 체류자에 대한 2주정도 공급품을 비축하고 있음. 당관이 식료품을 단계적으로 외상인수하여 배급하고자 함. 후에대금 특별예산조치가 필요할 것임

2. 공관에는 8.3 이래 상시 50명 전후 대피인원이 있고 사태변화 여하에 따라 200여명정도 대피예상. 끝

(대사 소병용-국장)

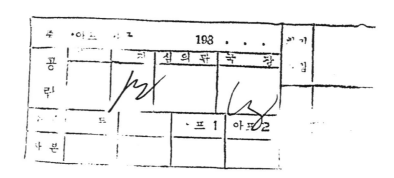

중아국   1차보   정문국   영교국   안기부   당직실   2차보   차관   장관   청와대

총리실

PAGE 1   90.08.06   23:49 FC

외신 1과 통제관 0078

관리 번호	90/775

외 무 부

종 별 : 긴 급

번 호 : UKW-1457   일 시 : 90 0806 1600

수 신 : 장관(중근동)

발 신 : 주 영 대사

제 목 : 쿠웨이트 사태

대:WUK-1298

1. 대호, BBC WORLD SERVICE 에 확인 요청하였으나 8.5. 오전 WORLD SERVICE 방송에서 아국인 압송관계 부분을 발견하지 못하였다고 하는바, 동 보도의 시간대나 프로그램명에 관한 사항이 입수가능하면 회시바람.

2. 한편, 금 8.6(월) 주재국 외무성에 문의한바, 아국인을 포함한 외국인의이락압송에 대해서 아는바 없다고 하고 있음을 첨언함. 끝.

(대사 오재희-국장)

예고:90.12.31. 일반

검 토 필 (1990.6.30) 승

1990 12. 31. 예고문에
의거 일반문서로 재 분류됨.
⑪

중아국	장관	차관	1차보	2차보	정문국	상황실	청와대	안기부

PAGE 1   90.08.07 00:16

외신 2과 통제관 CW

0079

분류번호	보존기간

발 신 전 보

WKU-0189   900807 1825 ER

번   호 :   종별 : _____

수   신 : 주 쿠웨이트   대사. /*총영사*

발   신 : 장   관   (중근동)

제   목 : 쿠웨이트 사태

대 : KNW 0606

1. 대호 주영 대사관에 확인 의뢰 결과 8.5. 오전 BBC WORLD SERVICE 방송에서 아국인 압송관계 부분을 발견하지 못하였다고 하는바, 동 보도의 시간대나 프로그램명에 관한 사항 입수 가능하면 회시 바람.

2. 상기 관련 주영 대사가 영국 외무부에 문의한바 아국인을 포함한 외국인의 이라크 압송에 대해서 아는바 없다 하니 참고 바람.   끝.

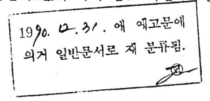

1990. 12.31. 에 예고문에 의거 일반문서로 재 분류됨.

(중동아프리카국   이 두 복)

예 고 : 90.12.31. 일반

보 안 통 제	[서명]

앙 고 재	90 8 9 월 일	기안자 성명	[서명]	과 장	[서명]	국 장		차 관	장 관	[서명]

외신과통제

0080

발 신 전 보

번 호 : WKU-0191   900807 1848 ER   종별 :

수 신 : 주 쿠웨이트   대사./총영사

발 신 : 장 관   (중근동)

제 목 : 쿠웨이트 사태

대 : KUW-0412

　　　대호 교민들의 비축 식품, 식수등 어려움을 겪을 경우, 귀관 보유
예산으로 우선 사용하고 동 소요 예산 관하 바람. 끝.

(차 관 유 종 하)

앙고재	91년8월7일 중근동과	기안자성명	과 장	국 장	차 관	장 관

영사교민국장 기획관리실장

보안통제	
외신과통제	

0081

외 무 부

종 별 : 긴 급

번 호 : KUW-0413　　　　　　　　　일 시 : 90 0807 0900

수 신 : 장관(중근동,정일,기정,노동부,건설부)

발 신 : 주쿠웨이트대사

제 목 : 이라크-쿠웨이트사태

　　대:관련전문

　　1.기보고한대로 쿠웨이트와 이라크에서 일체 출국이 금지되고 있으므로 이라크의
동의를 얻어내는것이 대전제임.

　　2.이라크의 교통과 수단이 마련되면 방법은

　　1)쿠웨이트에서 출국,일단 이라크로 이동 이라크서 출국

　　2)육로 사우디주변쪽으로 철수(육로는 이것이 제1안)

　　3)해상 피난등방법이 있을수 있고

　　어느경우나 긴급소집 준비는 되어있음,교섭 회보바람.끝

　　(대사 소병용-국장)

중아국　　1차보　　정문국　　정와대　　안기부　　건설부　　노동부　　2차보　차관　장관

PAGE 1　　　　　　　　　　　　　　　　　　　90.08.08　　01:55 DP

　　　　　　　　　　　　　　　　　　　외신 1과　통제관

　　　　　　　　　　　　　　　　　　　　　　0082

관리
번호 PO/801

외　무　부

종　별 :

번　호 : KUW-0414　(재수신분)　　　　　　　일　시 : 90 0807 1000

수　신 : 장관(중근동,정일,기정,노동부,건설부)

발　신 : 주 쿠웨이트 대사

제　목 : 이라크-쿠웨이트 사태

연: KUW-0413

1. 공관도 소병용대사, 정참사관, 최영사, 김외신관외 직원 및 가족 전원 철수

2. 현대는 일단 바스라현장으로 이동하는 것을 검토중임. 단 바스라로 이동할 필요가 없는 인원과 극소수 현장관리 요원을 제외한 인원을 철수계획에 포함시킬것임

3. 이락이 바그다드등 외국인들이 이동하기 바라는것과 관련 교민들을 일단 바그다드로 이동시키는 문제는 갈수있는지 어느쪽이 안전할지 바그다드에서의 수용문제등으로 여기서 판단하기 곤란함. 철수때까지 여기서 대피하는 것이 필요할듯 함. 카나다, 체코, 일본인등 접촉해본 대사관은 자국교민들에게 이동을 권고하지 않고 있다고 함. 미.영은 아직 접촉 불능. EC 도 적극적이 아님. 본국에 철수교섭 건의 했다함. 장차 상황전개는 외부사정이 중요한 변수인것 같음. UN 결의로 충돌 가능성 염려. 끝.

(대사 소병용-국장)

예고: 90.12.31. 일반

1991. 12. 31. 에 예고문에 의지 일반문서로 재 분류됨.

중동 •아프리카국	103 ...				처리
공람	담당	전자	심의과	국 장	지침

중아국　　정문국　　안기부　　건설부　　노동부

PAGE 1

남 송 산 업 주 식 회 사
(695-4566)

남 송 90-　　호　　　　　　　　　　　　　　　1990. 8. 8.

수　신 : 외무부 장관

참　조 : 중근동 과장

제　목 : 쿠웨이트 직원 명단 통보의 건

(전략)

　　　　다름이 아니오라, 폐사에서는 쿠웨이트에 제방기능공 및 관리자
를 송출하였기에 근번 중동 사태와 관련하여 폐사에서 송출시킨 직원의 명
부를 송부하오니 정부차원에서의 쿠웨이트 근로자의 철수가 이루어질 경우
참조하시어 함께 철수토록 협조하여 주시길 바랍니다.

별　첨 : 쿠웨이트 근무자 명단 및 주소. 끝.

발송
No.
1990. 8. 8
남송산업㈜

서울特別市 江西區 登村洞 628－7
南松産業株式會社
代表理事 李　康　源

0084

공   란

외 무 부

종 별 :

번 호 : KUW-0417

일 시 : 90 0808 2000

수 신 : 장관(중근동,정일,기정동문)

발 신 : 주 쿠웨이트 대사

제 목 : 사태(37호)

　　대:WKU-193

　　연:KUW-414,387 등

　　1 쿠웨이트에는 기능중인 정부나 CENTURAL AUTHORITY 는 존재하지 아니하므로 당지 철수를 교섭할 대상조차없음. 따라서 이락정부의허락을 받아내는것이 정말로 필요함

　　2 당지의 EC 등 주요국가의 대사관들도 같은 입장이고 각각 정부에 건의하고 조치를기 기다리고 있는 형편임

　　3.지금까지 파악된바로는 현명 3 명이외 교민안전사고는 없음. 다수교포가 공관과 관저에 대피중임

　　(대사-차관)

　　예고:90.12.31 일반

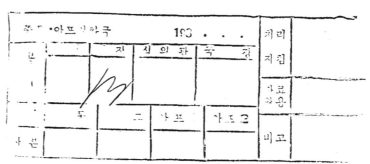

1990. 12. 31. 에 예고문에 의거 일반문서로 재 분류됨.

중아국　　차관　　1차보　　2차보　　　정문국　　청와대　　안기부

현 대 건 설 주 식 회 사
(741 - 3121)

현 건   제 90-0365 호   1990. 8. 9.
수 신   외부부 장관
참 조   중동 아프러카 국장
제 목   쿠웨이트 인원 철수에 따른 협조 지원건

　　　　최근의 이락-쿠웨이트 사태와 관련, 당사는 쿠웨이트 소재 당사
인원들을 하기와 같은 철수계획에 의거 동 인원들을 즉시 철수코저 하오니,
귀부에서는 아국 쿠웨이트 및 이락 현지공관들로 하여금 각각 쿠웨이트 주둔
이락 현지사령관 및 이락정부를 접촉하여 동 철수에 따른 제반 수속절차가
성공적으로 타결지어질 수 있도록 최대한 지원하여 주시기 바랍니다.

　　　　　　　　　　　- 하 기 -

1. 철수 대상인원   1) 한 국 인 :   315 명 (직원가족 5명포함)
　　　　　　　　　　2) 태 국 인 : 1,252 명
　　단, 최소한의 기간요원들은 현지에 상주케 할 예정임.

2. 철수 방법 1) 쿠웨이트 - 이락 - 요르단 : 당사 차량을 동원한
　　　　　　　　　　　　　　　　　　　　　육로이용

　　　　　　　2) 요르단 - 한국 또는 태국 : 전세기 이용

3. 철수 시기 : 제반 수속 절차가 완료되는 즉시

4. 국내 제반 여건을 고려하여 동 철수계획이 성공적으로 추진되어
　　해당인원들이 요르단으로 무사히 철수될 시점까지는 대외비로 처리하여
　　주시기 바랍니다.

아울러 현재 당사 본사와 쿠웨이트 현지간의 일체의 통신수단이 불가한점을
감안하여 동 철수계획의 원활한 추진을 위해 귀부의 통신수단을 이용할 수
있도록 요청하는 바이오니 선처하여 주시기 바랍니다.

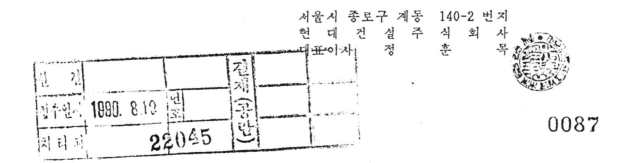

　　　　　　　　　　　　　　　　서울시 종로구 계동 140-2 번지
　　　　　　　　　　　　　　　　현 대 건 설 주 식 회 사
　　　　　　　　　　　　　　　　대표이사 정   훈   목

0087

(150-763) 서울특별시 영등포구 여의도동 60(대영63빌딩 51층) 전화 : 789-6051

주 식 회 사   유 공 가 스
(인 사 부)

유공가스   제 **593** 호   1990. 8. 9.

수   신   외무부장관

참   조   중동 아프리카 국장

제   목   직원보호 요청

1. 국가발전을 위하여 수고하시는 귀부의 노고에 깊은 감사를 드립니다.

2. 아래와 같이 현재 쿠웨이트에 출장중인 당사 직원의 명단을 통보하오며
   동직원의 소재파악 및 신변보호를 요청합니다.

   가. 인적사항

성 명	직 책	생년월일	여권번호	현지체재
손 대 식 SOHN, DAESIK	수급부장	43. 2. 17.	■	Meridien Hotel Room No, 531
김 종 훈 KIM, JONGHOON	수급과장	57. 7. 15.	■	Meridien Hotel Room No, 529

   나. 쿠웨이트 방문일시 : '90. 8. 1. (사우디 제다에서 KU786편으로 입국)

   다. 방문목적 : 쿠웨이트 국영석유회사 (KPC)와 LPG수급협의

   라. 체재지   : 쿠웨이트 Meridien Hotel (TEL 245 5550)

   마. 기   타 : '90. 8. 5.(일) 현지Hotel 체재중 유선 통화로 확인

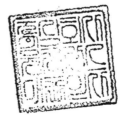

주 식 회 사   유 공 가 스

대 표 이 사

사   장   서   효

0088

발 신 전 보

	분류번호	보존기간

번 호 : WKU-0197   900809 1254 FA   종별 :

수 신 : 주 쿠웨이트   대사. ~~청와씨//~~

발 신 : 장 관   (중근동)

제 목 : 교민 철수

　　　　남송산업(주)은 주재국(에) 송출, 제빵기능공 및 관리자로 근무중인

동사소속 직원 및 가족 (도합 6명) 명단을 아래와 같이 통보, 교민 철수시

함께 철수되도록 협조 요청해온 바, ~~적의 조치 바람.~~

　　　　　　　　　　　　 - 아　　　　　 래 -

(명 단)

　　ㅇ 박광섭 (54.8.14생, 여권번호 ▉▉▉▉)

　　　　이은순 (박광섭의 처, 57.7.4.생)

　　　　박동민 (박광섭의 자, 86.1.7.생)

　　ㅇ 오준환 (64.8.6.생, 여권번호 ▉▉▉▉)

　　ㅇ 김성근 (60.8.10.생, ▉▉▉▉)

　　ㅇ 오금철 (62.5.20.생, ▉▉▉▉)

(연 락 처)

　　TEL 5331932, pox 5100 SAFAT ZIPCODE 13051.　끝.

　　　　　　　　　　　　　　　　　　　(중동아프리카국장 이 두 복)

		보 안 통 제	
외신과통제			

앙고 재	90 년 월 일 중근동과	기안자 성명	과 장	국 장	차 관	장 관
				전결		

원 본

외 무 부

종 별 : 긴 급

번 호 : KUW-0418

일 시 : 90 0809 0820

수 신 : 장관(중근동,정일,기정동문)

발 신 : 대사

제 목 : 사태(38)

연: KUW-0417

1. 당지에는 구미, 아시아, 중동국가 대부분이 상당수의교민.체류자들을 갖고있음. 철수는 이락과 양자교섭과 병행하여 국제협조를해야 할것으로봄. 수십만의 민간인을 억류하고 있는것은 당연히 적십자의 문제이기도하니 ICRC 가 이 문제를 세계 여론화하고 바그다드와 교섭하는것을 생각할수있음.

2. WKU-1 항 4 는 주재국 외무장관도 만나 그의 노력을듣고 그가 이락대사를 불러 강하게 이야기 하도록 하는등(.동 과제로서) 관계국가간 협조적노력도 긴요할 것으로 여겨 건의드림.

(대사소병용-차관)

90.12.31. 일반

19○.↗↗.3↗ . 에 예고문에
의거 일반문서로 재 분류됨.

중아국　　차관　　1차보　　2차보　　정문국　　청와대　　안기부

90.08.09　18:15
외신 2과　통제관 BT

0090

외 무 부

종 별 :

번 호 : KUW-0419   일 시 : 90 0809 1700

수 신 : 장 관(중근동,노동부)

발 신 : 주 쿠웨이트 대사

제 목 : 체류교민 현황

대: WKU-0196

대호 8.9 현재 교민현황 아래 보고함.

- 진출종사자 및 가족 317명(실종 3명 포함)

- 외국업체 종사자및 가족 67명

- 주재상사원 및 가족 38명

- 거주자 135명

- 공관원 및 가족(코트라,한글학교교사 포함) 40명

- 기타 (여행자,외국인과 결혼한 부인) 8명

- 계: 605명(휴가등 국외체류자를 빼고 현재 쿠웨이트에 남아있는 인원)

(대사-국장)

중아국   노동부

외 무 부

종 별 :

번 호 : USW-3679   일   시 : 90 0809 1831

수 신 : 장 관(중근동,미북)

발 신 : 주 미대사

제 목 : 미 의원 민원 사항

　　BOB GRAHAM 상원의원(민중-후로리다)실은 이락 쿠웨이트 침공과 관련, 선거구민 DEBBIE SOLANICK의 요청이라고 하며 주 쿠웨이트 한국 대사관의 현지고용원(영어를가르치고 있다함)인 동인의 동생 MS.FAITH SCOTT 의 안전에 관해 금 8.9 당관에문의하여 왔는바, 확인 가능시 결과 당관에 회보바람.

　　(대사 박동진-국장)

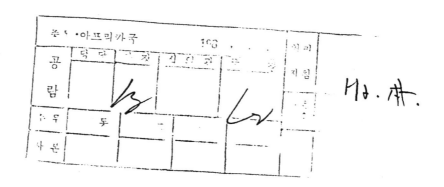

중아국 　　 미주국

발 신 전 보

분류번호 | 보존기간

번   호 : WKU-0205   900810 2216   FC   종별 :

수   신 : 주   쿠웨이트   대사. 총영사

발   신 : 장   관 (중근동)

제   목 : 현지 고용인 신변 안전

주미 대사관은 귀관 현지고용원 Miss FAITH SCOTT의 신변 안전에 관해
문의하여 왔는 바 회보 바람. 끝.

(중동아프리카국장   이 두 복)

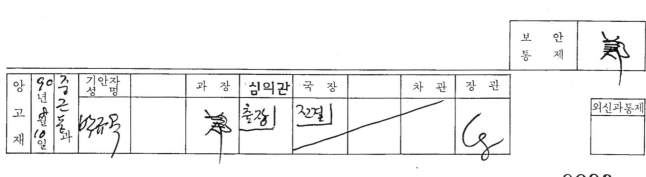

0093

발 신 전 보

	분류번호	보존기간

번   호 : WKU-0201   900810 1459 FA   종별 : 지급

수   신 : 주 쿠웨이트   대사 //총영사

발   신 : 장 관   (중근동)

제   목 : 코트라 관장 신변 안전 문의

　　　　KOTRA 사장은 귀지 주재 KOTRA 관장 및 가족의 안전 여부 및
소재확인을 요청해 온바, 파악 보고 바람. 끝.

　　　　　　　　　　　　　　　　　(중근동과장   정 무 삼)

보 안 통 제	美

앙고재	90년8월10일 중근동 박종수	기안자 성명		과 장 전결		국 장		차 관	장 관 美

외신과통제

0094

전원통신문

송화자 : 현대건설 해외사업본부 김과장

수화자 : 김동억

일   시 : 90. 8. 10. 20:10

금일(8. 10. 13:30) 주이라크 한국대사관으로 부터 쿠웨이트에서 현지군 당국에 보호하에 있던 당사 쿠웨이트 현장 근로자 3명을 이라크 당국으로부터 인계 받았음을 통보 받았으며, 현재 주이라크 한국대사관에 보호중에 있음.

당사 김종운 이사가 동 근로자 3명 인수를 위하여 주이라크 한국대사관으로 출발함.

0095

외 무 부

종 별 :

번 호 : KUW-0420 　　　　　　일 시 : 90 0(356)10 180

수 신 : 장관(중근동,정일,기정동문,건설,노동)

발 신 : 주 쿠웨이트대사

제 목 : 사태보고

　　대:WKU-0203

　　연:KUW-0417

　1. 당지 이락대사관에 외교단과의 연락책으로 ?? 가 바그다드에서 와있음.금(8.10) 그대사(AL-DOURI)를 방문하여 철수문제등을 협의하고 교민등 안전조치요망함

　　2.AL-DOURI 대사 요담

　가. 이락. ??상단 국경 육로 통과는 가능함, 아랍. 아시아. 아프리카. 라틴아메리카. 동구.소련국민은 요르단으로 출국할수 있다는 지시를 받았음

　나. 도심지역에있는 한국인 상점 약탈에 대해서는 전반적인 문제인바 강력단속하고 있는중임,

　다. 현대 3 인에 관하여는 그들이 포함되다는 ( )류자들이 전원바그다드에 가있으므로 안전할것으로 생각함. 적절한 시기에 대사관에 ??것으로생각함

　라. 공관철수 문제에 관하여 ???????? 는 폐쇄해야 그이후엔 ????관리등을 위해 외교관이 잔류하는것은 괜찮을것임

　마. 현대건설 근로자들이 바스라현 공사로 이동할 것에대해서는 전혀반대없고 자유롭게 이동할수있음. 안전통행증은 필요없음

　3. 공관폐쇄 문제는 내일 외교부단장(노르웨이) AL-DOURI 를 만나 더자세한것을 알아보기로 하였는바, 그후에 협의한후 다시보고하겠음.

　　(대사-국장)

　　예고문:.90.12.31

　　???부분 조회중임.

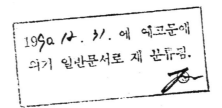
1990. 12. 31. 에 예고문에 의거 일반문서로 재 분류됨.

중아국	차관	1차보	2차보	정문국	청와대	안기부	건설부	노동부

3. 이라크

0097

분류번호	보존기간

발 신 전 보

번 호 : WBG-0180   900802 1357 DY   종별 : 진권

WKU-0165

수 신 : 주수신처 참조   //대사// 총영사//

발 신 : 장 관 (중근동)

제 목 : 이라크의 쿠웨이트 침공

　　　　외신 보도에 의하면, 이라크 군대가 국경선을 넘어 쿠웨이트를 침공
하였다고 하는바, 관련사항 확인하고, 사실일 경우 교민 피해 유무 확인 및
교민 보호 안전 대책을 긴급 수립, 그 결과를 보고하고, 사태 진전사항도 수시
보고 바람. 끝.

　　　　　　　　　　　　　　　　(중동아프리카국장   이 두 복)

수신처 : 이라크, 쿠웨이트 대사

1990. 12. 31. 에 예고문에
의거 일반문서로 재 분류됨.

앙고재	90년 8월 2일 중근동	기안자 박창순	과 장	국 장	차 관	장 관	보안통제	외신과통제

0098

외 무 부

종 별 : 긴 급

번 호 : BGW-0399

일 시 : 90 0802 1000

수 신 : 장 관(중근동,정일,건설부)

발 신 : 주 이라크 대사

제 목 : 이라크-쿠웨이트분쟁(응신자료 53호)

1.쿠웨이트 혁명 및 KLHL 국경 긴장사태에 관하여 주재국은 8.1.08:00 시 현사태를 다음과 같이 방송보도함

가.이라크 전군에 경계령을 내림

나.쿠웨이트 임시혁명위는 이라크 정부에 지지를 요청하였으며, 이라크 군대는 쿠웨이트 혁명을 지지함

이라크 혁명지도위는 쿠웨이트 임시혁명위의 지지를 위하여 외세의 개입을 우려하여 국경에 이라크 군대를 파견하였음

이라크 군대는 사태가 안정되고, 쿠웨이트 임시혁명위의 철수 요청이 있을때까지 국경에 주둔할 것임

다.모든 이라크 국민의 해외여행을 중단시키고 계속 방송에 귀를 기울러줄 것을 요청함

2. 한편   당지에   진출해있는   건설업체 (현대.삼성.한양.정우.남광.대림.동아등)근로자 및 체류교민 약 700여명은 현재 아무런 이상이 없으며, 정상적인 업무에 종사하고 있음.끝

(대사 최봉름-국장)

중아국   차관   1차보   2차보   국기국   정문국   정와대   총리실   안기부
건설부

PAGE 1

외 무 부

종 별 : 지 급

번 호 : BGW-0409

일 시 : 90 0803 1000

수 신 : 장관(중근동, 건설부장관, 기정)

발 신 : 주 이라크 대사

제 목 : 공사현장안전대책 강화

연:BGW-0399

1. 쿠웨이트사태와 관련 당관에서는 진출업체를 대상으로 공사현장등의 안전대책강화를 지시한바 있으며 특히 쿠웨이트 국경지대에 공사현장이 있는 업체에 대하여 만일의 사태에 대비한 대피 또는 사태에 상응한 행동계획을 사전에 강구 수립토록 지시함.

2. 현재 국경지대 인근에는 삼성종합건설이 움카슬 부두공사 하자보수를, 현대건설이 701 공사 착공준비작업을 각각 시행하고 있는바 8.3.11:00 현재 인원및 장비등의 특이사항은 없으며 착공준비등의 작업도 정상 시행되고있음

-삼성:아국인력 4 명(사원 1, 기능직 3)

-현대:아국인력 139 명(사원 32, 기능직 107)

삼국인력 33 명

계 172 명

3. 바스라지역의 민간차량운행은 통제되고 있으며 이지역의 통신은 8.2 현재 두절되었음. 끝

(대사 최봉름-국장)

예고:90.12.31

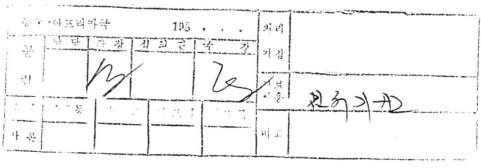

중아국   차관   1차보   2차보   국기국   정문국   정와대   안기부   건설부

90.08.03   16:55

외신 2과 통제관 EZ

0100

WBG-0192 발 90080신1528 전 보

~~WNR-0231   900804-1521 ER~~   WKU-0180

번   호 : _____   종별 : ~~WUK-1297~~

수   신 : 주   수신처 참조~~대사 총영사~~

발   신 : 장   관   (중근동)

제   목 : 쿠웨이트 사태

1. 중동아 국장은 8.4. 11:00 주한 이라크 대사대리(Burhan Ghazal)를
외무부로 불러 면담하였는바 요지 아래 통보함.

가. 최근 이라크 군대에 의한 쿠웨이트 영토 내에서의 군사적 행동과 관련한
    걸프 지역내의 사태 진전에 관하여 아국 정부의 우려를 전달

나. 쿠웨이트 및 이라크내 체류중인 모든 아국인의 신변 안전 및 보호를 위해
    이라크 정부가 최선의 조치를 취하여 줄것을 요청하고, 특히 쿠웨이트에서
    실종된 아국 근로자 3명의 소재 확인과 석방을 요구 ~~하였음~~.

다. Ghazal 대사대리는 한국 정부의 입장과 한국 근로자 신변 안전에 대한
    최선의 조치를 본국 정부에 즉시 보고 하겠으며, 한국인 근로자 3명의 신변
    관련, 소식을 접하는대로 가능한 한 8.6.(월) 까지 알려 주겠다고 말하였음.

2. 상기 관련, 보도자료로서 국내 언론에 배포하였으니 참고 바람.

3. 동 대사대리는 8.5.(일) 이라크 군대가 쿠웨이트로 부터 철수할
것이며 8.5. 카이로 긴급 아랍 정상 회담에 후세인 대통령이 참석할 가능성도
있는등 사태가 정상화 될 것이므로 모든 문제가 잘 해결될 것이라고 말하였음.

> 1990. 12. 31. 에 예고문에   (중동아국장   이 두 복)
> 의거 일반문서로 재 분류됨.

예 고 : 90.12.31. 일반

수신처 : 이라크, 쿠웨이트 대사

		보 안 통 제	

앙 고 재	90년 8월 4일 중근동	기안자 성명	과 장	국 장	차 관	장 관		외신과통제

0101

발 신 전 보

WBG-0196 **900806 0944** FG 종별 : 긴급

번 호 :

수 신 : 주 이라크 대사 / 총영사

발 신 : 장 관 (중근동)

제 목 : 쿠웨이트 사태

연 : WBG-0192

1. 주 쿠웨이트 대사 보고에 의하면 "8.5. 오전 BBC 방송에 외국인 1500명이 쿠웨이트에서 이라크로 압송 되었으며 그중에 한국인 3명이 포함되어 있다"고 방송 했다 하는바, 아국인 근로자 3명도 귀지 (예, 바그다드시 큰호텔등) 로 이송 되었을 가능성이 있으니 동인들의 소재 파악 및 사실일 경우, 석방 교섭 하고 결과 보고 바람.

〈인적사항〉

김영호 : 50.11.20 일생 현대건설 소속 경기계 엔진공
조춘택 : 44. 1.19 일생 현대건설 소속 철탑 가설 반장
노재항 : 60. 8.14 일생 현대건설 소속 철탑 가설공

2. 이라크가 이스라엘 및 미국 보복 공격에 대비, 서방 외국인의 인질화 등 만일의 사태를 예상 아국인이 노출되지 않도록 모든 아국인에게 주의 시키고 안전 보호에 만전을 기하기 바람. 끝.

검토필(1990. 6.30.)

(중동아국장 이두복)

예 고 : 90.12.31. 일반

1990 12 31. 에 예고문에 의거 일반문서고 재 분류됨

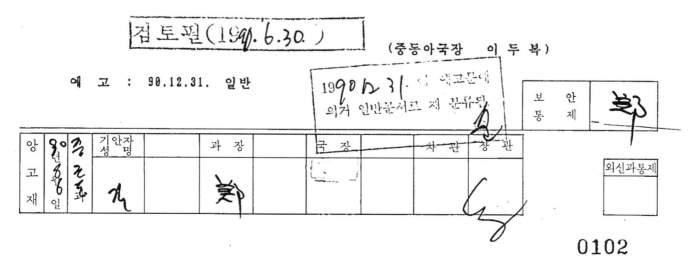

		기안자 성명		과 장		국 장		차 관	장 관	보 안 통 제	
앙 고 재	90년8월6일										외신과통제

0102

외 무 부

종 별 : 긴 급

번 호 : BGW-0430   일 시 : 90 0806 1400

수 신 : 장 관(중근동, 영재,기정)

발 신 : 주 이라크 대사

제 목 : 실종자 추적

대 WBG-0196

1. 본직은 8.6 WIDAD EJJAM 주재국 외무성 영사국장을 면담, 대호 쿠웨이트 실종 현대건설 근로자 3 명의 소재파악 (당지 이송 여부)를 의뢰한바, 최선을 다하겠다고 함

2. 동국장은 본직과의 평소 친분관계를 내세우며, 만일 이란의 침략을 이라크가 방어하지 못했을 경우를 상상해 보자고 하면서, 쿠웨이트, 사우디, 및 바레인등 인접국가의 존재가치를 이라크 젊은이의 피의 대가에서 찾아야 할것 이라고 말하고, 은근히 전쟁후 쿠웨이트, 사우디등이 배은망덕한 태도를 취했다고 힐난 하였기 보고함. 끝

(대사 최봉름-국장)

예고:90.12.31.일반

검토필(1990 6.30.)

1990 12. 31 대 예고문에 의거 일반문서로 재 분류됨. (인)

중아국   차관   1차보   2차보   영교국   안기부

외 무 부

종 별 : 지급

번 호 : BGW-0435

일 시 : 90 0807 1000

수 신 : 장관(중근동,건설부,노동부)

발 신 : 주 이라크 대사

제 목 : 철수계획보고

대:WBG-0195

1. 대호 비상사태 대비 철수계획 수립 관련, 8.7 당지 진출 각업체 대표를 소집, 당관에서 작성한 계획서를 설명하고 각업체 대표의 의견을 참작 최종안을 확정할 계획인바, 확정되는대로 추보하겠음

2. 당관 및 진출업체의 비상식량(쌀) 비축량은 약 2 개월정도이며, 부식의 경우 국경 및 공항 폐쇄가 장기화될 경우에는 현지 구입에도 어려움이 예상되고 벌써 일부 품목의 품귀 현상이 나타나고있음

3. 요르단과의 국경은 제한적으로 개방되어 극히 통제된 가운데 제한적으로 입국만 허용되고 있다하니, 국경 폐쇄조치가 해제된것은 아니며 현재로서는 당지에서 제 3 국 철수는 어려운 실정임.끝

(대사 최봉름-국장)

예고:90.12.31

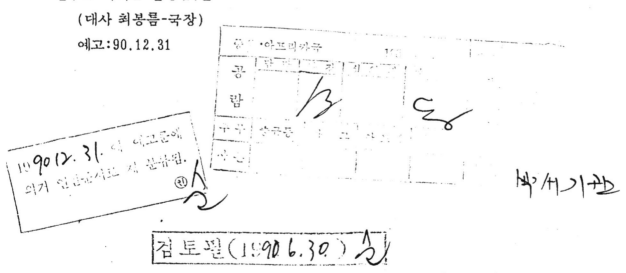

중아국	장관	차관	1차보	2차보	건설부	노동부

90.08.07   15:48

외신 2과 통제관 CF

0104

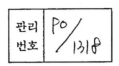

외 무 부

종 별 : 지 급

번 호 : BGW-0439

수 신 : 코트라사장(기획관리부)

발 신 : 주 이라크 코트라관장

제 목 : TOP URGENT

일 시 : 90 0807 1600

BGW-89 PM, GA, AO DEPT

현지 상황을 아래와같이 긴급 보고함.

1. 국경선 봉쇄, 공항 폐쇄

2. 동원령

만 24-29 세 청년군 동원, 11 개 사단 신규 증설

3. 바그다드무역관 상황

-공관 주도하에 비상 대피준비

-쿠웨이트 무역관과는 통신 전면 두절

-전시 비상하에서 공포와 절망속에서 생활

4. 지금이후, 모든 자금의 대 쿠웨이트 송금 중단

GAHNG UP LEE, KTC BAGHDAD.

예고:90.12.31

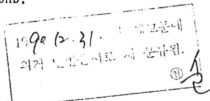

	분류번호	보존기간

발 신 전 보

번 호 :	WBG-0203 900807 2313 DY	종별 :	긴 급

수 신 : 주 이라크 대사. /황명사/

발 신 : 장 관 (중근동)

제 목 : 이라크·쿠웨이트 사태

　　　　8.7자 외신 보도에 의하면, 이라크 당국은 쿠웨이트 및 이라크에

거주하는 외국인들에 대해 요르단 국경을 통해 출국 허용한다 하는 바,

동 사실 여부 및 출국절차등 관련사항 지급 보고 바람.　끝.

　　　　　　　　　　　　　　　　　(중동아프리카국장 이 두 복)

예 고 : 90.12.31 일반

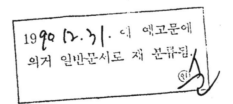

1990 12.31. 예고문에
의거 일반문서로 재 분류됨.

			보 안 통 제	

앙 고 재	PO 90 년 8 월 일 중 근 동 과	기안자 성명	과 장	국 장	차 관	장 관
		명기복		전결 후결.		

외신과통제

0106

<table>
<tr><td>관리
번호</td><td>FO
1824</td></tr>
</table>

외 무 부

원 본

종 별 : 긴 급

번 호 : BGW-0443

일 시 : 90 0807 2200

수 신 : 장관(중근동,기정)

발 신 : 주 이라크 대사

제 목 : 이라크-쿠웨이트사태

대:WBG-0203

1. 쿠웨이트 및 이라크에 거주하는 외국인에 대해 요르단 국경을 통해 출국을 허용한다는 외신에 대해 주재국은 8.7.20:40 현재 공식적인 표명이 없음.

2. 그러나 미국, 영국인을 비롯한 외국인이 요르단및 터키 국경으로 향발하고 있는것이 사실이며, 단기여행 목적으로 입국해서 출국하지 못한 외국인과 장기체류자로서 이미 출국비자를 획득한 자에 대해서 출국을 허용하고 있다는 소문이 있음

3. 장기체류 외국인에 대해서는 공항폐쇄를 이유로 출국사증 발급치 않고있음

4. 본건 현시각에 관계당국을 통한 확인이 불가능하며, 명 8.8 은 이.이 전 승전기념일로 주재국이 공휴일인 관계로 확인이 어려울것으로 사료되나 최선을 다해 확인, 보고위계임.끝

(대사 최봉름-국장)

예고:90.12.31

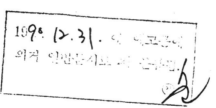

중아국   차관   1차보   2차보   안기부

PAGE 1

90.08.08   03:37

외신 2과 통제관 DO

0107

외 무 부

종 별 :

번 호 : BGW-0448   일 시 : 90 0808 1100

수 신 : 장관(중근동,정일,기정)주쿠웨이트 대사

발 신 : 주이라크대사

제 목 : 외국인의 출입국 제한

외국인의 출입국제한

연: BGW-0442

1. 본직은 8.8 외무성 EJJAM 영사국장과 접촉, 요르단 국경을 통한 외국인 특히 한국인의 출국이 가능한지 여부를 문의한바, 다음과같이 답변함

 -단기 사증을 받아 입국한 외국인에 대하여는 출국이 허용됨

 -장기 체류 외국인에 대하여는 현재 출국비자를 발급 하지않고 있음

 -쿠웨이트 체류 한국인이 이라크를 통해 출국할수있는지의 여부는 자신의 권한밖으로 확답할수 없으며, 쿠웨이트 신정부 당국과 협의할 사항으로 생각함

 -외교관및 가족에대해서는 출국을 제한하지 않음

2. 단기여행자의 출국도 국경에서 제한적이고 선별적으로 허용되고 있는것으로 사료됨

3. 8.7 일본인 관광객 단기여행자 70 명을 태운 특별기가 요르단으로 향발한바, 이에 대하여 외신은 요르단 국경을 통한 출국이 가능한것처럼 보도하고 있으나 사실과 다름. 요르단 국경 개방에 대한 주재국의 공식표명이 없으며 또다시특별기를 운항할지의 여부도 확인할수 없는 상황으로 국경 및 공항폐쇄는 그대로 유효함. 끝

(대사 최봉름-국장)

예고:90.12.31

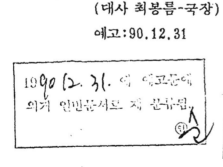

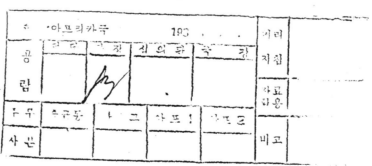

중아국	장관	차관	1차보	2차보	정문국	청와대	안기부

90.08.08 17:53
외신 2과 통제관 BT

0108

발 신 전 보

번 호 : WBG-0204   900808 1812 FA   종별 :

WKU-0193

수 신 : 주 수신처 참조   대사//총영사

발 신 : 장 관   (중근동)

제 목 : 아국 교민 긴급 철수

이라크, 쿠웨이트 사태 악화에 따른 긴급한 상황 발생, 아국
교민 대피 철수가 필요하다고 판단될 경우는 본부 지시 없이도 귀직 판단
아래 아국 교민을 긴급 철수토록 조치 바람. 끝.

관계 업계대표와 긴급협의하여   타인접지역 공관이도 접수터더를 가추도록
                                      지시한바 있음.

(차관 유종하)

예 고 : 90.12.31. 일반

수신처 : 주 이라크, 쿠웨이트 대사

1990.12.31. 대 예고문에
의거 일반문서로 재 분류됨.

영사교민국장 :   2차관보실   보 안
                              통 제

앙 고 재	90년0월0일 중근동	기안자 성명 박종순	과 장	국 장	1차관보실	차 관	장 관	외신과통제

0109

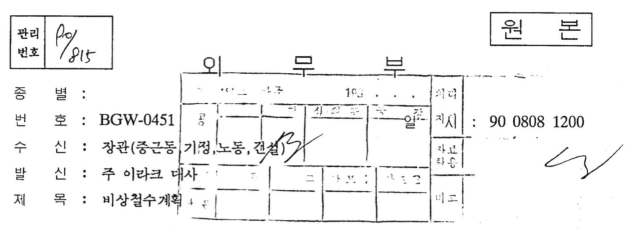

관리번호 PO/815

외 무 부

종 별 :
번 호 : BGW-0451
수 신 : 장관(중근동,기정,노동,건설)
발 신 : 주 이라크 대사
제 목 : 비상철수계획

지시 : 90 0808 1200

대: WBG-0198

당관의 비상철수계획을 다음과같이 보고함

1. 극히 예외적인 경우를 제외하고는 공항, 국경을 통한 인접국으로의 철수는 공항폐쇄 및 국경의 출국통제로 불가능할 뿐만 아니라 장기 체류자에 대한 출국비자 발급을 전면 중단하고 있기때문에 현재 상황에서는 비상철수가 불가능함. (단기 체류자의 경우 선별출국)

2. 출국통제 상황하 에서의 유일한 비상철수 수단은 특별기를 이용한 철수 이외에는 없는것으로 사료되며 특별기 부입이 가능하도록 주재국 관계당국과 협의할 예정이며 특별기 운항을 전제로 다음과같은 기본원칙을 수립 실시코자함

가. 단기 여행자는 긴급철수토록 독려

나. 장기체류자중 1 인 또는 소수인원이 주재하고있는 업체, 상사에게는 가능한 철수방법을 모색토록하고 조속 철수토록 지시

다. 기타 장기체류자에 대하여는 관계기관의 출국사증 획득을 독려함

라. 당관및 진출업체 직원가족(64 명)에 대한 철수방법을 최대한 모색함

3. 철수계획

가. 특별기 운항경우

1) 대피지역: 요르단 암만

2) 대피인원: 전교민, 단 상황에 따라 최소한의 인원잔류

- 항차별또는 편별 탑승인원 계획의 작성

3) 집결지: 바그다드(현대, 삼성캠프에 일시수용)

나. 특별기 운항이 불가능한 경우의 잠정계획

1) 소수인력주재 업체 및가족에 대한 가능한 철수 방법모색

1990. 12. 31. 에 예고문에 의거 일반문서로 재 분류됨.

중아국	차관	1차보	2차보	정문국	청와대	안기부	건설부	노동부
신향제								

PAGE 1

90.08.08 19:32
외신 2과 통제관 BT

0110

2) 철수가 가능할때까지 안전대피 지역확보

- 바그다드지역: 현대, 삼성캠프

- 기타지역: 업체장 책임하에 지정

3) 육로철수에 대비한 출국비자 사전 취득 독려

4)철수장비의 사전 점검

5) 비상식량, 텐트, 취사도구, 연료, 침구, 구급약품, 라디오, 지도등 사전준비

6) 국경이 개방될경우 상황에 따라 인접국(요르단, 터키)으로의 철수

다. 철수시의 사전조치

1) 아국이익대표국 선정및 업무협조

2) 공관, 관저, 직원숙소, 잔여비품에 대한 경비요청

3) 본국또는 관계기관에 철수통보및 안전철수 협조요청

4) 은행예치금 동결의뢰

5) 문서의 파기 및 지출등 필요한 사항조치

6) 제 3 국공관과의 필요한 사항 협조요청.끝

(대사 최봉름-국장)

예고:90.12.31

분류번호	보존기간

발 신 전 보

WBG-0207   oofog 23:55
WUS-2627   900808 1710 AO

번   호 :   종별 :

수   신 : 주 미   대사//총영사

발   신 : 장 관   (중근동)

제   목 : 이라크, 쿠웨이트 사태

173

　　　1. 미 국무성 대변인은 8.7. 뉴스 브리핑시 귀지 RASHID 호텔에 쿠웨이트에서 이송된 39명의 미국인이 수용되어 있음을 미국 영사가 면담 확인 하였다 함. 미국 대사관이 다른 호텔을 확인 하였으나 수용된 외국인이 없었다 함.

　　　2. 한편 주한 이라크 대사 대리는 금 8.8. 이라크 정부가 수용중인 외국인의 안전을 보장한다는 통보를 받았으나 한국인 3명의 구체적인 사항은 통보가 없다 함.

　　　3. 귀 주재국 당국과 접촉은 물론 전기 호텔 방문등을 통하여 3명의 소재와 안위 파악에 다각적인 활동을 바람. 귀지 미 대사관과도 협조 바람.

　　　4. 주한 이라크 대사대리에 의하면 쿠웨이트 및 이라크내 외국인이 육로로 요르단에 출국 가능하다 하는바 확인 보고 바람. 끝.

　　　　　　　　　　　　　　　　(중동아프리카국장 이 두 복)

예 고 : 90.12.31. 일반

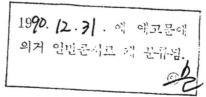
1990. 12. 31. 예 예고문에 의거 일반문서로 재 분류됨.

앙고재		기안자성명		과 장		국 장		차 관	장 관	
90년8월8일중근동과		이해준		鄭		韓			ﾚ	

보 안통 제	鄭

외신과통제

0112

발 신 전 보

	분류번호	보존기간

번   호 : WBG-0208   900809 0939 FC 종별 :

WKU -0196

수   신 : 주 수신처 참조 대사//총영사

발   신 : 장   관   (중근동)

제   목 : 체류 교민 현황

　　　교민 철수 업무에 참고코져 하니, 8.9. 현재의 아국 교민 현황을
아래와 같이 구분 지급 보고 바람.

ㅇ 진출업체 종사자

ㅇ 외국업체 종사자

ㅇ 주재상사원 및 가족

ㅇ 순수 교민

ㅇ 공관원 및 가족 (KOTRA 포함)

ㅇ 기   타

　　　　　　　　　　　　　　　　　　　(중근동과장   정 무 삼)

　　수신처 : 주 이라크 .쿠웨이트 대사

		보 안 통 제	

앙고재	90년8월9일 근근과	기안자 성명 박종수	과장 전결	국장	차관	장관

외신과통제

0113

외 무 부

종 별 :

번 호 : BGW-0455

일 시 : 90 0809 1100

수 신 : 장관(중근동,기정)

발 신 : 주 이라크 대사

제 목 : 체류교민현황

대: WBG-0208

대호 8.9 현재 아국체류교민 현황은 아래와같음

1. 총인원:732 명

2. 구분

- 건설업체 종사자: 660(가족 13 포함)

- 이라크 업체 종사자: 15

- 주재 상사원 (은행포함) : 26(가족 19 포함)

- 공관원및 가족 (아국고용원 포함): 26 (직원 2, 가족 9 등 11 명은 휴가중미귀 제외)

- 기타: 5 (유학생 및가족, 단기출장자등). 끝

(대사 최봉름-국장)

예고:90.12.31

1990. 12. 31. 에 예고문에
의거 일반문서로 재 분류됨.

중아국   안기부

90.08.09   18:18
외신 2과 통제관 BT
0114

외 무 부

종 별 : 긴 급

번 호 : BGW-0457

일 시 : 90 0809 1400

수 신 : 장관(중근동, 영재, 정일, 기정)

발 신 : 주 이라크 대사

제 목 : 아국근로자 행방

대 : WBG-0207

8.9 당지 체류 미.영국인과 외교단에 탐문한바 쿠웨이트 인질 외국인들이 SHERATON, RASHID, AL-MANSOUR MELIA HOTEL 에 보호되고 있다고 하여 그쪽을 현지답사및 탐문하였으나 상금 확인되지않고있음. 미국인들의 정보에 의하면 상기 호텔에는 전부 미.영국.불란서인등 서방인들만 보호되고 있다고함. 한국인 3 명 포함 일본인 1, 태국인 200, 말레지아 55 등 아세아인들은 별도 캠프에 보호중주이라는 새로운 정보가 있는바, 그방향으로 계속 추적 보고위계임.끝

(대사 최봉름-국장)

예고:90.12.31

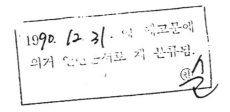

1990. 12. 31. 예고문에 의거 일반문서로 재 분류됨.

중아국   차관   1차보   2차보   정문국   영교국   정와대   안기부

90.08.09   19:42

외신 2과 통제관 BT

0115

분류번호	보존기간

발 신 전 보

WBG-0212   900809 1614 FC   종별: 긴급

번 호 :

수 신 : 주   이라크   대사 //총영사

발 신 : 장 관   (중근동)

제 목 : 교민 철수

1. 귀 주재국 및 쿠웨이트에 교민을 가진 주요국가의 교민 안전 및 철수 대책을 타진해 본바 대체로 이라크 정부의 협조를 확보하는 외에 다른 방도가 없는 것으로 파악됨. 3)하는 주재국의 책임있는 당국자와의 접촉 (표명은 유엔의 요청에 따른 불가피한

2. 아국의 UN 안보리 결의 661호 지지 입장으로 교민의 안전 문제가 점점이 완료은 중요하게 대두되는바 연호에 따라 아국의 불가피한 입장을 충분히 설명하고 이라크 당국이 아국 교민 (쿠웨이트 및 이라크 체류 총 1,327명)의 안전에 각별한 협조를 요청하러 바람. 조치를 해주도록

3. 정부는 사태 추이를 보아 철수가 불가피하다고 판단될 경우 특별기 운항을 검토 중인바, 이 경우 귀 주재국의 착륙 허가 발급에 협조를 요청하고 주재국 반응, 구체적인 절차, 가능한 예상 시기등 관련 사항을 파악 보고 바람. 아울러 특별기 취항시 착륙 가능 기종, 빈도, 운항시차 (집결에 필요한 시간별) 소요 좌석수등 참고사항도 보고 바람.   끝.

(중동아프리카국 중근동과 이수혁)

예 고 : 90.12.31. 일반

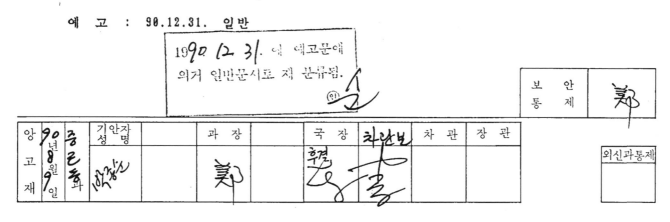

1990 12 31. 대 예고문에 의거 일반문서로 재 분류됨. (인)

	기안자 성명	과 장	국 장	차관보	차 관	장 관
앙고재 90년 8월 9일 중근동	이수혁		후령			

보안통제

외신과통제

0116

관리
번호 *PO/841*

외 무 부

종 별 : 긴급

번 호 : BGW-0459

일 시 : 90 0809 1900

수 신 : 장 관(중근동,기정)

발 신 : 주 이라크 대사

제 목 : 공관가족 비상철수건의

연:BGW-0451

1. 주재국이 8.8 쿠웨이트 합병 발표에따라 당지 주재 영. 미.일등 외국인들은 크게 당황하면서 가능한 방법을 총동원 비상출국을 시도하고 있음

2. 만일의 사태 발생시 예상되는 피해를 최소화하기 위하여 공관가족에 대하여 요르단 국경을 통해 본국으로 일시귀국토록 하고자 하는바 승인바람.

3. 당관 긴급철수 소요경비 5 만불을 주요르단 대사관으로 송금바라며, 금반 철수인원은 14 명(어린이 5 명)임

4. 공항폐쇄 조치로 휴가에서 돌아오지 못한 조태용 서기관및 이양정 노무관의 가족은 파리, 프랑크푸르트에서 각각 서울로 일시 귀국토록 허가바람.

5. 사태진전에 따라 공관직원및 고용원축소 운영을 별도 건의위계임.끝

(대사 최봉름-차관)

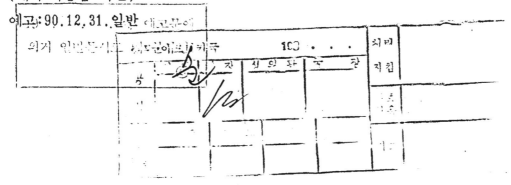

예공:90.12.31.일반

중아국   장관   차관   1차보   안기부   상황실

PAGE 1

90.08.10   01:33

외신 2과 통제관 DL

관리
번호 PO/1337

외 무 부

종 별 : 긴급

번 호 : BGW-0460
일 시 : 90 0809 1700

수 신 : 장 관(중근동,영재,기정) 사본:주쿠웨이트대사

발 신 : 주 이라크대사

제 목 : 쿠웨이트 체류교민 국경통과

1. 쿠웨이트 거주 아국 체류교민 김옥구 (개인 사업)는 8.9. 11:00 시경 이라크-쿠웨이트 국경에서 다음과 같이 당관에 전화로 알려옴

가. 처 전영희와 함께 승용차로 국경을 넘어 이라크에 와있음

국경통과는 아주 어려웠으며 요르단인과 함께 힘쓸려 넘어왔으나 다시 쿠웨이트로 돌아가는것은 거의 불가능함

나. 국경에서는 화학전 대비등 삼엄한 상태로 쿠웨이트에 다시 돌아가고 싶어 재귀환을 시도중이나 불가능할 경우 바그다드에 오겠음.

2. 동인은 사태후 이.쿠 국경을 통과한 첫 아국인으로 사료되는바, 동인의 말을 미루어 쿠웨이트내 외국인의 통과 허용발표에도 불구하고 국경통과가 쉽지 않은 것으로 보여짐. 끝

(대사 최봉름-국장)

예고:90.12.31.까지

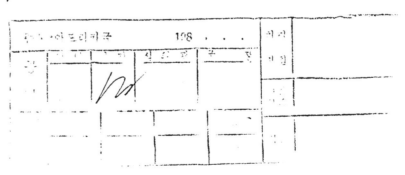

중아국   차관   1차보   영교국   안기부

PAGE 1
90.08.10   01:16
외신 2과 통제관 DL

0118

발 신 전 보

번   호 : WBG-0217   900810 1002   DN 동별 : <u>지급</u>

수   신 : 주 이라크   대사//총영사

발   신 : 장   관   (중근동)

제   목 : 교민 보호

　　　　　이라크, 쿠웨이트 사태 관련 이라크, 쿠웨이트 및 사우디등 중동지역
체류 일본인에 대한 일본측 교민 대책(주일 대사 보고 의거)을 별첨과 같이
타전하니 참고 바람.

　　첨 부 : 동 전문 사본 1부. 끝.

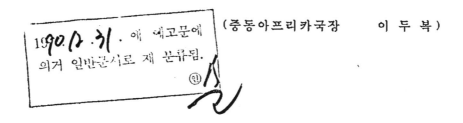

　　　　　　1990.12.31. 에 대고문에
　　　　　　의거 일반문서로 재 분류됨. ⑪

　　　　　　　　　　　　　　　　　(중동아프리카국장   이 두 복)

앙고재	90년 8월 10일 중근동과	기안자 박정순	과 장 후경	국 장 전결	차 관	장 관	보안통제	외신과통제

0119

가. 일정부는 재외공관을 통해 사우디내 동북지역 거주 교민들에게는 가급적 서부지역으로 피신하거나, 출국하도록 권고하고 있으며, 카타르, 바레인, UAE거주 교민들에게는 만약의 사태에 대비 하도록 지도하고 있음.

나. 가따꾸라 주이라크대사는 이라크 영사국장을 면담, 이라크 거주 일본교민들의 안전 및 철수에 따른 이라크 정부의 협조를 요청하였는바, 동국장의 반응은 호의적으로 검토 하겠다는 정도 였음.

다. 작 8.8. 일 외무성은 연호 국제적십자를 활용한 방안과 별도로 일본항공(JAL)과 항공기 파견문제에 관해 협의, 쿠웨이트 공항이 재개되는 경우, 즉시 항공기 파견이 가능토록 JAL 기를 비상대기 시키기로 하였음.(JAL 측에서는 현재보잉 747 또는 DC-10 기의 쿠웨이트 파견을 검토중이라 함).

라. 한국측에서도 쿠웨이트 공항이 재개되는 데로 항공기를 부입, 교민들을 철수시킬수 있도록 비행기를 비상대기 시키는 것이 좋을 것으로 보이며, 공항재개등 현지상황에 관해서는 상호 수시로 정보를 교환하기를 희망함.

2. 한편, 무또과장은 교민보호 및 철수관련, 한, 일간 협조에는 원칙적으로찬성하나, 구체적인 협조사항에 대하여는 지금부터의 사태발전에 따라 윤과이 나타날 것으로 본다고 말하고, 일본으로서는 하기 3 항 EC 요청에 대한 이라크의반응을 보아가면서 대처방침을 수립해 나갈 계획임을 언급함.

3. 무또 과장은 금 8.9.(현지시각) 주이라크 이태리 대사대리가 EC 회원국 12개국을 대표하여 이라크 외무성측에 아래 요지의 요청서를 전달할 예정이라고 알려 왔음.(상기 영문 요청서 전문 별진 타전).

가. EC 회원국은 이라크 정부가 취한 이라크내 외국인에 대한 제한조치와 쿠웨이트 거주 외국인들의 안전이 위협을 받고 있는 상태에 대해 심심한 우려의 뜻을 표함.

나. EC 회원국은 이라크정부가 다음 조치를 취할것을 지급 촉구함.

1) 이라크거주 EC 회원국 국민들이 그들의 희망에 따라 출국할수 있도록 허가할것.

2) 쿠웨이트 잔류 EC 회원국 국민들의 조속한 출국을 위해 쿠웨이트 공항을빠른시일내 일시 재개하고, 그 경우 항공기, 승객, 승무원들의 안전을 보장할것.

3) 쿠웨이트 및 이라크내에서 현재 행방불명된 자들의 소재와 처우에 관해 충분한 정보를 제공할것.

다. 상기 요청내용은 미국, 일본, 호주, 오지리, 케나다, 핀랜드, 동독, 뉴질랜드, 노브웨이, 스웨덴, 스위스, 터키등 12 개 국가도 적극 지지하고 있음.

0120

공   란

Embassy of
The Republic of Iraq
Seoul

No. 106-90

سفارة الجمهورية العراقية
سيئول

The Embassy of the Republic of Iraq presents its compliments to the Ministry of Foreign Affairs of the Republic of Korea, and has the honour to communicate the following note verbal, sent by the IRAQI Foreign Ministry to the Diplomatic and Consular Missions accredited to the Republic of IRAQ ;

The Ministry of Foreign Affairs of the Republic of Iraq presents its compliments to all the foreign missions accredited in Iraq and has the honour to refer that after the full merger and unity of Iraq and Kuwait on August 8, 1990, the Ministry would like to present that all the diplomatic missions stationed in Kuwait city had no more official duties with the Iraqi Government which stations in Baghdad, the capital. Accordingly the Ministry would like to request the governments of the diplomatic missions accredited in Iraq to take the necessary measures to finalize and purify the work of their diplomatic missions held in Kuwait city and transfer them to their diplomatic missions accredited in Baghdad not later than August 24, 1990.

The Ministry would like to avail itself of this opportunity and refer that all diplomatic missions and consulates of the late regime abroad and the tasks and actions they hold have no official presentation, and considered void and illegal as of the date of the full merger.

The Ministry of Foreign Affairs of the Republic of Iraq avails itself of this opportunity to renew to the diplomatic missions accredited in Iraq the assurances of its highest consideration.

The Embassy of the Republic of Iraq avails itself of this opportunity to renew to the Ministry of Foreign Affairs of the Republic of Korea the assurances of tis highest consideration.

S E O U L, August 19, 1990

TO THE MINISTRY OF FOREIGN AFFAIRS
OF THE REPUBLIC OF KOREA

0122

외 무 부

종   별 : 초긴급

번   호 : BGW-0467   일   시 : 90 0810 1500

수   신 : 장관(중근동,영재,기정)   사본:주쿠웨이트대사-중계필

발   신 : 주 이라크 대사

제   목 : 아국인 3명 석방

대:WBG-0196

연:BGW-0430

1. 본직은 8.10.11:30 당지에 억류중인 현대건설 소속 김영호, 조춘택, 노재항 3명을 석방해 주겠다는 EJJAM 영사국장의 통보에 따라 김서기관을 파견, 시내 KHADMIYA TOURIST 호텔에서 13:00 시 동인들을 인수, 현재 당관이 보호중임

2. 동인들의 건강상태는 비교적 양호한편임

3. 동인들은 8.2 쿠웨이트에서 이라크 남부 바스라에 수용되었다가 8.5-6 기차편으로 바그다드에 도착, 모 수용소에 수용되었다가 8.10 아침 동 호텔에 이송, 석방 대기중이었음

4. 동인들의 석방에는 외무성직원 1 명, 군인 4 명의 입회하에 김서기관이 인수증에 서명함(동인수시 일본인 1 명도 대사관 직원의 입회하에 인수해감)

5. 외무성 직원은 외국인 보호를 위하여 이라크에 데려왔으며 모든 외국인을 석방할것이라고 말하고 있으나 타 외국인의 석방여부는 확인할수 없으며, 일본및 아국인 석방이 가장 먼저 이루어진 것으로 사료됨. 석방 아국인에 의하면 동 호텔에 일본인 1, 폴랜드 1, 호주 1, 말레이지아 6, 인니 6, 독일 1, 이디오피아 5, 카나다 1 명도 함께 있었다하며, 태국인 100 여명이 수용소에 수용되 있다고함

6. 외무성 관계관은 동인들이 현재 여권 및 체류에 관련된 증명서를 소지하고있지 않기때문에 시내 이동을 자제해줄것을 당부하면서, 동인들의 출국에 필요한 조치는 이민국과 접촉, 협조해주겠다함.

7. 관찰

본건 억류한 외국인에 대해 한국근로자를 우선 석방한것으로 주재국은 아국인에 대해서 아직까지는 우호적인 대우를 하고있는것으로 관찰됨. 끝

중아국	장관	차관	1차보	2차보	영교국	정와대	안기부

(대사 최봉름-국장)
예고:90.12.31

외 무 부

종 별 :

번 호 : FKW-0461   일 시 : 90 0810 1830

수 신 : 주이라크대사(본부경유)

발 신 : 노무관 이양정

제 목 : 연가 복귀지연

　　1. 소직은 연가 종료후 임지 복귀코자 하나 공로 및 육로의 폐쇄로 즉시 복귀 불가하여 주프랑크풀트 총영사관에 대기 하고 있읍니다.

　　2. 요르단을 통한 육로복귀와 바레인 대사관에 합류할 수 있도록 노력 하겠읍니다.

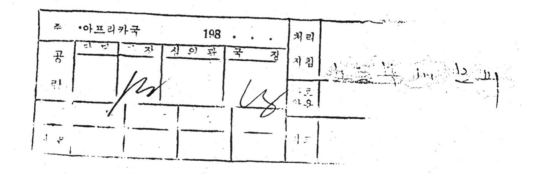

종아국

PAGE 1

4. 요르단

0126

발 신 전 보

번 호 : **WJO-0144**　　900808 0917　FB　　종별: 지급
　　　　　　　　　　　　　　　　　　　　　　　　WKU-0192

수 신 : 주　수신처 참조　~~대사//총영사~~

발 신 : 장 관　（중근동）

제 목 : 이라크, 쿠웨이트 사태

　　　　8.7자 외신 보도에 의하면, 이라크 당국은 쿠웨이트나 이라크에

거주하는 모든 외국인들에 대해 요르단 국경을 통해 출국 허용한다 하는바,

동 진위 여부 및 출국 절차등 관련사항 지급 보고 바람. 끝.

　　　　　　아울러 국 게이트 및 이락 교민 (1,289명) 의 철수촉
　　　　　　보안이 의한 철수사항을 대사관으로 속명바람.
　　　　　　　　　　（중동아국장　이 두 복）

예 고 : 90. 12. 31. 일반

수신처 : 주 요르단, 터어키 대사

　　　　　　　　　1990. 12. 31. 에 예고문에
　　　　　　　　　의거 일반문서로 재 분류됨. (이)

0127

관리 번호	*Po/Pop*

외 무 부

종 별 :

번 호 : JOW-0251   일 시 : 90 0808 1630

수 신 : 장 관(중근동,마그,기정)

발 신 : 주 요르단 대사

제 목 : 이락,쿠웨이트 사태

대:WJO-0144,0145

1. 대호 주재국 외무성 및 내무성 관계관에게 확인한바, 쿠웨이트 및 이락거주 외국인들의 주재국 경유 (국경경유 입국) 출국이 TRANSIT 자격(약 2 일정도)으로 허용된다함

2. 당관으로서도 외무부 영사국에 만일의 사태발발시 아국인의 주재국 입국에 대한 협조를 요청한바, 필요시 적극적인 협조를 아끼지 않겠으나 요르단 정부는 현지 공관에 대해 주재국 입국을 원하는한 쿠웨이트 및 이락체류 외국인들은 반드시 현지에서 비자를 받도록 지시 하였다함

3. 유사시 주재국 호텔등 숙박시설 이용이 어려울 경우를 대비하여 조사한바, 당지 진출 한보종합건설의 공사현장을 이용할 경우 약 200 명 정도의 노무자에 대한 일시 숙박은 해결될수 있으며 당지 숙박시설은 고급호텔(21 개,3,508실), 중급호텔 (23 개,836 실), 여관(25 개,606 실) 및 하숙(8 개,136 실)임

4. 당관은 만일의 경우에 대비, 주재국 교통체신부에 아국인의 조기출국을위해 전세기 (KAL 등) 편의 입국 가능여부를 문의한바, 항공기 관련 제반사항과함께 동 부처 (외무부 경유) 에 요청할경우 특별한 사유가 없는한 아측제반 경비 부담조건으로 허용하며 빠른 시일내에 조치될수 있다함

(대사 박태진-국장)

예고:90.12.31 일반

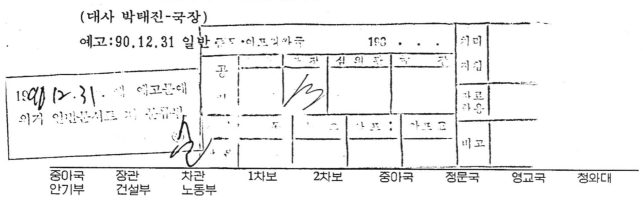

중아국 안기부	장관 건설부	차관 노동부	1차보	2차보	중아국	정문국	영교국	청와대

PAGE 1

외 무 부

종   별 :

번   호 : JOW-0254 　　　　　　　　　　　　일   시 : 90 0810 1600

수   신 : 장 관 (중근동,마그,영재,기정)

발   신 : 주 요르단 대사

제   목 : 쿠웨이트 거주 교민 요르단 입국

　　1. 쿠웨이트 거주 김옥구씨 부부 (개인사업, 45세)가 8.7.쿠웨이트 출발, 이락경유 8.9 오후 자동차편 이락.요르단 국경 봉과, 요르단에 입국하였음

　　2. 동인에 의하면, 이락의 쿠웨이트 침공 익일부터 쿠웨이트 주민등에 대한 이락군대의 살인, 방화, 약탈이 계속됨을 보고 출국키로 결심하였다하며, 이락 점령하의쿠웨이트는 특히 무기를 소지한 비정규 이락군인들의 약탈로 생필품 조달의 어려움과 치안상태의 혼란이 극에 달해있으며, 이러한 상태가 현지거주 외국인에도 확산될 우려가 있다고 예상하였음. 그러나 동인의 출국전까지는 일부 아국교민 개인상점의 약탈과 자동차를 탈취당하였으며 인명피해는 없는것으로 안다고 말함

　　3. 또한 8.9 동인이 목격한바에 의하면, 이락.요르단국경에서 주 이락 미국대사관 차량 5대와 독일인 기술자들이 탑승한 버스3대가 출국을 거부당하였으며, 자신은 출입국관계 책임자와 면담 다행히 허용되었다함.

　　(대사 박태진-국장)

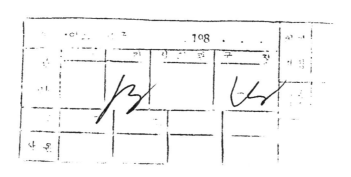

중아국　　　중아국　　　영교국　　　안기부　　　2차보　　통상국

PAGE 1 　　　　　　　　　　　　　　　　　　　　　90.08.10　　23:48 FC

　　　　　　　　　　　　　　　　　　　　　　　　외신 1과 통제관

　　　　　　　　　　　　　　　　　　　　　　　　　　　　　　0129

정리보존문서목록					
기록물종류	일반공문서철	등록번호	2020120193	등록일자	2020-12-28
분류번호	721.1	국가코드	XF	보존기간	영구
명 칭	걸프사태 : 재외동포 철수 및 보호, 1990-91. 전14권				
생 산 과	북미1과/중동1과	생산년도	1990~1991	담당그룹	
권 차 명	V.2 쿠웨이트 및 이라크, 1990.8.11-19				
내용목차	1. 대책 2. 쿠웨이트 * 사우디아라비아로 철수 포함 3. 이라크 4. 요르단 * 공관 직원 및 가족, 동포 철수 * 재외동포 철수 및 비상철수계획 수립 등				

0001

1. 대책

0002

5/25

쿠웨이트 및 이라크 교민 철수 대책 회의자료

일 시 : 1990. 8. 11. (토) 11:00
외무부 회의실 (정부제1종합청사 810호)

외
중 동 아 프 리 카 국

0003

예고 = 199 . 12. 31 일반

목   차

0004

I. 정세개황

○ 이라크, 쿠웨이트를 침공(8.2)하여 전역을 완전 점령(8.4)후 이라크 10만 병력을 사우디 국경지대로 이동 집결 (8.5)

○ 부시 미 대통령, 이라크의 사우디등 여타국가 침공시, 무력 사용 시사, 이라크 괴뢰 정권인 쿠웨이트 임정 불허

○ 미국의 대 이라크 군사개입 및 UN 제재 결의를 통한 대 이라크 압력 가중 및 이라크의 결사항전 테세로 긴박한 상황 전개

○ 동 사태 악화로 치안 부재속 이라크, 쿠웨이트(이라크 732명, 쿠웨이트 648명)교민용 식량 문제 심각

○ 이라크, 쿠웨이트 공항 및 해로 폐쇄 상태에서 이라크가 서방 진영 400여명 체포 및 체류인원 인질 가능성 있음.

○ 상기같은 급박한 상황 아래, 아국 교민의 긴급 철수 필요성이 있으나, 현재로서 철수 방법 모색이 어려운 상태임

II. 교민현황

국명＼구분	교 민 현 황
이 라 크	○ 현재 총 732명 - 진출업체 근로자　　　　660명 - 주재 상사원 및 가족　　26명 - 공관원 및 가족　　　　26명 - 기　　타　　　　　　　20명
쿠웨이트	○ 현재 총 648명 - 진출업체 근로자　　　　319명 - 주재 상사원 및 가족　　38명 - 공관원및가족(KORTA 포함) 　　　　　　　　　　　39명 - 기　　타　　　　　　　252명

※ 교민수 총 : 1,380명

0005

Ⅲ. 이라크 및 쿠웨이트 아국 교민 철수 대책(안) : (별첨)

Ⅳ. 당부 조치 사항

○ 주 이라크, 쿠웨이트 대사관에 아국 교민 안전 대책 강구 및 긴급 철수 계획 수립 지시 및 사태 진전 사항보고 지시 (8.1)

○ 주요 국가 반응 및 사태 파악 지시 (주요공관) (8.2)

○ 현지공관 조치사항 (8.2)

〈주 쿠웨이트〉

- 쿠웨이트 건설현장 인원 캠프로 철수
- 비상연락망 유지, 비상시 철수 계획 점검

〈주 이라크〉

- 진출업체 공사 현장 안전 대책 강구
- 만일의 사태 대비, 대피 및 사태 상응 행동 사전 강구 수립

○ 주 이라크 대사관에 요르단 경유 교민 철수 가능성 확인 보고 지시 (8.7)

○ 주 제네바 대사에게 국제적십자사 접촉코 교민 보호 및 철수 문제 협조 요청 (8.7)

○ 교민 철수 문제 공관장 재량하에 철수 결정 지시 (8.7)

○ 주 리비아등 8개 아국 공관에 주재국 이라크 대사와 접촉, 이라크, 쿠웨이트 거주 아국 교민 안전 확보 교섭 지시 (8.8)

○ 이라크, 쿠웨이트 인접국 공관에 아국 교민 철수 대책 필요사항 준비 지시 (주 바레인, UAE, 터어키, 이란, 요르단 대사) (8.8)

○ 주요공관에 주재국의 자국 교민 보호 및 철수 대책 파악 및 협조 가능성 여부 타진 보고 지시 (8.8)

○ 교민 철수 관련, 특별기 운항에 대해 이라크 정부에 협조 요청 지시 (주 이라크 대사, 8.9)

0006

V. 문제점

구분 / 국별	상 황	현지공관비상철수계획	철수관련 문제점
이라크	○ 공항 및 국경 폐쇄 ○ 외국인의 출입국 제한 - 단기사증 입국 외국인은 출국 하요 - 장기체류 외국인에게 출국비자 불허 ○ 쿠웨이트 체류 하던 야당파와 교민의 이라크는 신정부 출국문제는 당국과 협의하면 사항 (이라크 외무성 ejjam 영사국장 시사) ○ 공항, 국경을 통한 인접국 철수 불가능 ○ 2개월 정도의 비상 식품 비축 ○ 지금이후 모든 자국의 대쿠웨이트 송금 중단 ○ 바그다드 주재 KOTRA는 공관보다에 비상 대피 중	○ 공항, 국경을 통한 인접국 보의 철수는 단기 체류자 위주로, 사실상 불가능으로 장기비자자로 출국비자 불가능 ○ 유일한 방법은 특별기 편의, 철수 # 특별기 이용 전제하 철수 기본 원칙 - 단기 여행자 긴급 철수 - 장기 체류자중 1인 보호 - 선수인 체류한 주재 방면 모색 - 철수속 체류자의 출국 - 장기 체류자의 동 거리 지시 - 사증중 진출업체 지원 - 당국과 철수방법 최대 모색	○ 공항, 해로 폐쇄와 외국인의 출입국 통제로 현 현재로 비상 철수 사실상 불가능 ○ 특별기 이용, 투입, 철수 만이 유일한 방법이나 주재국 정부 허가 여부가 문제 ※ 주 이라크 대사, 주재국 당국과 협의 예정이라 함

0007

공관명＼구분	상 황	현지공관비상철수계획	철수관련 문제점
쿠웨이트	o 쿠웨이트에서의 일체 출국금지 o 4명의 공관 직원 제외 공관원 및 가족 전원 철수 예정 o 바그다드로의 이동문제 미해결 o 2주일 정도의 비상식품 비축(현대건설 제외) o 8.3.이래 50여명 대피 이원 공관 피난처 및 사태 악화에 따라 200명 정도 대피 예상 o 교민 긴급 소집 훈련	o 철수 방향 검토 - 쿠웨이트에서 출국, 이단 이라크로 이동, 이라크 출국 - 육로로 사우디 주변으로 출국 - 해상 피난 등 o 철수시까지 대피 예정	o 쿠웨이트에서의 일체 출국 금지 o 육로로 이라크, 사우디 경유 출국 및 해상 피난 방법이 있으나, 교통수단 해결과 철군 및 이라크 정부 허가가 문제

Ⅵ. 타국의 교민 철수 관련 조치사항

국별 \ 구분	조치 내용	비고
미	○ 이태리, 일본등과 공동으로, 외국인(자국인 포함) 안전 철수에 대한 국제 적십자사측에 협조 요청	‐
일	○ 이라크 거주 자국민 안전 보장을 이라크측에 요청 ○ 이라크 거주 교민의 안전 및 철수에 대해 이라크 정부측 협조 요청(주 이라크 일본 대사가 이라크 외상과 면담) ○ 국제 적십자와 활용, 쿠웨이트 거주 교민 철수 방안 모색중 ○ 별도로 JAL측과 항공기 파견 문제 협의 ※ 쿠웨이트 공항 재개 경우, 즉시 항공기 파견 가능토록 JAL기 비상 대기 조치 예정	‐ 이라크측의 호의적 검토 받음 : JAL측, 현재 보잉 747 또는 DC-10기 투입 준비 검토중 ※ 쿠웨이트 공항이 재개될시 아측도 항공기를 투입, 교민 철수토록 항공기 비상 대기 조치할 것을 제안
영	○ 이라크 및 쿠웨이트 체류 자국민 안전 철수에 대한 국제 적십자위와의 협조를 요청	
프	○ 이라크 및 쿠웨이트 체류 자국민 안전 철수에 대한 국제 적십자위와의 협조를 요청	
서해	○ 출국 희망 자국민 출국에 대한 이라크 정부 허가 요청	‐ 이라크 및 쿠웨이트 체류자 : 165명

국명/구분	조치 내용	비고
이태리	o 이라크 및 쿠웨이트 체류 EC 국민의 행동 자유에 대한 이라크 정부 보장 요청	
서독	o 자국민 철수 계획 준비, 이라크측과 접촉 o 국제 적십자위를 통한 자국민 철수 방안 모색중 o 이라크 정부의 이라크 및 쿠웨이트 체류 자국민 출국 허용시, 요르단 암만에 공로로 집결, 특별수송기를 이용하는 철수 방안 검토	
이집트	o 여타 EC국가와 공동으로, 자국민 안전 철수 문제 관련 이라크측과 교섭 o 쿠웨이트 체류 자국민 보호를 이라크측에 요청	
인도	o 정부 차원의 철수 계획 없음 o 철수 문제 볼 교려	
파키스탄	o 현재 속수무책 o 이라크 및 쿠웨이트 체류 자국민 안전을 이라크측에 요청	- 이라크 체류교민 : 약 1만명 - 쿠웨이트 체류교민 : 약 5,000명

첨부 : 쿠웨이트 및 이라크 아국 교민 철수 대책 (안)

1. 상 황

- 현재 이라크 및 쿠웨이트 아국 교민은 1,380명
  (이라크 732명, 쿠웨이트 648명)
- 이라크, 쿠웨이트 무력 사태 악화로 이라크, 쿠웨이트 국경 및
  공항이 폐쇄
- 동 사태로 치안 부재 상태가 지속되는 가운데 이라크, 쿠웨이트내
  아국 교민의 식량 문제가 심각
- 이라크는 쿠웨이트 체류 인원을 인질로 삼을 가능성 있으며, 서방
  진영 400여명이 이라크로 강제 이동된 것으로 추정
- 상기와 같은 상황아래 아국 교민의 긴급 철수 필요성이 있으나,
  현재로서는 철수 방법 모색이 어려운 상태임

2. 기본방침

- 일시, 전원 철수 추진을 원칙으로 함
- 관련 부처와 긴밀한 협조 아래 추진
- 안전 철수를 위한 이라크 정부와의 사전 긴밀 교섭
- 철수 인근국가 및 우방국가의 긴밀한 협조 유지
- 긴급상황 발생시, 현지 공관장 판단 아래 긴급 대피 철수

3. 철수 대책(안)

가. 철수를 위한 교섭 대상 : 이라크 및 쿠웨이트, 인근국과 미.일.영등
　　　　　　　　　　　　　　　우방국가

0011

예고 = 1990. 12. 31 일반

나. 철수 단계

1) 가능한 조속한 시기내 철수 개시

- 인접국으로 우선 철수후 사태를 보아 국내로 철수
- 인접 철수 대상국은 요르단, 터키, 바레인, UAE, 이란을 우선
  고려
- 철수 지역은 현지 상황과 우송 수단의 이용 가능성등 고려 선정

2) 물자등은 우선 순위를 정해 수송 수단 보아 단계별 철수하되,
   긴급시 인원만 우선 철수

다. 철수 방법

1) 지역별로 집결, 가능한 공로, 육로 및 해로 이용 대피, 철수
2) 직접 아국 수송편(KAL 및 아국선박) 이용, 인접국 또는 본국으로의
   철수 개시(필요시 우방국 수송 수단 이용)
3) 이라크 정부측과 사전 교섭, 긴급 철수시 교민 안전 확보
4) 인접국으로 철수 대비, 동 인접국과 사전 교섭
5) 이라크 및 쿠웨이트 지원 거부시 상황에 따라 인근국 및 우방국
   (미.일.영.불등)과 협조, 우방국 철수 교통편을 이용 철수
6) 진출 업체별 자체 철수 계획에 의거 시행시는 현지 공관과의
   긴밀 협조하 추진

라. 세부 철수 방안

1) 집 결

ㅇ 시 기
- 철수 가능 방법 확인시 가능한 조속 철수

ㅇ 장 소
- 인근 아국업체 공사장 또는 아국 공관(필요시 우방국 시설물)
- 최종 집결지는 공항(공군기지 포함) 또는 항구이나, 공항 및
  항구 폐쇄시 현 공사현장 및 아국공관

0012

ㅇ 방　　법
　　- 산재 거주 교민의 인근 공사장등 집결
　　　(취약지구 공사장으로 부터 보다 안전하고 방위 용이한
　　　공사장등으로 이동 합류)

2) 철　　수
　ㅇ 수송(철수)지
　　<공로 및 해로 이용 가능시>
　　- 인접국가인 바레인 (또는 요르단)으로 임시 철수
　　- 사태 진전에 따라 바레인(요르단) - 서울로 철수
　　<육로 이용 가능시>
　　- 터어키 또는 요르단으로 임시 철수(가능시될 경우 이란도 고려)
　ㅇ 수송 방법 및 수단
　　가) 공　　로
　　　- KAL 전세기를 이용 하기 공항을 통해 철수
　　　- 필요시 우방국 수송 수단 이용
　　　(민간 국제 공항)
　　　. KAL 전세기. B 747 1대 이용(360명 수송)
　　　. (1차)
　　　　서울 → 쿠웨이트 국제공항 → 바레인(또는 요르단)
　　　　공항 2회 운항 (쿠웨이트 교민 648명 수송)
　　　. (2차)
　　　　바레인(또는 요르단) → 바그다드, 사담공항 → 바레인
　　　　(또는 요르단) 공항 2회 운항 (이라크 교민 732명 수송)
　　　. 소요비용　:　총 9억 8천만원 상당(137만불)
　　　　　　　　　(순수 항공임만 계산)

. 수송 소요 시간 : 서울 → 쿠웨이트 → 바레인

(또는 요르단)간 운항

소요시간(1회) 18시간

바레인(또는 요르단) → 바그다드 →

바레인(또는 요르단) 운항

소요시간(1회) 6시간 (또는 4시간)

※ 현재로서 KAL 전세기 투입이 가장 바람직함(이라크 정부 허가시)

(이라크 및 쿠웨이트 공군 기지)

. 민간 국제공항 이용 불능시 추진

. KAL 전세기 B 747 1대 (동 기지 활용시 이라크 정부 지원 필요)

. 소요 비용은 상기와 동일

문제점 : 공항 폐쇄된 현 상황아래, 공로 이용 방법은 현실적
으로 어려움

나) 해　　로

. 이용 가능한 항구는 바스라항(이라크) 및 쿠웨이트항,
슈와이크항 및 미날 압둘항(쿠웨이트)등임

. 긴급 철수 기항지는 바레인 마나마 항구임

- 상　　선

. 이란.사우디.이라크 취항 아국 화물선 3척 동원(척당
350명 수송 가능) 출항후 1-2일내 바레인 기항

. 이라크 철수 :

집결지 →(육로) 쿠웨이트항 → 바레인 마나마항

. 쿠웨이트 철수 :

집결지 →(육로) 쿠웨이트항 → 바레인 마나마항

※ 여건에 따라 아국 선원 탑승 외국적 선박등 이용

0014

- 어 선

  . 홍해 근처 조업중인 구일산업 소속 트롤선 1척 (125 大급,
    100명 수송) 및 사우디 국적 용선 4척(300 大급, 400명
    수송) 동원

  . 출항후 2일내 집결항 입항 가능

※ 필요시 우방국 수송 선박 이용(가능 경우)

 문제점 : 해상이 봉쇄된 현 상황 아래서는 해로 이용에 어려움
          예상

다) 육 로

  . 현재의 가능한 육로 철수 방법은 이라크에서 요르단 또는
    터어키 국경 경유 철수 (별첨 자료 참조)

  . 수송 수단은 각 현장장별 차량 활용(현지 실정 의거)

  . 수 송 로

    이라크 철수 :

    1) 지역별 집결지(각 공사현장 SITE별등) → 바그다드 →
       요르단 국경(루트바근처, 538 km, 7시간 소요)

    2) 지역별 집결지 → 바그다드 → 터어키국경 (자코,
       (516 km, 7시간 소요)

    단), 바그다드 북부위치 집결지는 바로 요르단 및 터이키
       국경으로 이동

    쿠웨이트 철수 :

    1) 쿠웨이트 시내 → 이라크(사판지역) → 요르단(루트바
       근처, 총 1146 km, 15시간 소요)

    2) 쿠웨이트 시내 → 이라크(사판) → 터어키국경(자코,
       총 1124 km, 15시간 소요)

※ 육로 이용 긴급 대피 철수가 바람직하나 국경 폐쇄로 현실적
  불가

0015

라) 우방국의 항공기나 선박 이용 방안 모색
- 미.영.일.불등 우방국 교민 철수시 아국 교민도 동승 철수
토록 교섭

4. 조치 사항

가. 관계부처 합동 회의 소집
- 안기부, 노동부, 건설부, 상공부, 교통부, 국방부, 수산청,
해운항만청등 유관부처 회의 소집코 철수 시기 및 방안등 논의
나. 상기 회의 결과에 따라 구체적 철수 추진
- 이라크, 쿠웨이트 정부를 대상으로 아국 전세기 및 선박을 통한
철수 방안에 대한 협조 요청
(전세기 착륙 및 선박기항 허가등 병행 교섭)
다. 육로 철수 실시
- 공,해로 철수가 불가능할 경우 육로 철수 실시
- 가능한 모든 교민 동시에 철수 추진
라. 인접국에 대한 교섭
- 1차 철수 대상국에 아국민 입국 편리 제공 요청 교섭 실시
마. 아국 공관원 철수
- 상기 아국민 철수가 완료될 시점에서 공관원도 철수

5. 유의 사항

가. 상기 공로, 해로, 육로에 의한 방법을 최대한 활용하더라도 아국
교민 전원을 안전하게 철수시키는 것은 사실상 어려운 실정
나. 현 상황 아래서 교민 철수 필요성이 있으나, 구체적 철수에는
다음과 같은 문제점

0016

1) 철수 교섭 상대자가 아측 요청에 응하지 않을 가능성

2) 교섭 방법과 철수 추진 방법등에서의 문제점

다. 긴급한 상황 아래 대다수 교민이 철수하지 못할 사태가 발생할
   것이므로 이러한 사태 대응 아래와 같이 대처

1) 가능한한 다수가 한장소에 집결, 자위력 강화

2) 미국등 우방국의 이라크 제재 요청 및 유엔 결의등에 가능한
   미온적으로 대응함으로서 아국민의 인질화 방지

3) 국제 적십자사등을 통한 철수 방안 모색

6. 당면 조치 사항

ㅇ 이라크, 쿠웨이트 사태 관련 우방국 정부의 사태 해결 전망 타진

0017

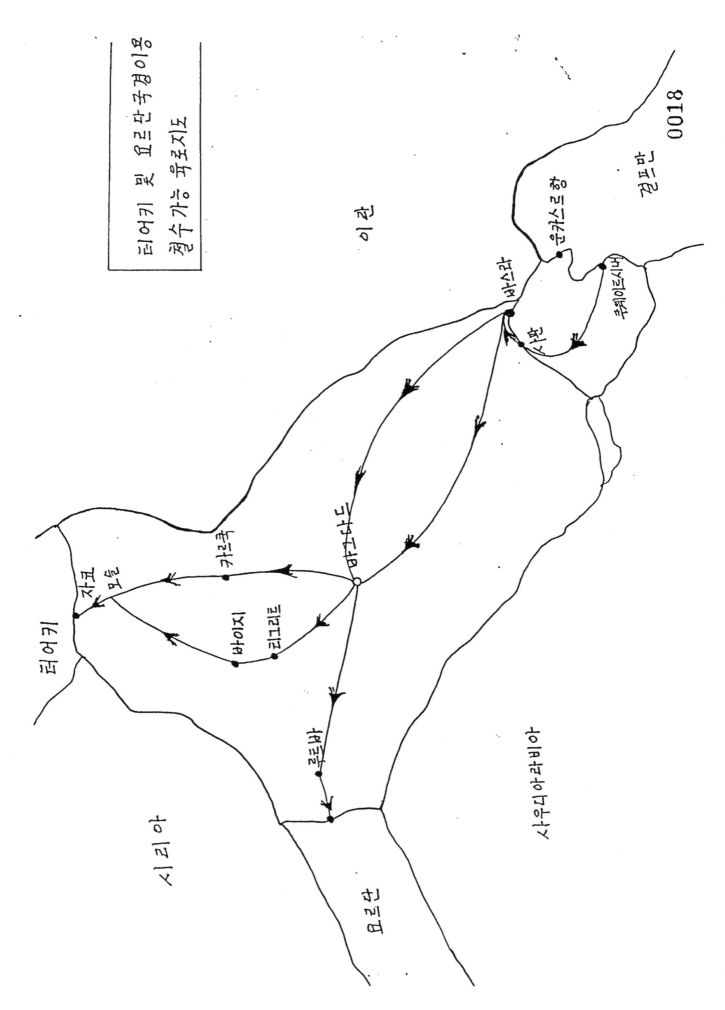

터어키 및 요르단 국경이용
정수가능 포로지도

0018

페르시아만

이란

바스라

움카스르항
후르 알루베이드

이란

바그다드

카르쿠

자코
모슬

바이지

티그리트

하디사

시리아

루트바

사우디아라비아

요르단

외 무 부

종 별 :

번 호 : UNW-1502

일 시 : 90 0811 0930

수 신 : 장관(국련,중근동,기정)

발 신 : 주 유엔 대사

제 목 : 아국근로자 철수 대책

대:WUN-0997

연:UNW-1498

1. 태국측의 안보리 결의안 추진에 아국동참은 연호 보고와같이 아래사항을의미함.

가. 결의안 총안작성(결의안에 포함될 내용, 표현방식등)과정에서 이해관계국으로 참여함(동 결의안이 성안되면 태국이나 아국등이 제안국이 되는것이 아니라 말련등 안보리 회원국에 제시, 이들 국가들로 하여금 결의안 제안국이 되게하거나 결의안 제안국을 명시함이 없이 안보리 전체 회원국의 콘센서스로 결의안을채택되게 한다는 구상임)

나. 안보리에서 동 결의안이 채택되도록 사전 안보리 회원국을 개별접촉, 동 취지.필요성등을 설명, 비공식 협의하는 과정에 아국이 참여함.

2. 대호와같이 안보리 비회원국이 안보리 결의안의 제안국에 포함될수 없으며, 포함된 사례도 없음.

3. 안보리 회원국들은 당초 8.10. 비공식협의회를 개최 동건을 협의코자 하였으나, 다수 국가들이 동건은 서두를 필요가 없고 사태를 관망해가며 결정할 문제라는 의견을 제시하여 8.13. 로 협의회를 연기했다함을 참고바람.

일본도 현단계에서는 사태진전을 관망하면서 추진하자는 신중한 입장을 보이고 있다함.

(대사 현홍주-국장)

예고:90.12.31. 일반

1990. 12. 31. 에 예고문에 의거 일반문서로 재 분류됨.

국기국	장관	차관	1차보	2차보	중아국	정문국	영교국	정와대
안기부								

외 무 부

종   별 : 긴 급

번   호 : USW-3711 　　　　　　　　　　일   시 : 90 0811 1400

수   신 : 장관(중근동,미북,통일)

발   신 : 주미대사

제   목 : 중동 사태

　　금 8.11 오전 현재 당지 언론의 중동 사태 관련보도 내용중 주요 사항 요지 하기 보고함.

　　1.쿠웨이트 체류 미국인중 11명의 버스편 육로로 요르단에 도착함(이락 정부로부터 출국 허가를 받은 동 11명 가운데에는 이락의 쿠웨이트 침공 당시 단신으로 동지역을 여행중이런 10세 아동도 포함되어있음)

　　2.미 제 24 보병사단등 미군 증원 부대는 계속 사우디로 향발하고 있으며, 아랍 정상 회담의 파병결정에 따라 이집트군은 이미 사우디에 도착했다함.또한 시리아 및 모르코군도 금명간 사우디 향발 예정이라함.

　　3.요르단, 예멘등 친 이락 성향의 아랍국에서는 반미, 반 사우디 시위가 대규모로 전개되고 있음.

　　4.이락측이 금번 사태를 ''성전''으로 규정짓고 있는 현 상황하에서 미국으로서는 이락및 쿠웨이트 거주 미국인의 안전을 가장 우려함(작 8.10베이커 국무장관이 브랏셀에서 밝힌바와 같이 미측으로서는 상금 이들을 이락측에 의해 억류된 ''볼모''로는 보고 있지 않음)

　　5.이락측이 군사적 행동을 우선 취하지 않는한, 당분간 중동 사태는 계속 교착 상태를 유지할것으로 보임.

　　(대사 박동진-국장)

중아국　　1차보　　미주국　　통상국　　정문국　　안기부　　상황실

PAGE 1 　　　　　　　　　　　　　　　　　　　　90.08.12　　07:30 DP

　　　　　　　　　　　　　　　　　　　　　　외신 1과 통제관

　　　　　　　　　　　　　　　　　　　　　　　　　0020

報 告 事 項	細 部 事 項	備 考
	ㅇ 최봉름 주 이라크 대사 외무부 Ajjam 영사국장과 면담 (8.11)	
	(최대사)	항공기 380호 불허
	- 아국근로자 3명 석방에 사의 표시	
	- 아국교민들 안전에 각별한 배려를 요청	
	- 요르단 경유 철수의 위험성을 설명코 특별 가의	Saudi 등복
	착륙 허가 요청	기족 5/00 철수
	(영사국장)	
	- 특별기 착륙 허가 문제는 호의적으로 검토하겠음	
	- 모든 외국인의 출국시에는 출국 허가가 필요	
	(관 찰)	
	- 영사국장 태도에서 아국인이 대우를 받고 있음을 느낌	
	- 영사국장의 호의적 반응에서 교민 안전 문제 및	
	특별기 착륙 문제 비관적이 아닌 것으로 감시	
	·항공기운행	
	- 3시간내 대기 출발 능력	
	- 아국급기 특별기활로지시	
	- 계엄이라 관공관에서 허락가	
	·고려조건 : 8·9. 관계부처	
	2·정각록 서비스	
	라이베리아 : 외무성 Taylor에로통보	

0021

체   육   부

해외 2598-*4017*   720-2607   1990. 8. 13.

수신 외무부장관

참조 중동국장

제목 중동지역 아국체육인 신변보호 요청

    1. 현재 중동지역에 아국 체육인 지도자 73명(9개국 7종목)、
선수단 22명(이란、8.23일 귀국예정)이 체류하고 있습니다.

    2. 최근 이라크군의 쿠웨이트 침공과 관련、중동지역 분쟁이
확산될 경우를 대비 중동지역에 진출해 있는 아국 체육인 및 파견
중인 선수단 명단을 별첨과 같이 통보하오니 신변보호가 될 수 있도록
조치하여 주시기 바랍니다.

첨부 중동지역진출 아국체육인 진출현황 1부.

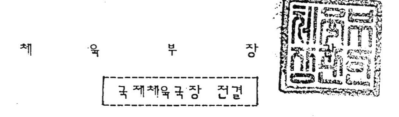

채   육   부   장

국제체육국장 전결

1990. 8. 14

중근무 22485

0022

중동지역 아국 체육인 진출 현황
==================================

국 명	직 위	성 명	생년월일	파견기간	장 소	비 고
사우디 아라비아	사이클코치	위경용	40. 3.23	89.6-현재	메카	클럽팀코치
	탁구코치	박태준	52. 7.17	82.2-현재	리야드	대표팀코치
	탁구코치	김은태	46. 7.23	87.7.14-현재		
	태권도사범	김순철			타이프	
		현봉철			젯다	
		정경훈			리야드	
		이희열			젯다	
		김영배			젯다	
		정창도			리야드	
		김광호			다란	
		권주경			리야드	
		우영상			리야드	
		이재근			젯다	
		이일학			알코바르	
		이재주			알칼리즈	
		송재동			다만	
		이희관			알코바르	
		전문열			젯다	
		윤태범			QATTE	
		이상환			타이프	
		유혜헌			다란	
	배구지도자	심재민			다란	클럽팀코치
		민용학				.
		정문기				.
		이윤경				.
		석경영				.
		정동홍				.
		이동기				.
		윤석연				.
		황승래				대표팀감독
		안병언				대표팀코치

0023

국 명	직 위	성 명	생년월일	파견기간	장 소	비 고
쿠 웨 이 트	복싱코치	김 상 만	41.3.7	82 - 현재		사업중 (부인、자녀2)
	탁구코치	박 태 준	52.11.17	82.2-현재	리야드	대표팀코치 사업중
	핸드볼	맹 정 순			카이판 사파트	
	태권도코치	정 기 택			"	
		이 혜 윤			"	
		정 창 호			"	
		이 인 순				
		구 영 춘				
	배구지도자	윤 은 묘				클럽팀코치
		진 윤 영				"
		신 일 균				
카 타 르	농구코치	이 원 호	32.4.2	80.7-현재	도하	군팀코치
	탁구코치	주 한 공	36.11.23	80.7.25-현재	도하	
		이 상 국	50.6.30	79.4.1-현재	도하	대표팀코치
		김 진 업	52.6.30	79.4.1-현재	도하	
		이 창 용	46.2.25	82.9.11-현재	도하	
		박 희 남	52.2.20	82.8.24-현재	도하	
		박 상 순	56.11.30	"	도하	
		황 규 현	53.10.5	83.10.22-현재	도하	
		임 해 롱	59.8.28	85.5-현재		클럽팀코치
		이 성 희	56.12.15	88.4-현재	도하	클럽팀코치
	배구지도자	표 공 일				
	태권도코치	나 종 렬			도하	
		신 재 근			도하	
		김 입 섭			도하	
		우 성 수			도하	
	핸드볼코치	최 세 현	59.3.6	90.1-		클럽팀코치
아랍에미 레이트	탁구코치	김 현 종	49.11.2	85.1-현재		클럽팀초치
		송 성 순	55.2.18	85.5-현재		
	태권도	박 종 수			아부다비	
	배구지도자	박 양 수				청소년대표코치

0024

국 명	직 위	성 명	생년월일	파견기간	장 소	비 고
오 만	탁구코치 핸드볼코치	한 병 규 서 강 석	52. 9. 9	85.3-현재		
요 르 단	탁구코치 태권도코치	황 상 완 이 태 인 김 기 황	47. 1.22	88.5-현재	암만	
이 집 트	태권도	임 한 수 정 기 영			카이로 카이로	
바 레 인	배구코치	허 학 성				대표팀감독
이 란	태권도	강 신 철			테헤란	국가대표코치
	제2회 아시아 남자주니어 핸드볼선수권 대회 참가	안 청 수 조 동 진 이 향 걸 장 면 호 정 강 욱 홍 석 민 양 정 록 김 경 남 최 규 상 이 병 우 서 지 엽 김 상 만 김 형 모 이 석 왕 권 영 철 신 승 만 윤 경 식 이 석 형 이 창 연 김 진 요 고 강 석 황 치 범	44. 2.10 40. 2. 1 55. 6.15 56. 5.12 70. 5. 1 72. 4. 6 70. 4. 9 70. 3.25 70. 6. 2 70. 8.23 71. 7.23 72.12.18 72.3.16 70.11.25 70. 3.15 71. 7.22 73. 7. 7 71. 1.13 70.11.22 70. 3.16 47. 7.27 49. 4.24	90.8.6-23	테헤란	단장 코치 총무 선수 선수 선수 선수 선수 선수 선수 선수 선수 선수 선수 선수 선수 선수 선수 선수 선수 심판 심판

0025

분류기호 문서번호	중근동 720-		기안용지		시 행 상 특별취급	
보존기간	영구.준영구 10. 5. 3. 1		장 관			
수 신 처 보존기간						
시행일자	1990. 8. 14.					
보조 기관	국 장	전결	협조기관		문 서 통 제	
	심의관					
	과 장					
기안책임자		박 종 순			발 송 인	
경 유			발신명의			
수 신	공보처장관					
참 조	매체국장					
제 목	교민 철수 관련 보도 자제 요청					

1. 이라크의 쿠웨이트 침공 사태로 미군등 서방 국가의 대이라크

군사 개입 및 대규모 이라크군의 사우디 국경 배치등으로 인한 동사태의

일촉 즉발의 위기 상황 아래서, 아국은 요르단 국경 경유 출국을 통한

이라크, 쿠웨이트 체류 아국인의 긴급 철수를 추진중에 있습니다.

2. 주 이라크 아국 대사는 아국인 철수에 대한 아국 언론 보도와

관련 아래와 같이 보고하여 왔는바, 체류 아국인(현재 1297명)이 일시에

대거 요르단 국경을 통과해야 하는 현 상황속에서 가능한 최단시일내 체류

아국인의 출국 사증이 발급되도록 이라크 당국과 교섭중에 있고, 아국인

/계속   0026

철수는 장기적, 개별적 소규모 다발적으로 이루어질 것임을 감안할때,

아국인의 순조로운 철수 추진을 위해 향후 이와 관련한 보도를

자제함이 좋을 것으로 사료돼 언론 기관에 이에 대해 각별 당부하여

줄것을 요청하오니 적의 조치하여 주시기 바랍니다.

- 아   래 -

ㅇ 이미 철수한 근로자나 일반 체류자의 기자 회견내용이 과장

　　 보도됨에 따라 잔류 아국인에 대한 위해 가능성 상존

ㅇ 철수 관련, 현지 공관의 이라크 당국과의 교섭 사항의 사전 보도로,

　　 현지 근로자들의 동요 및 진출업체 진행에 지대한 장애 .   끝.

0027

외무부 당국자 브리핑

공보관실
90.8.15.
12:00 시

1. 서울시간 8.15. (수) 06:00 현재, 이라크, 쿠웨이트 체류 우리 교민의
   인접국 대피 현황은 아래와 같으며, 이들은 항공편이 마련되는 대로 가능한
   한 조속한 시일내 귀국토록 조치 예정임

   가. 이라크 거주 교민

   ○ 8.13, 교민 25명 바그다드로 부터 육로로 요르단 국경 통과, 주 요르단
      대사관에서 보호중(전원 건강상태 양호)

   - 삼성종합건설근로자(17명), 대한항공가족(3명), 대우상사원및가족(4명),
     주이라크대사관 고용원(1명)

   나. 쿠웨이트 거주 교민

   ○ 교민 20명 사우디 국경 통과, 8.14. 리야드에 도착, 현대건설 캠프에 체류중
      (전원 건강상태 양호)

   - 대한항공 지사장등 20명 (명단 별첨)

   - 국내 연고자에 전화연락 필

   - 미국 국적 소지 목사 1명 제외 전원 19명, 8.20. 18:05시 대한항공편
     서울 도착 예정

   - 8.17-20경, 교민 200여명 요르단 국경 통과, 요르단 입국 예정

2. 이라크, 쿠웨이트 거주 교민의 안전을 위해 취한 최근의 조치사항은
   아래와 같음

   가. 8.13, 주 이라크 대사를 단장으로 한 현지 교민 안전 대책반을 설치
      (상황반, 행정반, 통제반등의 하부 조직)

   나. 8.14, 요르단으로 입국하는 아국 교민에 대해 국경선 통과 비자 국경선
      에서 즉시 발급 받도록 교섭, 동의를 얻어냄

   다. 주 사우디 대사관 양봉열 영사, 김헌수 노무관보, 쿠웨이트 접경 사우디
      국경선에 파견, 상기 20인에 대한 사우디 임시 입국비자 조치 및 리야드로 안내

   라. 8.15 현재 바레인 교민(총288명)중 비필수요원 45명 귀국 완료
      (23명 조만간 추가 귀국 예정)

   ※ 대 언론 협조 요청 사항

      이라크 및 쿠웨이트 잔류 교민의 안전을 위해 최근 이라크 및 쿠웨이트로 부터
      인근국에 대피하여온 근로자 또는 교민과의 인터뷰 내용중 상세한 탈출 경위등
      이라크 당국을 자극할 소지가 있는 사항에 대하여는 보도를 자제하여 주실
      것을 부탁 드립니다.

0028

쿠웨이트 및 이라크 교민철수
대책 회의 자료

일 시 : 1990. 8. 16. (목) 10:00
외무부 회의실 (정부제1종합청사 817호)

외
무
중 동 아 프 리 카 국

0029

1. 교민 철수 현황

가. 교민 현황 (8.15. 현재)
- 이 라 크 : 총 673 명
- 쿠웨이트 : 총 578 명
- 총   계 : 1,251 명

나. 철수 현황 (8.15. 현재)
- 이라크 교민 : 39명
- 쿠웨이트 교민 : 27명
- 총   계 : 66명

구 분 \ 국가별	이라크 교민	쿠웨이트 교민
○ 요르단 국경 통과, 요르단 체류	25명 (8.13) (삼성종합건설 17명, 대한항공 및 가족 3명, 대우상사 및 가족 4명, 주 이라크 공관 고용원 1명) 3명 (8.14) (현대건설 소속 근로자) 11명 (8.15) (강남필터(주) 박관오 이사등)	5명 (8.7) (현대건설소속 근로자 2명) 2명 (8.10) (김옥구 및 처)
○ 사우디 국경 통과 사우디 체류(현대건설 캠프 체류중)		20명 (8.14) (대한항공 4명, 남송산업 3명, 태권도 사범 1명, 개인사업 등 12명) ※ 이중 19명 8.20 KAL 편 귀국 예정
계	39 명	27 명

※ 참 고 : 쿠웨이트 교민 200명 및 현대건설 소속 300명, 8.20까지
요르단 경유 철수 예정

0030

2. 철수 관련 문제점

가. 경비 지원 및 소요경비 정산 문제

　o 귀국시까지의 체류 숙박 경비 지원 및 부담 문제

　　- 요르단 경유 철수 교민의 체류 경비 사후 정산 (방법,범위,대상등)

　　　. 쿠웨이트 교민의 이라크 체류시, 업체(현대등) 캠프내 체류
　　　　숙박비

　　　. 이라크 및 쿠웨이트 교민의 요르단내 체류 경비

　　- 사우디 경유 철수 교민의 업체 캠프 체류 경비 부담

　o 귀국 항공 요금 지원 및 사후 정산 문제

　　- 요르단 출국 항공 여비 지원 및 부담 문제

　　〈KAL 특별기 투입시〉

　　　. 탑승 인원의 항공임 부담

　　　. 탑승 대상 인원 선정등

　　〈업체 자체 계획 의거, 항공기 투입시〉

　　　. 여타 업체등 기타 인원의 탑승 범위, 항공임 부담등

　　- 요르단 암만 → 대한항공기 착지까지의 항공요금 지원 문제

　　　. 진출업체 소속 이외 기타 개인 소요 경비 지원 및 정산

　　- 사우디 경유 철수.귀국 항공 여비 지원 및 사후 정산 관계

　　　. 항공료 (8,800$)등

나. 일시 대규모 인원의 이라크 및 요르단 체류시의 숙박시설 활용 문제

　o 각 업체별 캠프 시설 수용 또는 호텔등 활용 사항

다. KAL 특별기 투입 문제

　o 요르단 암만 공항에 KAL B 747기(390명 수용)투입

　※ 현대건설, 자체 철수 계획에 의거, KAL 특별기 투입 예정

0031

3. 당면 조치 사항

o 철수 교민의 구체적, 일자별 이동 계획 파악(소속별 명단 포함)

o 업체별 철수 계획(현대)에 의거한, 귀국 항공편 편승가용 인원수 파악

o KAL 특별기 부입 조치 (교통부 협조)

o 철수 교민의 업체 캠프 체류시(이라크,요르단)의 숙박 소요 경비 내역 및 체류자 명단 파악

o 철수 귀국 항공료 지원 및 사후 정산 문제 협의등 (경기원, 건설부, 교통부, KAL)

첨 부 : 당부 조치사항

0032

〈첨　부〉

1. 당부 조치 사항

　　o　주 이라크, 쿠웨이트 대사관에 아국 교민 안전대책 강구 및 긴급철수
　　　　계획 수립 지시 및 사태 진전사항 보고지시 (8.1)

　　o　외무부 비상근무조 편성 (8.2)
　　　　- 국장 감독하에 서기관1, 사무관1, 행정보조1, 24시간 비상근무 체제

　　o　주요국가 반응 및 사태 파악지시 (주요공관) (8.2)

　　o　현지공관 조치사항(8.2)
　　　　〈주 쿠웨이트〉
　　　　- 쿠웨이트 건설현장 인원 캠프로 철수
　　　　- 비상연락망 유지, 비상시 철수계획 점검
　　　　〈주 이라크〉
　　　　- 진출업체 공사현장 안전대책 강구
　　　　- 만일의 사태 대비, 대피 및 사태 상응행동 사전 강구 수립

　　o　주 이라크 대사관에 요르단 경유 교민 철수 가능성 확인보고 지시 (8.7)

　　o　주 제네바 대사에게 국제적십자사 접촉코 교민보호 및 철수문제 협조
　　　　요청 (8.7)

　　o　교민 철수문제 공관장 재량하에 철수 결정지시 (8.7)

　　o　주 리비아등 8개 아국공관에 주재국 이라크대사와 접촉, 이라크,
　　　　쿠웨이트 거주 아국 교민 안전확보 교섭 지시 (8.8)

　　o　이라크, 쿠웨이트 인접국 공관에 아국 교민 철수 대책 필요사항 준비
　　　　지시 (주 바레인, UAE, 터어키, 이란, 요르단 대사) (8.8)

　　o　주요공관에 주재국의 자국 교민보호 및 철수대책 파악 및 협조 가능성
　　　　여부 타진 보고 지시 (8.8)

0033

o 사우디 동북부 지역 거주 비필수 교민의 조속 철수 권유
  (주 사우디 대사, 8.8)

o 교민 철수 관련, 특별기 운항에 대해 이라크 정부에 협조요청 지시
  (주 이라크 대사, 8.9)

o 이라크, 쿠웨이트 사태 상황 대책반 설치 (8.10)

o 교민 국내가족의 연락 관계에 대해 신속 통보

o 주 쿠웨이트 및 이라크 대사관에 교민 안전에 최우선토록 지시 (8.11)

o 교민 철수 추진지시(주 이라크, 쿠웨이트 대사) (8.11)
  - 이라크 당국의 요르단 경유 교민철수 동의 의거

o 철수 교민수 조치 지시 (주 요르단 대사) (8.12)
  - 요르단 국경 통과 출국 아국 교민에 대한 무비자 입국 조치 교섭
  - 요르단 입국지점에 직원 파견, 교민 철수 시행에 만전

o 주 사우디 대사, 사우디 동북부 지역 거주 비필수요원의 조속 철수 권유(8.8)

o 아국 교민이 가까운 시일내 조속 철수 되도록 필요조치 강구 지시
  (주 이라크, 쿠웨이트 대사) (8.13)

o 교민 안전 철수에 대한 효율적 통제 위해 상황반, 행정반, 통제반 편성
  운영 (주 이라크 대사관) (8.13)

o 주 이라크 대사, 이라크 외무성 영사국장 접촉, 쿠웨이트 교민 철수 절차
  관련 협조 요청 (8.14)

o 요르단 입국 위한 아국 교민의 국경 통과 비자, 요르단 국경선에서
  즉시 발급토록 교섭, 동의를 득함 (8.14)

0034

〈 참 고 〉

o 교민 철수 관련 지원 필요 소요 경비 : 총 786,000 달러

내 역 :

　　총 교민 철수 소요 경비 (1,317명)　3,978,000 $ (업체 소속 근로자

　　〈1,057명〉소요 경비) - 3,192,000 $

　　　　　　　　　　　　　　　　　= 786,000 $

비 고 : 총 교민(1,317명) 철수 소요 경비 내역

　　숙 박 비 : 184,400 $ (1일 숙박비 $ 200 X 7일 X 1317명)

　　항 공 요 금 : 1,870,000 $ (1인당 항공임〈$ 1,420 요르단 → 서울〉

　　　　　　　　　　　　　　　　X 1317명)

　　차량 사용비(쿠웨이트 및 이라크 → 요르단) : 132,000 $

　　　　　　　(1인당 100$ X 1317명)

　　기타 철수관련 부대경비 : $ 132,000 (1인당 $100 X 1317명)

　　　　　계 : 3,978,000 $

0035

이라크·쿠웨이트 교민 안전대책
관련부처 회의결과보고

1. 일 시 : 90. 8.16(목) 10:00-12:00

2. 장 소 : 외무부 회의실 817호

3. 주 재 : 이라크, 쿠웨이트사태 대책반장 권병현 대사

4. 주 제 : 이라크·쿠웨이트 교민철수대책

5. 주요토의내용 :

   ○ 철수방침

     - 필수요원을 제외한 전교민의 철수가 바람직

     - 필수요원은 사태진전 관망후 단계적 철수가 바람직

     - 현지 실정에 맞게 현지업체 철수계획과 연계 철수추진필요

        · 대다수 철수교민은 현대건설등 업체소속 임·직원임.

   ○ 철수 경비지원 및 소요경비 정산문제

     - 이라크 및 요르단 경유 철수 무의탁 교민의 숙식비 사후정산

       필요시, 방안강구 필요

     - KAL 전세기 투입시 탑승 철수교민의 항공임은 사후정산 바람직

   ○ 이라크 및 요르단 체류숙박시설 활용문제

     - 이라크내 현대 및 삼성종합건설 현장 캠프에서의 숙식제공에 감사

     - 진출아국업체의 숙식제공에 대한 계속적 지원 필요

     - 요르단내 숙박시설사용 경비지원 필요

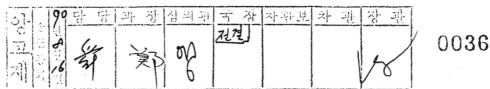

0036

○ KAL 특별전세기 투입문제

　　- KAL 특별기투입대비, 요르단 당국의 항공기 이.착륙허가 교섭시급

　　- 철수일자 확정시 KAL 특별기투입위한 사전 준비조치 시급

○ 교민용 비상식품 지원문제

　　- 삼성, 현대건설등 현지 진출업체는 다소 여유있는 비상식품을 비축

　　- 업체외 교민용 비상식품을 가능한 진출업체에서 지원함이 바람직

6. 토의결과 (결정사항)

○ 비필수요원 전원 철수원칙아래, 사태진전 관망후 필수요원의 단계적
　철수 추진

○ 현지 진출업체는 자체판단에 따라 자체 철수계획의거 철수하되, 현지
　공관과의 긴밀협조아래 추진

○ KAL 특별전세기 2대 (B 747 및 DC-10)의 요르단 암만공항 투입, 요르단
　경유 교민을 본국으로 직접 철수

○ KAL 특별기 운항 이·착륙 허가획득 외교적 방법 강구

○ 철수교민의 KAL 전세기 항공임은 사후정산(소속업체 및 개인별)

○ 현지 진출업체에서 가능한 무의탁 철수교민에 대해 숙식제공
　　- 부득이할 경우 사후정산 검토

0037

7. 조치예정사항

o 철수교민의 구체적 소속 및 일자별 철수 이동계획 파악

o KAL 특별전세기 투입준비

o KAL 특별기의 요르단 암만공항 이·착륙 허가교섭

o 철수교민의 귀국시까지의 체류경비지원 및 귀국항공임 사후 정산조치
  (경기원, 건설부, 교통부 및 KAL 등 협조)

o 기타 철수관련 필요사항 조치강구

첨 부 : 1. 참석자 명단
        2. 참고자료
           가. 교민철수현황
           나. 당부조치사항

0038

(첨 부 1)

참 석 자 명 단

ㅇ 회의주재 : 대책반장　　　　권병현　　　본부대사

ㅇ 참 석 자 : 외 무 부　　　　이두복　　　중동아국장

　　　　　　　　　〃　　　　최대화　　　국제경제국장

　　　　　　　　　〃　　　　김삼훈　　　통상국장

　　　　　　　　　〃　　　　허리훈　　　영사교민국장

　　　　　　　　████████████████████

　　　　　　　재 무 부　　　　한태수　　　외환정책과장

　　　　　　　건 설 부　　　　박유철　　　해외건설과장

　　　　　　　노 동 부　　　　손원식　　　직업안정국장

　　　　　　　교 통 부　　　　김세찬　　　국제항공과장

　　　　　　　현대건설　　　　오정일　　　이사

　　　　　　　삼성종합건설　　정무진　　　이사

　　　　　　　대한항공　　　　한영식　　　부장

0039

(참고 2)

가. 교민철수현황

   ○ 교민현황(8.16.현지)

     - 이 라 크 : 총 673명

     - 쿠웨이트 : 총 483명

     - 총　　계 : 1,156명

   ○ 철수현황(8.16.현재)

     - 이라크 교민 : 39명

     - 쿠웨이트 교민 : 122명

     - 총　　계 : 161명

구 분　국가별	이라크 교민	쿠웨이트 교민
○ 요르단 국경통과, 　요르단 체류	25명 (8.13) (삼성종합건설 17명, 대한항공 및 가족3명, 대우상사 및 가족4명, 주이라크공관 고용원 1명) 3명 (8.14) (현대건설 소속 근로자) 11명 (8.15) (강남필터(주) 박관오 이사등)	5명 (8.7) (현대건설소속 근로자) 2명 (8.10) (김옥구 및 처) 95명 (8.16)
○ 사우디 국경통과 　사우디체류(현대 　건설 캠프 체류중)		20명 (8.14명) (대한항공 4명, 납승 산업3명, 태권도사범 1명, 개인사업등 12명 ※ 이중 19명 8.20. KAL 편 귀국예정
계	39명	122 명

※ 참고 : 쿠웨이트 교민 200명 및 현대건설 소속 300명, 8.20까지 요르단
　　　경유 철수예정

0040

나. 당부조치사항

 o 주이라크, 쿠웨이트대사관에 아국 교민 안전대책 강구 및 긴급철수계획
   수립지시 및 사태 진전사항 보고지시(8.1)

 o 외무부 비상근무조 편성(8.2)
   - 국장 감독하에 서기관1, 사무관1, 행정보조1, 24시간 비상근무 체제
 o 주요국가 반응 및 사태 파악지시(주요공관)(8.2)

 o 현지공관 조치사항(8.2)
   〈주 쿠웨이트〉
   - 쿠웨이트 건설현장 인원 캠프로 철수
   - 비상연락망 유지, 비상시 철수계획 점검

   〈주이라크〉
   - 진출업체 공사현장 안전대책 강구
   - 만일의 사태대비, 대피 및 사태 상응행동 사전 강구 수립

 o 주 이라크 대사관에 요르단 경유 교민 철수 가능성 확인보고 지시(8.7)

 o 주 제네바 대사에게 국제적십자사 접촉코 교민보호 및 철수문제 협조
   요청 (8.7)

 o 교민 철수문제 공관장 재량하에 철수 결정지시 (8.7)

 o 주 리비아등 8개 아국공관에 주재국 이라크대사와 접촉, 이라크,
   쿠웨이트 거주 아국 교민 안전확보 교섭 지시(8.8)

 o 이라크, 쿠웨이트 인접국 공관에 아국 교민 철수 대책 필요사항 준비
   지시(주 바레인, UAE, 터어키, 이란, 요르단 대사)(8.8)

 o 주요공관에 주재국의 자국 교민보호 및 철수대책 파악 및 협조가능성
   여부 타진 보고지시(8.8)

0041

o 사우디 동북부 지역 거주 비필수 교민의 조속 철수 권유
  (주 사우디 대사, 8.8)

o 교민 철수 관련, 특별기 운항에 대해 이라크 정부에 협조요청 지시
  (주 이라크 대사, 8.9)

o 이라크, 쿠웨이트 사태 상황 대책반 설치(8.10)

o 교민 국내가족의 연락관계에 대해 신속통보

o 주 쿠웨이트 및 이라크 대사관에 교민안전에 최우선토록 지시(8.11)

o 교민철수 추진지시 (주 이라크, 쿠웨이트 대사)(8.11)
  - 이라크 당국의 요르단 경유 교민철수 동의 의거)

o 철수교민수용 조치지시(주 요르단 대사)(8.12)
  - 요르단 국경통과 출국 아국교민에 대한 무비자 입국 조치교섭
  - 요르단 입국지점에 직원 파견, 교민 철수 시행에 만전

o 주 사우디 대사, 사우디 동북부 지역 거주 비필수요원의 조속 철수
  권유(8.8)

o 아국교민이 가까운 시일내 조속 철수되도록 필요조치 강구 지시
  (주이라크, 쿠웨이트 대사)(8.13)

o 교민안전 철수에 대한 효율적 통제 위해 상황반, 행정반, 통제반 편성
  운영(주 이라크 대사관)(8.13)

o 주 이라크 대사, 이라크 외무성 영사교민 접촉, 쿠웨이트 교민철수 절차
  관련 협조요청(8.14)

o 요르단 입국위한 아국교민의 국경통과 비자, 요르단 국경선에서 즉시
  발급토록 교섭, 동의를 득함.(8.14)

0042

이라크 및 쿠웨이트 교민 철수 현황

(90.8.17. 08:00 현재)

	구 분	총 인 원	철수인원	잔류인원	비 고
이 라 크	공관원 및 가족 (고용원 포함)	26			
	상사직원 및 가족	26	7		
	건설업체 임.직원 및 가족	640	20		
	기 타	20	12		
	소 계	712	39	673	5명 귀국
쿠 웨 이 트	공관원 및 가족	40			
	상사직원 및 가족	38	4		
	건설업체 임.직원 및 가족	317	5		
	기 타	210	18		
	소 계	605	~~122~~ 122	483	
총 계		1,317	~~122~~ 161	~~1,516~~ 1,156	

※ 쿠웨이트 교민 제2진 105명 및 현대건설 소속 근로자 및 가족 275명 8.17-18
   쿠웨이트 철수 예정

0043

이라크 및 쿠웨이트 교민 철수 현황

(90.8.18. 11:00 현재)

	구 분	총인원	철수인원	잔류인원	비 고
이 라 크	공관원 및 가족 (고용원 포함)	26			
	상사직원 및 가족	26	7		
	건설업체 임.직원 및 가족	640	28		
	기 타	20	38		18명은 소속 미확인 기타로 분류
	소 계	712	74	638	5명 귀국
쿠 웨 이 트	공관원 및 가족	40			
	상사직원 및 가족	38	4		
	건설업체 근로자 및 가족	317	5		
	기 타	210	113		
	소 계	605	122	483	
총 계		1,317	196	1,121	

※ - 쿠웨이트 교민 (제2진) 123명 및 현대건설 소속 근로자 및 가족 (1진) 169명 8.17.

　　이라크 향발

　 - 현대건설 소속 제2진 105명 8.18. 이라크 향발 예정

0044

이라크 및 쿠웨이트 교민 철수 현황

	구　　분	총 인 원	철수인원	잔류인원	비　고
이라크	공관원 및 가족 (고용원 포함)	26			
	상사직원 및 가족	26	7		
	건설업체 임.직원 및 가족	640	20		
	기　타	20	38		
	소　　계	712	66	646	5명 귀국
쿠웨이트	공관원 및 가족	40			
	상사직원 및 가족	38	4		
	건설업체 근로자 및 가족	317	5		
	기　타	210	113		
	소　　계	605	122	483	
총　　　　계		1,317	188	1,129	

※ 쿠웨이트 교민(제2진) 120명 및 현대건설 소속 근로자 및 가족(1진) 170명 8.17 이라크 향발

※ 현대건설 소속 제2진 105명 8.18. 이라크 향발 예정

0045

이라크 및 쿠웨이트 아국 교민 철수 현황

구분 / 국별	교민총수	귀국 및 인접국 대피	요르단 이동중 (이라크 체재포함)	요르단 체재	잔류자	비 고
쿠웨이트	605	35	397	77	96	잔류 희망 교민 : 21 명 공관직원 및 가족 : 40 명 현대건설소속필수요원 : 35 명
이 라 크	712	65	8	27	612	
계	1,317	100	405	104	708	

0046

2. 쿠웨이트

0047

외 무 부

종 별 :

번 호 : XQKUW-0002

일 시 : 0811 1400

수 신 : 주 이라크대사   사 본:중동국장

발 신 : 주 쿠웨이트 대사

제 목 : 교민철수(2)

연: XQKUW-0001

1. 연호 방안은 타대안이 없을때 고려할것이나 부인과 15세이하 200여명이 되므로 확실하고 안전한것이 확인되지 않는한 시행하는것은 대단히 무리라고 생각하고있음

2. 최선의 방안은 기왕의 말한대로 육로의 경우 사우디로 가거나 항공편 철수가 되겠는데 북별기 교섭이 잘되기 고대하며 가능하면 거리로 보아 쿠웨이트또는 바스라공항을 이용할수 있게 되기바람.끝

영사국장 보내 2여

중아국

외 무 부

종 별 : 긴 급

번 호 : KUW-0424　　　　　　　　　　일 시 : 90 0812 2000

수 신 : 주 사우디 대사, 사본:장관(중동아프리카국장)(중계필)

발 신 : 주 쿠웨이트 대사

제 목 : 업연

　　쿠웨이트에서 사우디로 통하는 피난민을 사우디에서 즉각 출국시키고 있는지 여부
알려주시기 바람. 끝.

　　예고:90.12.31

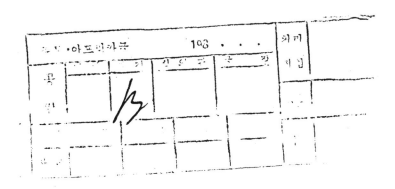

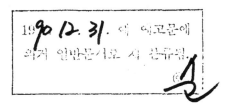

중아국

PAGE 1

관리 번호	Ao /pop		

원 본

외 무 부

종 별 : 긴 급

번 호 : KUW-0425   일   시 : 90 0813 0730

수 신 : 주 사우디 대사, 사본: 장관(중근동)

발 신 : 주 쿠웨이트 대사

제 목 : 교민철수

　　1. 교민 21 명이 8.13. 06:50 경 사우디로 출발했음. 많은 아랍인, 아시아인들이 사우디로 월경하고 있는것은 사실이나 안전문제가 불확실해서 당관에서는 극구 만류했었음.

　　2. 국경까지는 약 1 시간반 자동차 거리임으로 이들이 무사 월경하면 금일중 사우디측에 도착할것임. 국경도시 살미 동방 약 30KM 지점부근일것임. 이들의 도착여부및 후속조치 통보 주시기바람. 끝

　　(대사)

　　90.12.31

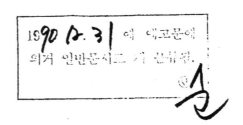

1990 12.31 에 대고문에 의거 일반문서로 재분류함.

중아국 안기부	장관	차관	1차보	2차보	통상국	정문국	영교국	청와대

PAGE 1

90.08.13　　15:21

외신 2과　통제관 BT

0050

외 무 부

종 별 :

번 호 : XQID-5865   중계필   중계필   일 시 : 9시

수 신 : 주 요르단 대사 사본:주이라크대사,중동아국장

발 신 : 주 쿠웨이트 대사

제 목 : 업연

대:관련전문

1.당지 요르단 대사관에서 비자발급을 않고있고 우리인원이 이라크에서 개별적으로 비자를 받는것도 현실적으로 거의 불가능할 것임으로 일시통과 난민으로 입국할수있는 방법을 강구해 주시기 바람.지금 각국의 많은 피난민들이 개별적으로 비자를 가지고 입국하는지 의문시됨

2.우리인원이 대피하는 경우 통과 지점에 접수안내 요원을 파견해 주시기 바람.각각 자기차로 입국이 가능한지 입국후 계속 자기차를 쓸수있는지 계획단계에서 아는것이 필요하니 확인해 주시기 바람.

3.기타 도착후 단시간내에 출국을 위한 협조바람.잠정적으로 16일경 출발 예정이나 자세한 사항 결정되는대로 통보해 주겠음.끝

중아국 대책반

PAGE 1

90.08.13   17:23 WG

외신 1과 통제관

0051

발 신 전 보

	분류번호	보존기간

번   호 : WKU-0214   900813 1821 DY   종별 : 지급

수   신 : 주   쿠웨이트   대사. 송영사

발   신 : 장   관   (중근동)

제   목 : 교민 관계

    1. 유공가스 소속 김종훈 가족에 의하면 동인은 손대식과 함께 90.8.1.경 귀지를 출장, 메리디안 호텔 부숙중 사태 당일 이후 소식이 두절 되었다 하니 동인들의 소재 확인 및 신변 안전 상태를 확인후 지급 보고 바람.

    2. 귀지 금성사 함상헌 지사장의 조모가 8.9. 별세 하였다 하니 부음 사실을 통보 바람.   끝.

(중동아국장   이 두 복)

보안통제	

앙고재	90년8월13일	종로동과	기안자성명		과 장		국 장		차 관	장 관		외신과통제
			n				전결					

0052

외 무 부

종 별 : 긴 급

번 호 : KUW-0427 일 시 : 90 0813 1300

수 신 : 장관(중근동)

발 신 : 주이라크대사

제 목 : 교민관계

대: WKU-0214

대호, 2명 당지 체류중임. 별고없음. 회사에연락했다고함. 끝

(대사 소병용-국장)

중아국 상황실 동상국 방교국 국산만국 1각보 2각보 장관 차관 청와대 안기부

PAGE 1

외 무 부

종 별 : 지 급
번 호 : SBW-0634   일 시 : 90 0813 1500
수 신 : 장관(주쿠웨이트대사-중계필)(사본:장관(중근동))
발 신 : 주 사우디 대사
제 목 : 쿠웨이트피난민 처리

대:KUW-424

1. 대호 외무무성및 스리랑카대사관에 확인한바, 주재국은 쿠웨이트인을 제외한 외국인에대하여 피난민 수용소등의 편의는 일체제공하지 않고, 동인들이 소속한 국가의 대사관 책임하에 신원이 확인되는대로 바로 출국시키고 있다함.

2. 쿠웨이트인에 대하여는 숙소제공, 쿠웨이트 화폐의 주재국 화폐로의 교환등의 편의를 제공하고 있음.

(대사 주병국-국장)

예고:90.12.31 일반

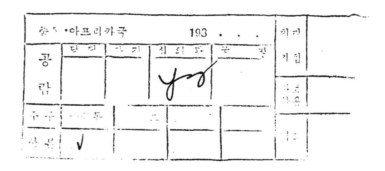

중아국

PAGE 1   90.08.13   23:36
                                                    외신 2과 통제관 EZ
                                                    0054

외 무 부

종 별 : 긴 급

번 호 : KUW-0428 일 시 : 90 0813 1830

수 신 : 주사우디대사 사본:중근동국장

발 신 : 주쿠웨이트대사

제 목 : 교민철수

　　1.관련 교민 21명은 현지시간 19:00 현재 돌아오지않고 있는데, 안전하게 갔기바라
며 연락을기다리고있음

　　2.상기 교민명단

　　1)이복래외가족

　　2)신정의

　　3)정창호

　　4)이용구(KAL 지사장)

　　5)정삼식

　　6)오금철

　　7)김성근

　　8)오준환

　　9)신일균

　　10)김광경

　　11)한길섭

　　12)전성 규

　　13)전신규.끝

　　(대사 소병용-대사)

PAGE 1

90.08.14 04:17 CT

외신 1과 통제관

0055

외　무　부

종　별 : 긴급

번　호 : KUW-0429

수　신 : 주사우디대사-중계필(사본:중근동)

발　신 : 주 쿠웨이트 대사

제　목 : 업연

일　시 : 90 0813 1900

암호수신

　　　일부 교민에 의하면 국경도시 살미에서는 이락측에서 난민통과를 묵인하는데
사우디측에서 금지한다는 정보가 있다하니 확인해주기바람. 끝

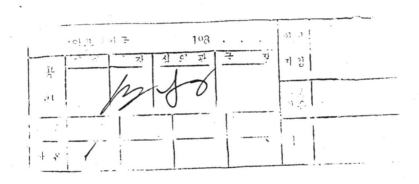

중아국

PAGE 1

90.08.14　　01:52

외신 2과　통제관 EZ

0056

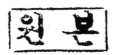

외 무 부

암 호 수 신

종   별 : 초긴급

번   호 : SBW-0640

일   시 : 90 0813 1810

수   신 : 장 관(중근동 사본:주쿠웨이트대사→중계필)

발   신 : 주 사우디 대사

제   목 : 쿠웨이트 탈출 교민 입국

대:WSB-307, KUW-424

1. 금일 대호 관련 일행이 당관에 알려온바에 의하면, 동일행은 국경을 무사히 통과 하였다함.

2. 당관 양봉렬 영사가 동인들을 접수키위해 국경지역으로 출발하였는바, 진전사항 별도보고 예정임.끝

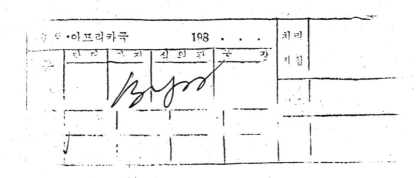

중아국

PAGE 1

외 무 부

관리번호 90/1514

종 별 : 긴급

번 호 : SBW-0647

일 시 : 90 0814 1400

수 신 : 장관(중근동,기정,건설부,노동부,쿠웨이트대사)

발 신 : 주 사우디대사

제 목 : 교민철수

대:KUW-428

연:SBW-640

1. 연호 당관 양봉렬영사는 금 8.14 교민일행과 합류하여 11 시현재 자동차편으로 ~~리야드를 향하고 있으며~~, 동인들의 임시숙소는 리야드소재 현대건설 캠프를 활용 예정임.

2. 동인들에 의하면 쿠웨이트내에서 검문소를 통과한 후부터 국도를 피하여 사막길을 횡단하였으며, 도중에 이락군의 정지명령을 받고 도주하자 소총공격을 받았다고 함. 한편 사우디 국경 당국은 이들에게 10 일간의 사증을 발급하고, 자동차 소유주 확인후 입국을 허용하였음.

3. 동일행의 명단 및 귀국계획등은 추후 보고예정임.

(대사 주병국-국장)

예고:90.12.31 일반

1990.12.31에 예고문에 의거 일반문서로 재 분류됨.

중아국 노동부	장관	차관	1차보	2차보	영교국	청와대	안기부	건설부

90.08.14   21:34
외신 2과   통제관 CN

0058

외 무 부

종 별 : 긴급

번 호 : SBW-0650　　　　　　　　　　　일 시 : 90 0814 1710

수 신 : 장관(중근동, 영사,기정,노동부,주쿠웨이트대사)

발 신 : 주 사우디대사

제 목 : 쿠웨이트 탈출 교민도착

연:SBW-0647

WSB-0313

1. 연호,8.13 쿠웨이트를 탈출 교민 20 명이 금 8.14 14:30 리야드에 무사히 도착하여 현대건설 사모이 캠프에 체제중이며, 전원건강상태 양호함. 연락필 8.15. 10:30 (✓연락불능)

2. 동인들의 인적사항은 아래와같은바, 국내가족에게 연락바람 ( )은 국내연락처임

- 이용구(쿠웨이트 KAL 지사장) 처 구자영, 자 이호은, 이호현(471-4447, 544-6787)

- 김광경(사범 032-665-6743)

✓- 한길섭(사범 95-8858)

- 정창호(사범)처 이인순, 자 정유훈, (492-3763)

- 이봉래(개인업)처 이영림(032-657-8756)

- 신정의 (화가)처 이인경, 자 신준식(645-1363)

- 신일균(배구코치, 664-9909)

✓- 정삼식(목사 미국시민권자 국내연락처무)

- 전신규(건축업, 965-6701)

- 김성군(남송산업,274-1217)

- 오금철, 오준환(남송산업,695-4566)

19◯◯.◯1.◯?에 예고문에 의거 일반문서로 재 분류됨.

3. 당관은 KAL 과 협조, 동인들중 서울귀환을 원하는 19 명(정삼식씨 제외)을 8.19(일) 22:10 제다를 출발, 바레인경유, 8.20, 18:05 서울착하는 KAL 특별기편으로 귀국시킬예정임.

4. 동인들은 갑작스런 쿠웨이트 사태로 소지한 돈이 없다는바, 소요항공료(약8,800 미불, KAL 직원가족 4 인 정삼식제외)지원여부 지급회시바람.

중아국	차관	1차보	2차보	정문국	영교국	청와대	안기부	노동부

PAGE 1　　　　　　　　　　　　　　　　　　90.08.15　　00:24

외신 2과　통제관 CN

0059

5. 향후 쿠웨이트 거주 아국교민들이 계속 사우디 국경을 탈출할 경우대비 본국 송환지침(항공료등 제반경비포함) 회시바람.

(대사 주병국-차관)

예고:90.12.31 일반

외 무 부

종 별 : 긴 급

번 호 : KUW-0433
일 시 : 90 0814 1100

수 신 : 장 관(중근동,기정,사본: 주사우디 대사)

발 신 : 주 쿠웨이트 대사

제 목 : 교민 철수

사우디 피난 교민 21명중 전성규는 이탈하여 당지에 잔류하고 있음. 끝
(대사 소병용-국장)

중아국	차관	1차보	2차보	정문국	안기부	대책반

PAGE 1

90.08.14   18:57 BB

외신 1과 통제관 0061

외 무 부

종 별 : 긴 급

번 호 : KUW-0435 일 시 : 90 0814 1530

수 신 : 장관(중근동, 건설부, 노동부)

발 신 : 주쿠웨이트대사

제 목 : 현대건설 근로자철수

1. 현대건설 소속 근로자 및 그 가족은 이라크경유 요르단으로 철수를 계획중이며아국인 안전을 위해 태국노무자 1150여명을 함께 후송하고자 검토중임

2. 태국노무자 동행은 이들을 요르단에서 태국당국에 인계한다는 전제조건아래 추진될수있는 것임

3. 이와관련 주 태국 아국대사관에서 태국 정부당국과 이들 태국노무자들에 요르단입국및 태국까지의 후송대책을 긴급 협의 회보바람. 끝

(대사 소병용-국장)

중아국   1차보   2차보   건설부   노동부

외 무 부

종 별 : 긴 급

번 호 : KUW-0436   일 시 : 90 0814 1800

수 신 : 장 관 (중근동, 영재, 기정) 사본: 요르단, 이라크대사(직종필)

발 신 : 주 쿠웨이트 대사

제 목 : 교민철수

1. 8.17-20 사이에 몇차례에 걸쳐 철수교민이 요르단국경에 도착예정임. 아직 최종집계 중이나 200명 예상

2. 은행이 아직도 폐쇄중이어서 대부분 돈이 없으므로 요르단체류와 귀국 항공편이 제공되어야함.

3. 확실한 인원수와 도착예정일을 추보하겠으나 2항의 사정에 따른 예비를 위하여 우선 보고함

4. 인원수에 따라 특별기가 준비되는지 암만에서 가까운 대한항공기 착지까지 개별 항공권을 주던지 하는 방법이 강구되어야 할것으로 봄.

5. 현대 314명은 8.20일쯤 도착 예상.끝

(대사 소병용-국장)

중아국   영교국   안기부

발 신 전 보

분류번호 | 보존기간

번 호 : **WKU-0230**   900815 1133 FG   종별 : 긴급

수 신 : 주 쿠웨이트, 요란대사. 총영사 (사본 : 주 이라크, 요르단 대사)   WJO-0167   WBG-0248

발 신 : 장 관 (중근동)

제 목 : 교민 철수

대 : KUW-043G

1. 수송 계획에 참고코져 하니 요르단에 도착 또는 그곳으로 향발하는 교민들의 확실한 숫자, 소속 및 귀국 계획등이 파악되는 대로 즉시 보고 바람.

2. 특별기 파견 여부는 1항의 보고 접수후 검토 예정임. 끝.

(중동아국장   이 두 복)

앙고재	90년 8월 14일 중근동화	기안자 성명		과 장		국 장		차 관	장 관		보 안 통 제	
						전결						외신과통제

0064

발 신 전 보

분류번호	보존기간

번 호 : **WKU-0231**   900815 1228 BB   종별 : _____

　　　　　　　　　　　　　　　　　　　　　　　　　WBG -0249　WJO -0169

수 신 : 주 쿠웨이트   대사 /총영사 (사본 : 주 이라크, 요르단 대사)

발 신 : 장 관   (중근동)

제 목 : 현대건설 근로자 철수

　　　　　　　　　　대 : KUW-0345

　　　표제건 현대건설과 협의하였던바, 현대측이 주한 태국 대사관과 접촉,
태국 근로자들이 요르단에 도착하면 태국 특별기 편으로 태국으로 운송할 계획이라
하니 참고 바람. 끝

/3/4) 혠대 지사와 협의/

　　　　　　　　　　　(중동아프리카국장　　　이 두 복)

앙고재	90년 8월 5일 중근동과	기안자 성명		과 장	신ᄴ관	국 장		차 관	장 관		보안통제
										외신과통제	

0065

외 무 부

종 별 : 긴 급

번 호 : KUW-0437

일 시 : 90 0815 0700

수 신 : 장 관(중근동,정일,기정,노동부) 사본:이라크,요르단대사

발 신 : 주 쿠웨이트 대사

제 목 : 교민철수

1. 철수교민 제1진 출발

가. 인원:95명(차량 26대 분승)

나. 인솔자:김성두(선경지사장)

김성열(효성물산지사장)

김정길(쿠웨이트석유회사근무)

다. 쿠웨이트출발:8.15.06:00

라. 이라크 도착예정시간:8.15 21:00전후(국경통과3시간 소요예산)

마. 요르단국경 도착예상시간: 도중 주유 휴식등 다만 8.16 21:00 도착

단, 교민들이 이라크영내에 도착하면 즉시 대사관에 연락 예정이므로 확실한 도착예정시간은 주이라크에서 봉보 가능할것임.

바. 19가족(65명)

독신 성인남자 30명

2. 기타 8.22 출산예정인 임신부 3명과 중환자 1명.

3. 제2진은 8.16 오전에 출발 예정인데 인원구성등 자세한것은 그때 봉보할것이나약 100명예상. 끝

(대사 소병용-국장)

8.17 오전 요르단 도착 사실 확인시까지
대외비 G

중아국   정문국   안기부   노동부   1차보   2차보   대책반   영교국

외신 1과 통제관
0066

외 무 부

종 별 : 긴 급

번 호 : KUW-0438   일 시 : 90 0815 0700

수 신 : 장관(중근동,정일,기정동문)

발 신 : 주 쿠웨이트 대사

제 목 : 교민철수 교민홍보

연:KUW-0425

연호 인원의 사우디 피난에 대해서 언론이 인터뷰등 SENSATIONAL 한 보도를할 가능성이 있다고 봄. 당관의 극구 만류에도 불구하고 앞으로도 사우디 국경통과를 기도하는 교민들이 있을수 있고 또한 당지에는 상당수의 교민들이 잔류할것도 예상되므로 이들의 안전을 위해서는 사우디 피난 관련 보도는 자제되도록 하는것이 좋겠음.

(대사-국장)

예고:90.12.31.까지

중아국	장관	차관	1차보	2차보	정문국	영고국	정와대	안기부

PAGE 1

외 무 부

종 별 : 긴 급

번 호 : KUW-0439

수 신 : 장 관(중근동)

발 신 : 주 쿠웨이트 대사

제 목 : 현대 태국근로자

일 시 : 90 0815 0900

대: WKU-0231

당지 태국대사관은 아직 모르고있으니 요르단에서 누가 어떻게 인수할것인지
알려 주기바람.

요르단에는 태국대사관이 없는것으로 알고있음.끝

(대사 소병용-국장)

중아국

발 신 전 보

	분류번호	보존기간

WKU-0232　　900815 1721　FG

번　　호 :　　　　　　　　　　　　　　종별 :

WTH -0998

수　　신 :　주 쿠웨이트　　대사 . 총영사　(사본 : 주 태국 대사)

발　　신 :　장　관 (중근동)

제　　목 :　태국근로자 철수

대 : KUW-0439

현대건설 본부와 협의한바 현대 암만지사와 태국 Agent만 현지에서 인수한다

하니 참고바람. 끝.

(중동 아프리카국장　이두복)

	보 안 통 제	

앙 고 재	90 년 월 일	중근 동과	기안자 성명		과 장		국 장		차 관	장 관		외신과통제

0069

외 무 부

종　별 : 긴 급

번　호 : KUW-0440　　　　　　　　　일　시 : 90 0815 1040

수　신 : 장관(중근동, 건설부, 노동부)

발　신 : 주쿠웨이트대사

제　목 : 현대태국근로자

　　　대: WKU-0231

　　　연: KUW-0439

　　　제목건에 관하여 자세한 내용을 당지 태국대사관으로부터 통보받았음.

　　　연호 회답불필요.

　　　끝

　　　(대사 소병용-국장)

중아국　　건설부　　노동부

PAGE 1　　　　　　　　　　　　　　　　　　90.08.15　　17:26 FA

외신 1과　통제관

0070

외 무 부

종 별 : 긴 급

번 호 : KUW-0441

수 신 : 주요르단대사 사본:중근동

발 신 : 주쿠웨이트대사

제 목 : 태국근로자 철수

일 시 : 90 0815 1030

JO: 증계컬

1. 현대건설이 당지에서 고용하고있는 태국인근로자 약1200명은 현대가 요르단까지인솔 철수시키면 요르단에서 태국측이 인수하기로 태국정부가 약속했음

2. 도착 예정시기등 추보하겠으나 우선 이일을 지시해서 맡아할 ASFOUR 태국 명예총영사와 접촉 확인해주기 바람. 전화번호:623301.

끝

(대사 소병용-대사)

중아국 /차보 2차보 영교국 안거부 대책반

관리
번호 90/1032

외 무 부

종 별 :

번 호 : BGW-0506

일 시 : 90 0815 1100

수 신 : 장관(중근동, 영제, 정일)

발 신 : 주 이라크 대사

제 목 : 주쿠웨이트 대사관 가족 철수

　　주쿠웨이트 대사관 가족및 교민철수 참고사항으로 최근 쿠웨이트에서 바그다드로 단체철수한 유고팀장 면담 내용을 아래 보고함

　　당관 권찬공사가 쿠웨이트 일본회사에 근무하다가 8.14 이라크로 탈출한 유고인 근로감독자 1 인을 조우 3 시간 동안 면담함

　　-유고인 160 명은 개인차량 총 56 대를 동원 8.14 새벽출발 17 시간만에 바그다드에 무사 도착함. 수송편은 전시내가 마비되었음으로 일반버스 또는 기차편을 이용 불가하다고함

　　-쿠웨이트 출발은 동 지역 통치자(전 주쿠웨이트 이라크대사)의 사전 허가가 필요한바 수일동안 간청후 허가를 받았다고 함

　　-쿠웨이트-이라크 국경선 통과는 별문제가 없으나 CHECK POINT 근무(국경선은 없어졌음)군인들의 지시에따라 신분증 제시및 성명 명기등 비교적 간단한 절차였다고함. 이사짐과 자동차 검사는 없었다고함

　　-그에 의하면 쿠웨이트 시내는 모든 행인이 이라크 군인에 의해 검거되며 연일 수십명의 시민이 살해되고 있다고 함

　　-시내는 3 일전부터 모든 식량이 바닥이 났고 상점등은 이라크 군인이 강제로 탈취, 주민들은 처형시키고 있다고 함

　　-시내에는 이라크 군인 20 만명, 탱크 100 대, 미사일, 로켓트, 수백대의 전투기, 깨스탄등으로 최강의 이라크 군대가 포진하고 있어 사우디및 미국군대와공포의 균형을 이루고 있다고 함. 현지 정보에 의하면 8.24 이전 바그다드 폭격또는 엄청난 일이 바그다드에 일어 날것이라는 소문이 있다고 함. 끝

　　(대사 최봉름-국장)

　　예고:90.12.31

1990 12 31 예고관예
의거 일반문서로 재 분류됨.

중아국	장관	차관	1차보	2차보	정문국	영교국	청와대	안기부

PAGE 1

90.08.15　　17:30

외신 2과　통제관 CW

0072

외　무　부

종　별 : 긴급

번　호 : KUW-0444　　　　　　　　　　　　일　시 : 90 0815 1700

수　신 : 장　관(중근동,경협)　사 본:노동부(재해안전국장),건설부

발　신 : 주 쿠웨이트 대사

제　목 : 근로자 사망사고

　1. 현대건설 크레인운전공 '전종호'(49.4.1 생, 경기시흥 의왕읍 3리 242-1)가
8.15.10:30 경 근로자 철수준비에 일환으로 잔류자용 방공호 작업도중 흙더미에 치여
인근병원에 긴급 후송되었으나 11:30 경 사망함

　2. 유해는 현재 자하라병원에 안치중이고 이곳사정상 송영이 불가능하여 대책 강구
중임

　3. 현대건설 본사에 동 사고를 통보 유족에게 전달될수 있도록하여 주시기바람.끝
(대사 소병용-국장)

현대건설 대외협력부 746-2122
유병희 과장 에 통보 (01:25)

중아국　　경제국　　건설부　　노동부

외 무 부

종 별 : 지 급

번 호 : SBW-0658   일 시 : 90 0815 1330

수 신 : 장 관(경이,중근동,노동부,건설부,기정)

발 신 : 주 사우디 대사

제 목 : 쿠웨이트 아국 근로자 동향

연: SBW-0637

1. 당관 김헌수 노무관은 양봉렬 영사와 함께90.8.13 쿠웨이트 국경을 넘어온 KAL 지사장등 20명을 인도하여, 8.14 15:00부터 리야드소재 현대내무성공사 캠프에 수용하고 KAL 등과 협의,귀국준비중임

2. 이들에 의하면 쿠웨이트에는 현대건설근로자 316명,개인취업자등 총 610여명이있고, 모두 아무런 피해없이 비상식량,부식등은 1달분정도 비축되어 있다고함.끝

(대사 주병국-국장)

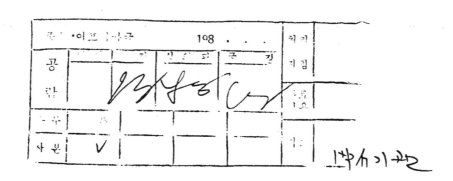

| 경제국 | 중아국 | 안기부 | 건설부 | 노동부 | | | | |

PAGE 1

분류번호	보존기간

발 신 전 보

번 호 : WSB-0320   900816 0921 FC   종별 :

수 신 : 주   대사 . 총영사   수신처 참조   WBH-0103   WJO-0171

발 신 : 장   관 (중근동)

제 목 : 교민철수 보도

대 : KUW-0438

1. 주쿠웨이트대사 보고에 의하면 일부 교민들이 공관의 국구 만류에도 불구하고
앞으로 사우디 국경통과를 기도하는 교민들이 있을 수 있고 반면에 상당수
교민은 잔류할 것으로 예상된다함.

2. 이와관련 일부 언론기관이 인터뷰등 Sensat!에대한 기사를 보도할
쿠웨이트써   모든철수교언에게 제휴 이주을 이해시키는
가능성이 있는바 교민들의 안전을 위하여 아국 언론인들에게 사우디 피난
측면에서
관련보도는 자제하여 줄것을 요청하기바람. 끝.

(국장 이두복)

수신처 : 주사우디, 바레인, 욜단대사

1990년12?.에 예고문에
의거 일반문서로 재 분류됨

앙고재	기안자	과장	국장	차 관	장 관	보안통제	외신과통제
90년			전결				

0075

분류번호 보존기간

발 신 전 보

번 호 : **WKU-0241**   900816 1933 CG   종별 :

수 신 : 주   쿠웨이트 대사.*총영사*

발 신 : 장 관 (중근동)

제 목 : 교민 철수

위창의 가족 송미려, 위수성, 위지성의 안전 회보 바람. 끝.

(중동아프리카국장 이 두 복)

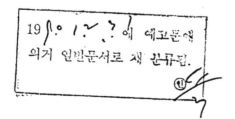

앙고재	90년 8월 16일 중근동과	기안자 강OO	과 장	심의관	국 장 전결	차 관	장 관	보안통제	외신과통제

0076

외 무 부

종 별 : 지 급

번 호 : KUW-0445   일 시 : 90 0816 0900

수 신 : 주 이라크대사 사본:중근동

발 신 : 주 쿠웨이트 대사

제 목 : 교민철수

1. 제 1진 95명 귀지 안착 제반편의 제공 감사함.

2. 당지에서 통신사정으로 하지못했으니 본부 제1진명단을 보고해 주시기 바람.

3. 제2진은 8.17 귀지에 제1진 도착시간 전후 도착시킬 예정인데 출발직전에 알려
주겠음.끝

(대사 소병용-대사)

중아국 대책반 통상국 영교국 안기부

PAGE 1   90.08.16   17:50 WG

외신 1과 통제관

0077

외　무　부

종　별 : 긴 급

번　호 : KUW-0446　　　　　　　　일　시 : 90 0816 1200

수　신 : 장 관(중근동,기정,노동부,건설부)사본:주이라크대사중계필

발　신 : 주 쿠웨이트 대사

제　목 : 현대건설철수

　　　현대건설은 필수관리요원 한국인 39, 외국인 27명을 제외한 한국인근로자및
직원가족 275명 외국인 1147명을 2개반으로 나누어 8.17과 8.18일 전원 이라크 경유
요르단으로 철수시킬 계획임.끝

　　　(대사 소병용-국장)

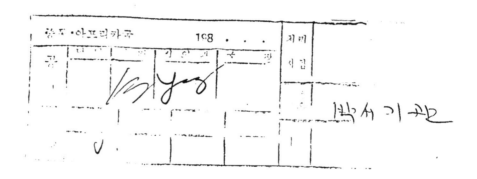

중아국	차관	1차보	2차보	청와대	총리실	안기부	건설부	노동부

PAGE 1　　　　　　　　　　　　　　　　　　　　90.08.16　　22:51 ER

　　　　　　　　　　　　　　　　　　　　외신 1과 통제관

0078

외 무 부

종   별 : 긴 급

번   호 : KUW-0449   일   시 : 90 0817 0700

수   신 : 장 관(중근동,기정,건설부,노동부,주요르단,이라크대사)

발   신 : 주 쿠웨이트 대사

제   목 : 교민철수

1. 교민 제2진 출발

　가. 인원:120명(33가족, 차량 26대)

　나. 인솔자:장정기(한인회회장)

　　장동락(무역관장)

　　박춘봉(한인회부회장)

　　이충원, 김경환

　다. 인원명부는 바그다드 도착후 주이라크대사관에 보고하게 될것임

　(당관 봉신사장)

　라. 쿠웨이트출발시간:8.17.06:00

　기타 이라크 및 요르단 도착등 관련사항은 KUW-437에 준함.

2. 교민이외에 인도인의 처 한국인 가족 3명포함, 요르단에서 교민들 귀국시킬때 이점 주의

3. 금일 07:00 출발예정인 현대건설 근로자 제1진에 관하여 별도 보고 예정이며 이로서 현대건설을 제외한 교민 철수는 일단 끝냈고 잔류희망자 23명 (어린이 4명 포함)만 남아있음

　공관이 철수하는 경우 이들중 다시 철수 희망하는 이는 동행예정.끝

　(대사 소병용-국장)

중아국　　차관　　1차보　　안기부　　노동부　　대책반　　영교국　　통상국

PAGE 1

90.08.17   14:35 WG

외신 1과　통제관

0073

외 무 부

종 별 : 긴 급
번 호 : KUW-0450
일 시 : 90 0817 0710
수 신 : 주 이라크, 요르단대사 사본:중근동, 기정
발 신 : 주 쿠웨이트 대사
제 목 : 교민철수

연: KUW-0449

연호 제2진에 쿠웨이트 주재 대만 무역사무소 대표부 부부및 직원 11명이 2대의차량으로 동행출발하였음. 요르단 국경까지 동행예정임. 주이라크 대사관에서 요르단 국경통과 관련 할수있으면 편의제공 바라며, 대만 무역대표부에 이사실 통보 해주시기 바람. 끝

(대사 소병용-대사)

중아국   차관   1차보   안기부   대책반   영교국   통상국

PAGE 1
90.08.17   14:34 WG
외신 1과 통제관
0080

외 무 부

종 별 : 긴 급

번 호 : KUW-0451

일 시 : 90 0817 1200

수 신 : 장관(중근동,기정,건설,노동,이라크대사)

발 신 : 주쿠웨이트대사

제 목 : 교민철수(현대)

    연: KUW-0449

1. 현대 제1진 한국인 170명, 태국인 692명 (계획인원 실제 출발인원 추보)이 금8.17.06:30 이라크로 출발하였음, 버스,트럭,승용차등 49대, 연호 교민철수 2진 도착시간 전후 도착 주이라크대사관에 신고예상

2. 교민 김만천 가족 3인등 4명 동행

3. 이라크측은 당관 요청에따라 쿠웨이트-이라크국경통과시 호송

4. 제2진 한국인 105명, 태국인 455명은 8.18 아침 출발예정. 끝

(대사 소병용-국장)

중ㅡ·아프리카국	198 . . .				처리 지침	
공 람	담 당	과 장	심 의 관	국 장		
					보 존 기 간	
수 무	동	ㅡ	ㅡ		비 고	
사 본	✓					

중아국   1차보   2차보   안기부   건설부   노동부   대책반

PAGE 1

90.08.17   20:59 CG

외신 1과   통제관 0081

외 무 부

종 별 : 긴 급

번 호 : KUW-0454 일 시 : 90 0817 1230

수 신 : 장관(기재,중근동)

발 신 : 주 쿠 대사

제 목 : 예산지원

1. 사태 첫날 아침에 은행이 폐쇄되어 아직 열리지 않고 있음

2. 고용원 급여, 퇴직금등도 10.1 이후 결제 연수표로 있고, 급전은 교민등에게서 차용중

3 요르단으로 가게 되는때는 사태에 따른 제반 긴급 지불 정보비를 위해우선 10,000 불을 주요르단 대사관에서 차용할수 있게 해주실것을 건의함.

(대사-실장, 국장)

예고:90.12.31까지

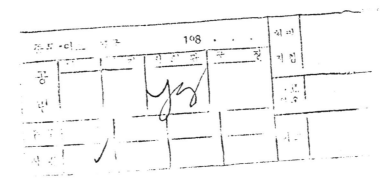

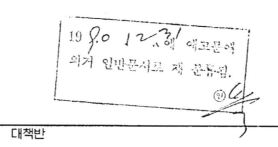

기획실   차관   1차보   중아국   대책반

218 걸프 사태 재외동포 철수 및 보호 1: 쿠웨이트 및 이라크(1)

외 무 부

종 별 :

번 호 : KUW-0455   일 시 : 90 0817 1630

수 신 : 장관(중근동,기정,노동,건설,요르단,이라크대사)

발 신 : 주쿠웨이트대사

제 목 : 교민철수(현대)

연: KUW-0451

현대철수 제1진 인원 한국인 169명, 태국인 686명, 장비 39대 임을 확인보고함.끝

(대사 소병용-국장)

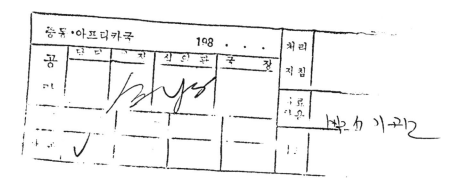

중아국   1차보   안기부   건설부   노동부

PAGE 1   90.08.18   00:07 CG

분류번호	보존기간

발 신 전 보

WBG-0272   900818 1259 ER

종별 : 긴급 ✓WKU -0252   WJO -0192

번   호 :

수   신 : 주   수신처 참조   대사 // 총영사

발   신 : 장   관   (중근동)

제   목 : 교민철수

제반 정세 판단과 특수한 사정상 귀지 교민, 공관가족 및 비필수요원의
최대한 신속한 철수를 위하여 노력 바람.   끝.

(중동아국장   이 두 복)

예 고 : 90.12.31. 일반

수신처 : 주 이라크, 쿠웨이트 대사 (사본:주 요르단 대사)

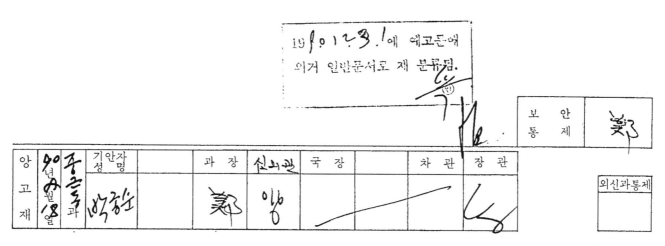

	기안자 성명		과 장	국 장		차 관	장 관
앙 고 재	박종수						

보 안
통 제

외신과통제

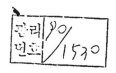

발 신 전 보

분류번호	보존기간

번   호 : WKU-0253   900818 1624 DY   종별 : 긴 급

수   신 : 주 쿠웨이트, 이라크   대사 /총영사   사본 : 주요 ~~WBG-0272~~ WJO-0194

발   신 : 장 관   (중근동)

제   목 : 전 교민 긴급 철수

연 : WBG - 0272, 0257
WKU-0252
WJO-0192

1. 전반적인 현 상황을 감안, 쿠웨이트 체류 현대건설 소속 필수요원
   (39명) 전원 모두를 포함한 여타업체 소속 필수요원, 잔류 희망 교민
   및 공관원 가족등 모든 교민이 가능한 함께 철수토록 종용, 철수 조치추진
   하고 결과 바람.

2. 현대건설 본부와도 긴급 협의한바, 동사는 현지 공관장 지휘하에 소속
   필수요원도 함께 철수토록 현지 지사에 지시하겠다 함을 참고 바람.

끝.

(중동아프리카국장   이 두 복)

예 고 : 90. 12. 31. 일반

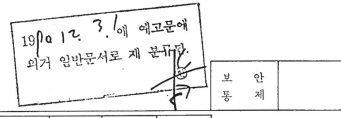

1990 12. 3.1에 예고문에
의거 일반문서로 재 분류됨.

		보 안 통 제	

앙고재	90년 8월 18일 중근동	기안자 성명 이강선	과장	심의관	국장 전결		차관	장관		외신과통제

0085

외 무 부

종 별 : 긴 급

번 호 : KUW-0457

일 시 : 90 0818 1000

수 신 : 장 관 (중근동, 기정, 노동, 건설, 주요르단, 이라크대사) (직송필)

발 신 : 주 쿠웨이트 대사

제 목 : 교민철수 (현대)

연: KUW-0449

1. 현재 제2진 한구인 105명, 태국인 461명 8.18. 08:30 버스, 승용차, 트럭등 30대로 바그다드로 출발하였음

2. 이라크측은 당관 요청에 따라 쿠웨이트-이라크 국경통과지점까지 호송

3. 이로서 현장 관리필수요원은 한국인 36명, 인도인 15명을 제외한 전원 철수함.끝

(대사 소병용-국장)

중아국   1차보   정문국   안기부   건설부   노동부   대책반

PAGE 1

90.08.18   18:26 FC

외신 1과 통제관

0086

발 신 전 보

분류번호	보존기간

번   호 : WKU-0256   900818 2344 FC   긴급   안호송신.

종별 :   WBG -0276

수   신 : 주쿠웨이르, 이라크   대사 . 총영사

발   신 : 장   관 (중근동과장)

제   목 : 업연

연 : WKU-0253,   WBG-0274

현대건설 본사에서는 연호 전문의 취지가 쿠웨이트지사에 전달되기를 갈망하고
있으며 전달여부 알려주시면 감사하겠음. 끝.

보안통제	
외신과통제	

앙고재	90년8월18일 중근동과	기안자 성명	과 장	국 장	차 관	장 관

0087

외 무 부

종　별 : 지　급

번　호 : KUW-0458

일　시 : 90 0818 1700

수　신 : 장관(중동아프리카국장,외신관리관)

발　신 : 주 쿠웨이트대사

제　목 : 전문중계

　　이번 봉신 실정에 대해서는 잘 아시고 계실것으로 생각함. 그래서 기왕에 전문통제를 건의드렸던 것입니다. 특히 분류된 전문소통은 PAGE 당 적어도 2시간 소요되는 지난한 작업이나 보안에도 문제가 있음. WKU-0229 나, WKU-0249같은것은 각각 간단한 작업인데 이넌경우그대로 중계할 필요가 없는것으로 봄.

　　금후는 중계의 경우 국에서 심사하여 요지만보내주거나(가능하면 평문으로)꼭 해당이 없는것은 중단시키는등 통제해 주시기바람.끝

　　(대사 - 국장)

중아국　신일

90.08.19　06:00 DP

외신 1과　통제관

0088

외   무   부

종   별 :

번   호 : KUW-0459

일   시 : 90 0818 1800

수   신 : 장 관 (영사,중근동)

발   신 : 주 쿠웨이트 대사

제   목 : 임시비상여권 발급

1. 쿠웨이트는 제도상 보증인이 여권을 보관하고 있음. 전쟁발발로 미처 여권을 회수하지 못한사람 35명에게 6개월 이상의 임시 여권을 발급함.

2. 전쟁으로 은행이 폐쇄되어 현금이 없어 전원 수수료징수 면제하였음.끝.

(대사 -국장)

영교국   중아국   대책반   1차보   안기부

PAGE 1

90.08.19   07:00 FC

외신 1과 통제관

0089

외 무 부

종 별 : 긴 급

번 호 : KUW-0460

수 신 : 장 관 (중근동)

발 신 : 주 쿠웨이트 대사

제 목 :

일 시 : 90 0818 1830

WKU-0235

대호건 공관가족만 아니고 직원전원에게도 해당되는지 긴급 지시바람.끝

중아국

PAGE 1

90.08.19   06:17 FC

외신 1과 통제관

0090

FACSIMILE MESSAGE

HYUNDAI ENGINEERING & CONSTRUCTION CO., LTD.
140-2 KYE-DONG, CHONGRO-KU, SEOUL, KOREA

TEL NO. : (02) 741-2111, 2121
TLX NO. : K 23111-5 HYUNDAI
FAX NO. : (02) 743-8963

REF.NO. : HDEC/FAX -

TO : 외무부 중근동과장   8326호

ATTN : FAX NO. 720-2686

FROM : 현대건설(주) 대책본부

DATE : 1990. 8. 19.

CC :

PAGE : TOTAL 5 (INCLUDING THIS PAGE)

RE : 업무연락 (화급)

1. 금일 10:40 전화통화관련 유첨과 같이
쿠웨이트 최종잔류 인원 철수에 대한 서울 本社
지시 내용 관련 TLX 사본 및 전통지시문 사본을
송부합니다. (끝)

유첨 : TLX 1매 (번역 1매 별도)
전언통신문 사본 1매.

285mm×210mm (A4 용지)

0091

											一九九〇年 八月 18日
						8/18				8/18	8/18

TO: BAH JJ / JOR JJ

ATTN: DS CHO BJ / CS PARK GJ

RE: 엄연 (URGENT)

(1) TLX 발송필

(2) BAH 경유 IPOC 전달함
    8/18 (土) 17:00

(3) 외무부 경유, KWT 상관에
    전송 요청필
    (8/18 23:00 SJN

하기 전문을 신속히 IPOC 경유 KWT JJ 으로

발송 될수 있도록 하고 결과 보고 바랍

"QTE"

    FROM: 대책본부 - WE-UP

    TO : KWT 김희중 부장

    RE: KWT 잔류인원 철수의 건

1. 잔류인원 에 관한 귀점보고 HKW-80067 관련임

2. 상기 잔류예정 인원은 즉시 철수 할수 있는 만반의
   준비는 갖추고 현지 상황에 관하여 아국공관과
   긴밀히 접촉, 아국공관의 지시에 따라 행동하고
   유사시 IPOC 을 거쳐 철수토록 할 것   .

3. 철수시를 대비 현지 재산 및 서류의 안전보관을
   위한 가능한 조치를 미리 취하고 꼭 필요한 서류는
   지참토록 조치할 것.   끝.

0092

ZCZC SLS032
PP SNEAHHD
.SLHECHD

AUG-18/90   HDEC-81925.

TO : BAH JJ + JQR JJ
ATTN: DS CHO BJ/CS PARK CJ

RE : DJQ DUS (URGENT)

URGENT

GK RL WJS ANS DMF TLS THR GL IPOC RUD DB KWT JJ DM FH

QKF THD EHLF TN DLTT EH FHR GK RH RUF RHK QH RH QK FKA.

''QTE''

FROM : EO COR QHS QN - WEUP
TO   : KWT RLA CL WND QN WKD
RE   : KWT WKS FB DLS DNJS CJF TN DML RJS
1. WKS FB DLS DNJS DP RHKS GKS RNL WJA QH RH HKW-80067 RHKS FUS DLA.
2. TKD RL WKS FB DUL WJD DLS DNJS EH WMR TL CJF TN GKF TN DLTT SMS

   AKS QKS DML WNS QL FHF RKW CN RH GUS WL TKD GHKD DP RHKS GK

   DU DK RNR RHD RHKS RHK RLS ALF GL WJQ CHR, DK RNR RHD RHKS DML

   WL TL DP EEK FK GOD EHD GK RH DB TK SL IPOC DMF RJ CU CJF TN

   XH FHR GKF RJT.

3. CJF TN TL FMF EO QL GUS WL WO TKS ALC TJ FB DML DKS WJS

   QH RHKS DMF DNL GKS RK SHD GKS WH CL FMF AL FL CHL GK RH

   RRHR ULF DY GKS TJ FB SMS WL CKA XH FHR WH CL GKF RJT.

                                                      -RRMX-

RGDS/EO COR QHS QN - WEUP
=
NNNN

                                                      0093

NNNN

海	外	工	學	契	約	所	世紀一九八○年
担当	代理	課長	次長	部長	專務	常務	副社長	社長	會長	

```
ZCZC SLR432 BTS639 BAS173
DD SLHECHD
.BNBAHHD

AUG-18/90   HB-80135

TO : EQ COR QHS QN - WEUP
     대책 발 부
RE : DJQ DUS
     영 연

RNL WJS ANS HDEC-81925 RHKS FUS, GUS WL 11:05 IPOC RLA WHD GNS ES
DHK KHD GHK, WJS ANS SO DYD DMF WJS EKF GK DUTT DHA.
```

귀 전문 HDEC-81925 관련, 현지 11:05
IPOC 김종훈 GS와 통화, 전문내용은
전달하였음.

```
RGDS
D.S. CHO/BAH
=

=08180850
=08180854
```

NNNN

0094

발 신 전 보

분류번호	보존기간

번 호 : WKU-0260   종별 : 긴급 〈암호송신〉
                                    WBG-0281 WJO-0202

수 신 : 주 수신처 참조 대사!!!총영사

발 신 : 장 관 (중근동)

제 목 : 교민 철수

연 : 수신처 참조

1. 연호 관련, 현대건설 본부는 쿠웨이트 및 이라크 진출 동사 소속
필수요원을 포함한 모든 인원을 철수토록(동사 바레인 및 쿠웨이트 지점 경유)
이라크 지점에 별첨과 같이 지시 귀 공관에 전달토록 조처 하였다는바, 귀지
동사 지점과 접촉, 철수 추진에   만전을 기하기 바람.

2. KAL 특별기 2대는 연호 운항 계획대로 투입 예정(제2진 DC-10은
다란 경유 암만 도착)인바, 동 특별기 2대 탑승 수용 인원수(650명)별로 탑승이
가능토록 8.20 까지 철수교민의 요르단 도착을 추진하고, 연호 지시와 같이
필수요원 포함 이라크 및 쿠웨이트 전교민 모두가 철수되도록 노력 바라며,
철수 현황 수시 보고 바람. 끝.

(중동아국장 이 두 복)

수신처 : 주 쿠웨이트(WKU-0253), 이라크(WBG-0274) 대사

사본 : 주 요르단(WJO-0174) 대사
              (WJO-0181)

앙고재	90년8월18일 중근동	기안자성명		과 장	심의관	국 장 전결 후결		차 관	장 관

보안통제	

외신과통제	

0095

전 언 통 신 문

※ 사령사실에거하여 23:30 발송필

(COPY) HEIN:

添付: 일자: 8/18   23:17 ~

수신: 바레인 지점 조 돈 승 부장 / 암만 지점 박철수 과장

발신: 정 훈 목 사장

제목: KWT 최종 잔류 인원   철수에 관한 건

1. 바그다드 주재 아국 대사관 에게 부탁하여
   KWT 주재 아국대사관을 통해되 김희중부장 에게
   전달 바람.

2. KWT 내의 각 현장 및 지점 최종 철수 약간명은
   아국 공관이 KWT 로 부터 철수하는 시기와 동시에
   철수하되 위임된 현지인 혹은 제3국인 에게
   잔류재산목록을 확인 서명받고 사태수습 후 장차
   특별 보상을 약속하고 철수 할것.

3. 금일 건동관 잔류인원 철수 에 관한 전문 서울서갈(17:00) 에 대함
   추가 지시 사항임   발송——

0096

WKU-0260 900819 1440 CT

WBG -0281 WJO -0202

0097

발 신 전 보

	분류번호	보존기간

WKU-0261   900819 1520 CT

번   호 : _____   종별 : _____

수   신 : 주 쿠웨이트   대사. 총영사

발   신 : 장   관   (중근동)

제   목 : 교민철수

대 : KUW-0460

　　　공관장 및 공관 직원중 공관운영 및 교민 보호상 최소한의 필수요원만 잔류하고 전원 철수 바람. 끝.

(중동아프리카국장   이 두 복)

예고: 90.12.31 일반

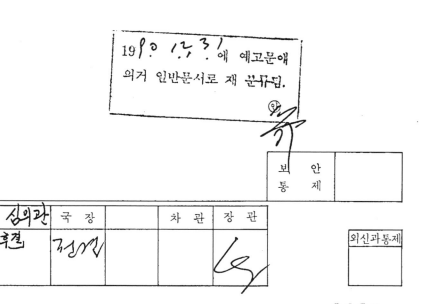

1990. 12. 31에 예고문에 의거 일반문서로 재 분류됨.

			보 안 통 제	

앙고재	중근동과 90년 8월 18일	기안자성명 박종순	과 장 후견	심의관 후견	국 장	차 관	장 관	외신과통제

0098

외 무 부

종 별 :

번 호 : SBW-0683   일 시 : 90 0819 1815

수 신 : 장관(중근동,기정)

발 신 : 주 사우디 대사

제 목 : 쿠웨이트 탈출 교민귀국

　　　연:SBW-0650

　　　연호 지난 8.13 쿠웨이트 탈출 당지에 체제중인 교민중 18 명(이용구, 정삼식제외)이 8.20(월) 00:30 KE8023 편으로 제다를 출발, 동일 20:15 서울도착 예정으로 8.19(일) 18:15 SV429 편으로 리야드를 출발하였음.

　　　(대사 주병국-국장)

　　　예고:90.12.31. 일반

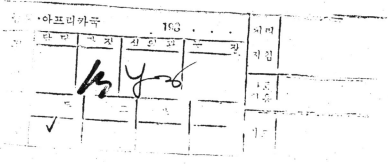

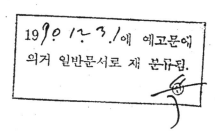

1990 12 31에 예고문에 의거 일반문서로 재 분류됨.

중아국 노동부	장관	차관	1차보	2차보	정문국	영교국	청와대	안기부
	대책반							

PAGE 1

3. 이라크

0100

발 신 전 보

번 호 : **WBG-0226**   900811 1339 **FA**   종별 : _____

수 신 : 주   이라크   대사 //총영사

발 신 : 장 관   (중근동)

제 목 : 공관 가족 비상 철수

대 : BGW-0459

　　　　1. 대호 건의대로 귀 공관 가족을 요르단 경유 본국으로 비상 철수
토록 하고, 휴가중인 조태용 서기관과 이양정 노무관도 일시 귀국을 허가함.

　　　　2. 주 쿠웨이트 대사관과 협조, 동 공관 가족의 비상 철수 방안도 > ?
강구하기 바람.

　　　　3. 예산 지원은 조속 조치 예정임. 끝.

(장관허 보종)

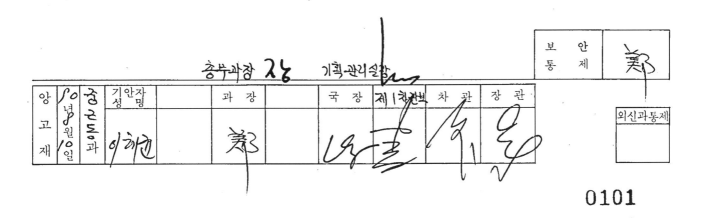

예 고 : 1990. 12. 31. 일반 예고문에
의거 일반문서로 재 분류됨.

		기안자 성 명	과 장		국 장	제1차관보	차 관	장 관		보 안 통 제	
앙 고 재	1990 년 8 월 10 일 중근동 과	이하진									외신과통제

0101

외 무 부

종 별 : 지 급

번 호 : XQKUW-0001   일 시 : 908ll ll00

수 신 : 주 이라크 대사 사본:중동국장,주요르단대사

발 신 : 주 쿠웨이트 대사

제 목 : 교민철수

　　1. 당지 이라크대사관은 미,서구,카나다,호주등 특정국가 국민이외는 요르단으로 출국 할수있다하고 BBC 등 외국방송은 주로 아랍인이지만 기타 외국인도 상당수 요르단으로 넘어오고 있다고 하므로 당지 교민을 요르단으로 일부 철수시킬것을 고려중임.

　　2. 일단 이라크로 넘어가면 이곳으로 돌아올수없는 사정에서 이일을 결정하는데 중요한 3가지 요소는 1)통로안전,2)요르단국경 통과 확실성,3)요르단으로 못가는경우이라크가 이인원을 수용가능여부임

　　3. 가능하면 요르단 국경 사정을 실사하는등 확인하여 이상 3가지 의문점에 대하여 귀관 의견 알려주기바람. 철수인원은 약 200명이 될것으로보임. 끝

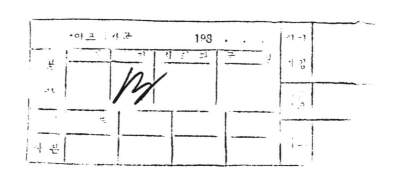

종아국

90.08.11   18:26 DY
외신 1과 통제관

0102

발 신 전 보

	분류번호	보존기간

번   호 : WBG-0228   900811 2000 DY   종별 :

WKU-0208

수   신 : 주   수신처 참조   대사//총영사

발   신 : 장   관   (중근동)

제   목 : 교민 안전

1. 정부는 귀지 사태 관련, 관계부처 대책반(반장 권병현 대사)를 구성, 8.11. 대책회의를 개최하여 사태 전반에 관한 협의를 가짐. 귀지 교민의 안전이 최우선 과제임을 재확인 하고 모든 조치를 취하기로 하였으니 현 상황 하에서 가능한 사항을 수시 건의 바람.

2. 국내 연고자들의 안부 문의가 빈번하여 귀관 보고를 언론에 즉시 홍보하고 있으니 교민 안전과 관련된 특이사항을 긴급 보고 바라며, 철수등 근본 해결이 있을 때까지 신변 안전등에 최선의 노력을 당부함.

3. 사태는 일단 현 상태로 교착될 전망이 없지 않은바, 현지에서
교민들에게 안내와 용기를 고취바람
외국인 출국 허가등 귀지 당국의 새로운 동정을 예의 주시 기민하게 대처할 수 있도록 노력 바람. 끝.

(중동아국장   이 두 복)

수신처 : 주 쿠웨이트, 이라크 대사

	보 안		
	통 제		

앙고재	90년8월11일 중근동과	기안자성명	과 장	국 장	차 관	장 관	외신과통제
				전결			

0103

원 본

외 무 부

종 별 :

번 호 : BGW-0478

일 시 : 90 0811 1800

수 신 : 장관(중근동, 영재,기정)

발 신 : 주 이라크 대사

제 목 : 교민철수

대:WBG-0212

1. 본직은 8.11 AJJAM 영사국장을 면담하고 협의한 내용을 다음 보고함

가. 본직은 아국근로자 석방협조에 감사를 표하고 이라크및 쿠웨이트거주 아국 진출업체 인원및 상사주재원, 개인취업 종사자등의 안전에 각별한 신경을 써줄것을 요청한바, 동국장은 성의껏 노력해주겠다고함.

나. 아국인 철수를위한 전세항공기 착륙허가 신청의 경우 주재국허가 가능여부에 대해, 동국장은 현재 인도의 요청에의해 본직 요청과 동일한건을 허가 상신중에 있으므로 동건 처리되는것을 보아 본직 요청을 호의적으로 검토하겠다고 약속함

다. 본직은 본기회에 쿠웨이트 주재 아국인 철수와 관련, 쿠웨이트-바그다드-암만의 육로여행의 어려움을 설명하고 쿠웨이트 공항을 통한 아국항공기 이착륙 철수문제를 적극 검토해주기를 요청한바 동국장은 본직의 의견이 온당함을 인정하고 차관등 관계관 회의에서 논의하겠다고 하고 계속 접촉하기로함.

2. 동 영사국장에 의하면, 외교관도 포함한 모든 외국인의 출국시에는 출국허가가 필요하며 동허가는 외무성에서 내주나 관계기관(발주처등)의 SUPPORTING LETTER 를 반드시 첨부케하여 허가하기 때문에 전한국인이 한두번에 전원출국은 어려울것으로 생각된다고 함

3. 관찰

본직은 동영사국장의 태도에서 어느정도 아국인이 대우를 받고 있는것을 느꼈으며, 본건 제의에 적어도 영사국장은 호의적 반응을 보이고 있어 비관적만은 아님을 우선 보고함. 끝

(대사 최봉름-국장)

예고:90.12.31일반

중아국	장관	차관	1차보	2차보	정문국	영교국	청와대	안기부

외 무 부

종   별 : 긴 급

번   호 : BGW-0482   일   시 : 90 0812 1100

수   신 : 장 관 (중근동, 영재,기정) 사본:주쿠웨이트대사 (중계필)

발   신 : 주 이라크 대사

제   목 : 교민철수

연:BGW-0478

1. 연호관련, 본직은 8.12.11:00 시 AJJAM 영사국장으로 부터 특별기 착륙, 철수문제에 대해 현재 주재국 영공이 폐쇄된 상태를 유지하여야 하기 때문에 쿠웨이트 및 이라크 주재 한국인의 항공기를 통한 철수는 곤란하다고 통보받음

2. 동국장은 쿠웨이트 거주 한국인의 요르단 국경을 통한 철수방법에 동의한다고 하고 차량등 철수장비는 각자 또는 당관이 마련토록 요구하고 아울러 이는 이라크에 체류하는 아국인에게도 해당 된다고 하였음

3. 인도의 경우도 항공기 착륙은 불허된것으로 보이며, 아국을 포함한 아세아인의 철수는 상기와 동일한 방법으로 시행토록 방침을 정한것으로 보임.끝

(대사 최봉름-국장)

예고:90.12.31.일반

1990. 12. 31. 에 예고문에
의거 일반문서로 제 분류함.

철수 무사 완료시 해약 122
단기 채 육과

중아국 안기부	장관	차관	1차보	2차보	통상국	영교국	청와대	안기부

PAGE 1

발 신 전 보

WBG-0230   900812 1851 DO   종별 : 지급

WKU -0211   WJO -0158

수   신 : 주이라크, 쿠웨이트 대사/총영사 (사본 : 주요르단 대사)

발   신 : 장   관   (중근동)

제   목 : 교민 철수 추진

1. 이라크 당국이 아국민의 요르단 출국 협조 가능성이 확인되었음에 비추어
   육로를 통한 교민 철수 추진이 필요할 것으로 판단됨.

2. 귀지 교민을 철수 우선 순위(단기 체류자, 부녀자, 비필수 요원등)로 분류
   하여 우선 필수 요원이 아닌 교민의 조속 출국 허가를 이라크 당국에 ~~촉구~~
   협조 요청 바람.

3. 아울러 수송, 책임 인솔등을 위한 구체적 계획을 수립하여 가급적 이라크
   당국과 사전 협의를 확보할 수 있는 대책도 강구 바람.   끝.

(중동아국장 이두복)

예고 : 90.12.31. 일반

1990. 12. 31. 대 예고문에
의거 일반문서로 재 분류됨.

앙고재 90년 8월 12일 중근동	기안자 성명		과 장		국 장		차 관	장 관	보안통제

외신과통제

0106

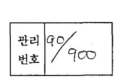

관리
번호 90/900

외 무 부

원 본

종 별 : 긴 급

번 호 : BGW-0484

일 시 : 90 0812 1400

수 신 : 장관(중근동,정일,영재,기정) 사본:쿠웨이트대사(중계필)

발 신 : 주 이라크 대사

제 목 : 공관가족 철수

1. 권찬공사는 8.12 KAIS MAHMOOD MOUSA 의전장보좌역(전 주한이라크총영사)을 방문하고 공관가족 철수에따른 협조를 요청한바 아래와같이 답변하였음

가. 주재국정부는 8.9(목)이후 이라크 주재 전외교관 및 가족의 출국을 금지시키고 있음. 동 지시는 쿠웨이트 주재 전외교단에도 동일이 적용됨

나. 본건관련, 3-4 일후 새로운 지침이 정부에서 마련됨으로 그때까지 대기해 주도록 요청하였음

다. 상사주재원 및 교민들에 대해서는 아세아 지역만은 출국을 선별적으로 허용하고 있음. 쿠웨이트 체류 아국교포에 대해서 문의하였던바 이라크를 통해서 출국비자를 별도로 받지않고도 출국할수 있다고 답변함

2. 주 쿠웨이트대사관의 기능정지 훈령에 대하여 문의하였던바 8.24 한(2 주 시한부) 완전 폐쇄 조치하여여야하며 현재 대사는 출국시키고, 직원들은 바그다드 공관에 합류시켜야할 것이라고 말함. 사견임을 전제 만약 쿠웨이트 지역 총영사관 개설신청을 하면 허락할수 있으리라고 함. 동건에 대해서 정부 특별위원회가 구성되어 상세한 절차를 마련중에 있으므로 그때까지 기다려 달라고함

3. 관찰및 의견

가. 상기언급 정부의 새지침이 마련될때까지 당관 가족철수는 당분간 유보해야할 처지이나 상황의 긴급으로 보아 예외적인 비상조치도 강구중임

나. 주쿠웨이트 직원 및 가족에 대해서도 별도 새지침이 시달될때까지 인내하며 대기토록 함이 바람직함.

다. 주재국 EC 제국 대사들이 주쿠웨이트 공관 철수에 강력 반대하고 있으니 그추이를 관찰하며 대응해야할듯함. 끝

(대사 최봉름-국장)

예고 : 1990 90.12.31
의저 일반....... 분....

중아국	장관	차관	1차보	2차보	정문국	영교국	정외국	안기부

대책반

PAGE 1

90.08.12 19:38

외신 2과 통제관 DO

0107

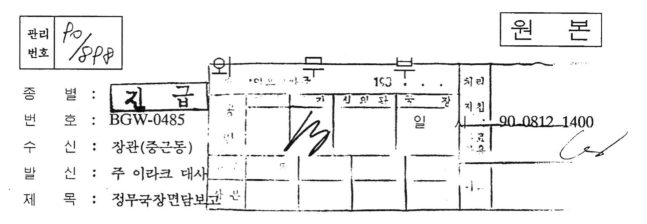

종 별 : 지급

번 호 : BGW-0485

수 신 : 장관(중근동)

발 신 : 주 이라크 대사

제 목 : 정무국장면담보고

처리
지침
일 시 : 90 0812 1400

1. 본직은 8.12 외무성 AL-BAYRAKDAR 정무국장을 면담, 아국이 안보리결의 601 수락의 불가피성을 설명하고 또한 주재국 및 쿠웨이트 체류아국인의 안전에 각별히 유의하여 줄것을 요청함

2. 동국장은 이라크 침공사태에 대해 이라크, 쿠웨이트의 역사성을 강조하고, 수차에 걸친 전 쿠웨이트국왕에 대한 회유에도 불구하고 사안이 새정되지 않았기때문에, 이라크 정부가 취한불가피한 조치라고 변명

3. 동국장은 또한 체류아국인의 안전에 대하여 주재국정부가 <u>특별 취급토록 방침을</u> 정하고 <u>강력한 지시를</u> 이미 내린바있다고 말하고, 계약상 필요한 <u>인원을 제외하고는</u> <u>철수해도 무방한것</u>이 주재국입장으로 안다고하였음.(체류외국인 철수는 영사국 소관, 외교관및 동가족철수는 의전실 소관이라함)

4. 본직은 이에대해 공관원 가족철수를 금지하고 현상황(신청후 1 주일이내 허가해 주겠다고 말하고있으나 사실상 금지하고있음)은 아국인을 특별히 취급한다는 취지와는 배치되며, 쿠웨이트 거주 648 명 한국인에대하여 쿠웨이트-바그다드-암만 육로 철수를 종용하는 주재국 입장은 여행중의 신변안전등을 고려, 재고되어야 한다고 생각하며, 아국항공기에의한 철수하는 방법이 정부적 차원에서 고려되어야한다는 의견을 개진함.

5. 카이로 긴급아랍정상회담 회의결과에 주재국은 만족하는지에대한 본직문의에 동국장은 주재국 입장에 아랍제국 CONSENSUS 가 있기를 바랬는데 그렇지못했다고 불만을 표했음

6. 에집트의 사우디 파병결정등으로 ACC 는 소멸된것이 아니냐 본직문의에 동국장은 동기구는 경제협의체로 아직 소멸되지 않았다고 본다고함. 끝

(대사 최봉름-국장)

예고:90.12.31

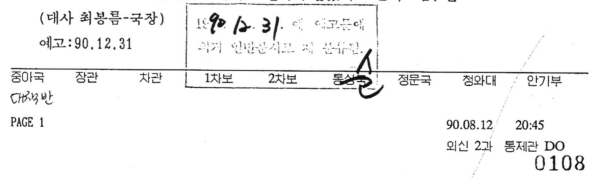

1990.12.31. 예고문에
의거 일반문서로 재 분류됨.

중아국	장관	차관	1차보	2차보	통상	정문국	청와대	안기부

대책반

면 담 요 록

1. 일   시 : 80. 8. 13.   14:00-14:30

2. 장   소 : 외무부 중동아프리카국장실

3. 면 담 자 : 이두복 중동아프리카국장

   Burhan Gazal 주한 이라크 대사대리

4. 배   석 : 박종순 중근동과 서기관

5. 면담내용

국   장 : 이번 사태와 관련, 미측과 대결하고 있는 상황 아래서 귀측은
          어떠한 해결 방법을 모색하고 있는지?

대사대리 : Arab 문제에 대해서는 Arab community에서 해결해야 되는데,
          Arab Community에 미국측이 와서 왜 간여하는지 이해할수 없음.
          Syria, West Bank등의 Arab Community 간의 문제 뿐만 아니라
          알제리아, 모로코, 사하라등에 대해서 미국의 개입이 있었고,
          레바논 사태에도 마찬가지였음. 본인 견해로는 이러한 아랍
          문제는 아랍국가간에 해결되야 한다고 생각하며, 무력 개입이
          최우선책이 아니라고 봄. 불행이도 이번 사태가 매우 hot 하게
          진전되고 있음

국   장 :- 군사 개입은 또 다른 문제를 유발시키게 된다고 봄. 냉전 이후,
          이라크는 강력한 regional power를 유지해 왔으며, 외교적
          objective도 이러한 Arab 지역 에서의 주도권을 갖기위한 것이
          아닌가 생각함

앙 교 제		담 당	과 장	심 의 관	국 장	차 관 보	차 관	장 관
					전결			

0109

- 본인은 금번 사태와 관련, 귀 정부측이 억류한 아국인 3명을
  자유롭게 석방시켜 준데 대해 귀부 정부에 사의를 표하며,
  특히 석방된 가족들이 매우 감사하게 생각하고 있음. 석방된
  동 3명은 신체적 손상은 받지 않았다고 하는바 매우 기쁜 일임.
  그러나 아직 신체적 이상 여부는 정확히 구체적으로는 알수 없지만,
  그들을 안전하고 자유롭게 해준 귀하의 노력에 본인 개인적으로도
  감사 드리며 귀 정부의 아국인 석방 조치에 다시한번 감사드림.

대사대리 : 본인도 동인들의 석방 소식을 듣고 매우 기뻤으며, 이번 석방과
  관련, 본인의 노력보다 최봉름 주 이라크 대사의 노력이 컸던
  것으로 알고 있음

국   장 : 본인은 동 아국인 석방 교섭을 위한 임무를 주 이라크 최봉름
  대사에게 주어 추진토록 하였음

대사대리 : 최 대사가 현지에 있기때문에 가까이서 이라크 정부측과 동 석방
  교섭을 쉽게 추진할 수 있었던 것으로 봄

국   장 : 대사의 노력이 큰 것으로 봄

대사대리 : 귀하의 노력 덕분이라고 믿으며, 더우기 이런 일들이 나의
  임무라고 생각함. 오늘 귀하에게 한국 교민들의 출국과 관련
  지난 토요일 본국 정부로부터 접수된 훈령을 오늘 전하게 됨
  동 본국 정부가 결정한 statement 는 8.11 자로 발표했으며,
  이것이 본국의 최후 입장임. 이러한 본국 입장을 주 이라크
  최대사 에게도 기통보 된 것으로 앎. 본국 정부는 한국인이
  안전할수 있도록 별도로 취급하며, 언제든지 떠날수 있도록
  하고 있음.

0110

국 장 : 본인은 주 이라크 최대사로 부터 동 사실을 보고 받았으며,
              귀국 정부의 조치에 감사드림. 이와 관련, 문제는 아국 교민의
              출국비자 획득에 대한 formality가 무엇인가인데 이에 대해 귀
              정부측은 어떻게 할 것인지?

대사대리 : 동 출국 비자 히가 절차는 관계 당국에서 처리하며, 본국
              정부측은 한국인이 편리한 시기에 출국할 수 있는 편의를
              제공할 것임. 구체적인 허가 절차등에 관하여는 상금 지시받은
              바 없음

국 장 : 이번 사태와 관련, 당부 중근동과는 24시간 비상 대기반을 편성,
              운영하고 있기 때문에 귀국 정부 결정 내용 사실에 대해 일요일
              에도 전달이 가능하였을 것임

대사대리 : 그런 사실을 몰라 오늘 전하는 것임. 본국 정부에서 telegraph로
              보내온 훈령 (아랍어) 은 다음과 같음
              · 모든 한국인은 이라크에서 요르단을 경유하여 출국하는대 허용함
              · 동 출국은 언제든지 한국인이 편리한 어떠한 시기에도 가능함

국 장 : 아국인 출국 문제와 관련, 주 이라크 최 대사에게 출국 절차와
              관련된 필요조치를 취하도록 지시할 것임.

대사대리 : 귀부 권병현 대사가 발표한 귀 정부의 대아국 조치 결정 발표가
              인상적이었으며, 권대사의 언급 내용이 매우 실용적인 방법
              이라고 생각하며, 동 언급 내용에 만족함. 귀직도 "가나"
              경우를 기억할 것이지만, 제재 조치와 관련, 이러한 결정이
              실제적으로는 잘 이행되지 않을 것으로 봄

0111

국   장 : 제재 조치와 관련, 과거 로데지아, 남아공등이 실제로 이행되지
않았던 예가 있었던 것으로 앎

대사대리 : 귀측이 대아국 제재 조치 관련 차일피일 질질 끌다가 한국업체가
계속 공사를 추진하면 아측으로부터 많은 특혜를 받을수 있을
것으로 믿음

국   장 : 아측이 할수있는 것은 ~~최선을 다해 노력하겠으며, 상황이~~
~~available 하게 되면 아측도 계속 참여할수 있을 것으로 봄~~

대사대리 : 현재 원유가 계속 inflow 되고 있고 사태는 좀 진정되고 있음을
알아주기 바람

국   장 : 문제는 군사적 면이 stale-mate한 것이며, 평화적인 대화 방법을
통해 동 사태가 해결되길 바람. 특히 Arab 국가들과의 협의를
통해 잘 수습되길 바람. 미국은 이번 사태에 한달 3억달러의
군비를 사용하는등 많은 희생을 겪고 있는바, 조속한 사태 해결이
이루어지길 바라고 있을 것임. 특히 미국으로서는 oil 시장
문제, 아랍 세계에서의 이라크측의 독주, 후세인 이라크 대통령의
독재 및 이에따른 여파 확산을 염려하고 있으며, 미국정부 지도자
들은 이러한 이라크 정부측 태도를 예의 주시하고 있는 것으로 앎

대사대리 :- 아측은 쿠웨이트로 부터의 철수와 관련, 첫째 페르샤만 봉쇄
해제, 둘째 대 이라크 제재 조치 해제, 셋째 이스라엘의 West
Bank 문제 및 레바논 사태 해결의 3가지 조건만 충족되면,
철수할 용의가 있음. 모든 상황이 점차 진정되고 있는 것으로
믿음. 미국은 자기네들의 의견만을 반영시키려고 하지만
아측은 그렇지 않음.

0112

- 귀하도 알고 있겠지만 쿠웨이트는 1961년 독립 했으며, 바스라는

　이라크 땅이었고, 원래 이라크는 지금의 이라크가 아니었음.

　내가 어렸을 때에는 '카스마'라는 아국 군사령관이 쿠웨이트의

　총독을 대리했던 적이 있음.　아랍국가는 아랍세계가 방어해야지,

　미국이 방어해야 할 이유가 없다고 보며, 모리타니아 경우처럼

　아랍국가들에 의한 지원은 자연적인 현상이라고 생각함.

국　　장 : 이번 사태가 조속히 해결되길 희망하는 바임.　끝.

0113

	분류번호	보존기간

발 신 전 보

번 호 : WBG-0232   900813 1911 DY   종별 :

WKU -0215

수 신 : 주 수신처 참조   대사·총영사

발 신 : 장 관 (중근동)

제 목 : 교민 철수 대책

1. 주한 이라크 대사 대리는 8.13. 중동아 국장을 방문, 이라크 정부가 8.11자로 희망하는 모든 한국인의 출국을 허가키로 결정 하였다고 공식 통보하여 왔음. 구체적인 허가 절차등에 관하여는 지시 받은바 없다 함.

2. 귀 주재국 정부에 상기 결정을 재확인하고 출국 허가를 간소화하기 위한 방안, 수송 경로, 출국일시등 구체적 사항을 협의 철수가 최단시일내에 실현될수 있도록 협의 보고 바람.

3. 철수가 결정될 경우 업체등과 협조, 철수에 따른 후유증과 사후 법적 문제의 소지가 최소화 되도록 최선의 대책을 강구토록 지도 바람. 끝.

(중동아프리카국장   이 두 복)

수신처 : 주 이라크, 쿠웨이트 대사

1990 12.31. 예 예고문에 의거 일반문서로 재 분류됨. ㉑

앙고재	90년8월13일 중근동과	기안자 박장호	과 장	국 장	차 관	장 관	보안통제	외신과통제

0114

발 신 전 보

번   호 : _____   종별 : _____

수   신 : 주 수신처 참조   *대사//총영사*

발   신 : 장 관   (중근동)

제   목 : 교민 철수

대 : BGW-0482

연 : WBG-0230

　　　1. 대호 관련, 현지 실정에 맞게 진출업체등과 협의 집결지 선정 및 차량등 교통수단을 최대 강구, 육로 이용 요르단 국경 통과 비필수요원의 철수를 추진토록 하고 철수 상황을 수시 보고 바람.

　　　2. 참고로 금일 주한 이라크 대사대리를 초치, 아국 교민 철수를 위한 이라크측 협조를 요청 하였던바, 대호 보고와 같이 이라크 당국은 아국 교민의 요르단 국경 통과 출국 허가를 결정, 출국 편의에 최대 협조할 것이라 하는바, 현재 항공기 이착륙 불허 상황임을 고려할때, 상기 육로 이용 방법의 철수가 현 시점에서 최적일 것임을 첨언함.   끝.

　　　　　　　　　　(중동아프리카국장   이 두 복)

예 고 : 90.12.31. 일반

수신처 : 주 이라크, 쿠웨이트 대사

앙고재	90년 8월 13일 중근동과	기안자 성명		과 장		국 장		차 관	장 관

외신과통제

0115

발 신 전 보

번   호 :   종별 :

수   신 : 주   수신처 참조 /대사//총영사

발   신 : 장 관   (중근동)

제   목 : 교민 철수

대 : BGW-0482
연 : WBG-0230.0232

교민 철수 관련, 주재국 주재 미.일.영.불등 우방국 공관과도 수시
접촉, 현지의 자국 교민 철수 계획등 철수 관련 정보도 파악 이를 참고하여
철수시기 및 규모등을 현지 실정에 맞게 추진토록 바람.   끝.

(중동아국장   이 두 복)

예 고 : 90.12.31. 일반

수신처 : 주 이라크, 쿠웨이트 대사

보 안
통 제

앙고재 년월일 과 기안자
성명   과 장   국 장   차 관 장 관

외신과통제

0116

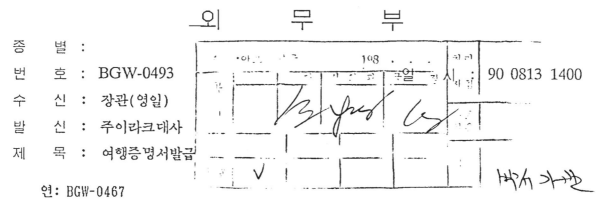

외　무　부

종　별 :

번　호 : BGW-0493

수　신 : 장관(영일)

발　신 : 주이라크대사

제　목 : 여행증명서발급

108　　90 0813 1400

연: BGW-0467

1.　대호관련, 현대건설(주)쿠웨이트소속　근로자3명이　당지에서　석방되어 현대건설(주)보호중에있으며, 아국근로자　　및　　교민들　　철수시 우선적으로철수시키고자하나　여권을　주쿠웨이트현대건설(주)보관하고있어 철수에따른문제가있음

2.동인들이 당지에서 요르단을 경유 출국할수있도록 여행증명서를 발급코자하는바 허가바람

3.동건관련　서류는　당지　사태가　안정되는대로파편　송부　위계이며, 동인들에 대한인적사항을아래와같이 보고함

끝

(대사 최봉름-국장)

영교국　대책반　동아국　　　　　　　　　　　안기부

PAGE 1

90.08.14　　00:34 CT

외신 1과　통제관

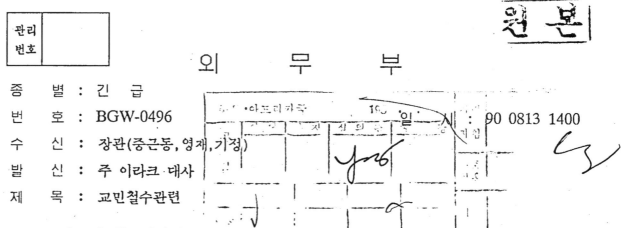

외 무 부

종 별 : 긴 급
번 호 : BGW-0496
수 신 : 장관(중근동, 영재, 기정)
발 신 : 주 이라크 대사
제 목 : 교민철수관련

    1. 아국인 철수와관련, 최근 주재국 정부의 정책은 출국비자 신청서에 발주처의
동의서 첨부를 요구하면서 까다롭게 화여 가능한 출국을 지연시키거나,
억제하고있는것으로 관찰되며, 이는 주재국 영토에 대한 폭격등을 미연
방지하고인질적 효과를 노린 시책으로 평가됨

    2. 상금까지는 아국인 출국사증 신청에 발주처가 동의한 경우 거절된 예가
발견되지 않았으나, 필수요원이 아님에도 진출업체 또는 본인 자신의 의사에 반하여
출국사증을 받을수 없는 사안이 발생할 가능성이 높아지고 있음

    3. 따라서 출국사증 취득관련, 당관은 모든 수단을 다하여 주재국 관계기관과
긴밀한 협조와 접촉을 계속 유지하고, 최대한 노력할 예정임.본건관련, 현상황으로
보아 주재국과 일괄 타결은 불가능하며 CASE BY CASE 교섭이 될수밖에 없음

    4. 주재국 교민이 주쿠웨이트 교민과 합세, 요르단 국경을 통과하여야하는
현상황하에서 바그다드에서의 요르단 사증 취득은 물리적으로 난제인바, 요르단국경
입국사열시 한국인에 한해 통과사증을 받을수 있도록 주요르단대사에게 일괄
교섭지시를 내려주시기바람

    5. 이미 철수한 근로자나 일반 체류자의 기자회견 내용이 과장 보도됨으로서 잔류
아국인이 위해를 받게되는것은 바람직하지 않음. 한편 철수와 관련, 당관 교섭중인
사항을 미리보도, 방송함으로서 현지 근로자들을 동요케하고 진출업체 진행에
큰장애가 되고있는바, 결국 현지 실정으로 보아 철수는 장기적 , 개별적, 소규모
다발적으로 이루어질것임을 감안할때 언론기관의 각별한 협조가 필요한것으로
사료되어 보도 자제를 건의함. 끝

    (대사 최봉름-차관)

    예고:90.12.31

중아국 장관   차관   1차보   2차보   통상국   정문국   영교국   청와대
안기부 대책반

PAGE 1   90.08.14   01:12
                                          외신 2과 통제관 EZ

                                                    0118

외   무   부

종   별 : 긴급

번   호 : BGW-0499

일   시 : 90 0814 1100

수   신 : 장관(건설부,노동부,중근동,기정) 사본:주요르단대사:본부중계필

발   신 : 주 이라크대사

제   목 : 교민철수등

연:BGW-0474

1. 이라크의 아국교민인 삼성종합건설 근로자등 17 명 (근로자 8, 건설 및 삼성물산가족 9), 대한항공 가족 3 명, 대우상사원및 가족 4 명 (직원 1, 가족 3) 그리고 당공관 아국고용원 1 명등 총 25 명이 8.13.22:00 바그다드에서 요르단 국경으로 향발함

2. 쿠웨이트교민이 당지를 경유 요르단으로 철수할때 다음과같은 문제점이 예상되며 대책강구가 요망됨

가. 쿠웨이트교민의 대부분이 은행의 거래중단으로 지참하고 있는 현금이 거의 없는 것으로 알려지고 있으므로 요르단 철수후 숙박비, 귀국항공료등의 조달방법이 없어 이에대한 대책이 강구되어야 할것으로 보임

나. 쿠웨이트교민이 철수 할경우 당지에서 1-수일간 체류하여야 하며 이경우 숙박비등의 자체조달이 가능한 일부를 제외하고는 현대또는 삼성캠프에 체류토록 할 예정인바 이 경우에도 시설 및 식사제공업체에 대한 사후보상등 조치가 필요할 것으로 보임

2. 이라크와 쿠웨이트공히 교민자녀가 취학하고있는 외국인학교 개교가 불가능한바 귀국후의 국내취학에 관한 특별대책이 강구되어야 할것임

3. 당관에서는 이라크. 쿠웨이트교민의 안전철수를 효율적으로 통제, 지원하기위하여 본직을 단장으로한 상황반, 통제반, 행정반과 통제반 하부조직으로 숙박시설등 시설지원조, 수송수단을 지원할 수송조, 요르단국경까지의 철수를 지원할 후송조 그리고 숙소안내, 외료지원, 통신연락등을 관장할 행정지원조를 8.13 현재 편성 운영하고 있음. 끝

(대사 최봉름-국장)

건설부	장관	차관	1차보	2차보	중아국	정문국	영교국	정와대
안기부	노동부							

PAGE 1

90.08.14   18:04

외신 2과 통제관 DH

0119

예고:90.12.31 일반

1990 12. 31.

PAGE 2

외 무 부

종 별 : 긴 급

번 호 : BGW-0500 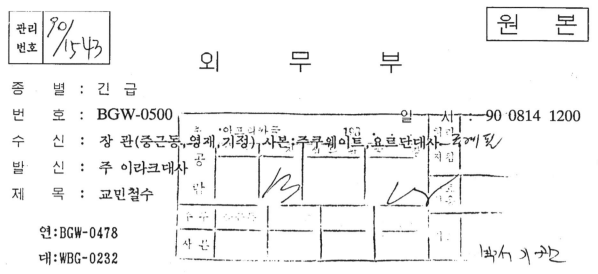 일   시 : 90 0814 1200

수 신 : 장 관(중근동, 영재, 기정) 사본:주쿠웨이트, 요르단대사 <del>극예됫</del>

발 신 : 주 이라크대사

제 목 : 교민철수

연:BGW-0478

대:WBG-0232

1. 본직은 8.14 AJJAM 영사국장을 면담하고 재쿠웨이트 아국인 철수절차등 관련, 다음사실 확인 보고함

㉮ 쿠웨이트 주재한국인은 이라크 영토를 통해서 요르단 영토로 출국할수 있으며, 개인차를 타거나 전세버스를 이용해도 무방함. 다만 주이라크 한국대사관 발행증명 (출국명단, 주쿠웨이트 출국사실명시, 항공, 숙박등 재정보증 명시요)을 소지, 국경에서 제시 하여야함.

나. 이라크 및 요르단에서 별도 수속절차없이 쿠웨이트 차량이용 가능함

다. 아국인 철수관련, 지장이 있을 경우, 본직이 영사국장에게 직접 연락하면 즉시 해결해 주겠다고 함.

라. 재이라크 한국인에 대해서는 기보고 내용과 동일함. (즉 발주처 추천서에 의한 출국허가 득한후 출국) 발주처의 부당한 요구로 출국치 못할 경우, 본직이 개별적으로 재심을 요청하면 별도고려, 조치 하기로 함

2. 한편, 동 국장은 현재 아세아 일부국가 (인도 지칭)가 쿠웨이트로 부터 해상 철수하는 문제를 신중히 검토하고 있다고 하면서 2-3 일후 결말이 나는대로 동 결과를 알려 주겠다고 하였기 보고함

3. 본건관련, 본직의 소견으로는 아국인에 대해서는 필요한 모든 편의를 제공해 주고 있는 것으로 보이며, 계약등으로 발주처의 필수인원 확보를 제외한 철수 기본방침이 이미 수립될것으로 관찰됨. 끝

(대사 최봉름-차관)

예고:90.12.31.일반

중아국   장관   차관   1차보   2차보   통상국   정문국   영교국   정와대
안기부

발 신 전 보

WBG-0242   900814 2013 CG   종별 : 긴급

번 호 :

수 신 : 주 이라크 대사. 총영사

발 신 : 장 관   (중근동)

제 목 : 교민 철수

대 : BGW - 0500

　　대호에 따라, 주 쿠웨이트 아국 교민과 근로자들을 최단시일내에 철수 시키기
바람. 4개 건설업체 본사와도 철수에 합의 하였음. 끝.

　　예 고 : 90. 12. 31.일반

　　　　　　　　　　　　　　(중동아프리카국장 이 두 복)

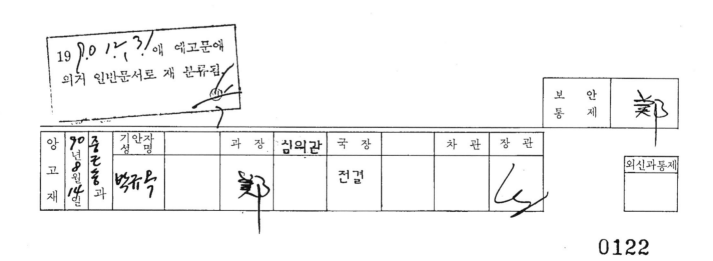

19 90 12. 31 애 예고문에
의거 일반문서로 재 분류됨.

앙고재	90년 8월 14일 중근동과	기안자 성명 백규욱		과장	심의관	국장 전결		차관	장관

보안통제

외신과통제

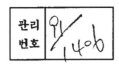

외 무 부

종 별 : 긴 급

번 호 : BGW-0507   일 시 : 90 0815 1100

수 신 : 장관(건설부,노동부,중근동,기정,영재,정일)

발 신 : 주 이라크 대사

제 목 : 교민철수

연:BGW-0474,479

　1. 이라크의 현대건설 근로자 3 명이 8.14 05:30 당지를 출발 8.15 새벽 요르단 국경을 통과 철수하였음

　2.8.13.22:00 삼성근로자 17 명등 총 25 명중 25 명은 8.14.12:00 경 요르단 국경을 통과하였으나 이중 공관 고용원 1 명은 출국비자 미비로 철수를 하지못하고 바그다드로 복귀하였음

　3. 쿠웨이트 교민 95 명이 요르단 국경으로의 철수등 위하여 차량 26 대에 분승 8.15.06:00 쿠웨이트에서 바그다드로 향발함. 당관에서는 숙소제공, 안내등철수에 따른 제반지원을 위하여 만반의 태세를 갖추고 있음. 끝

　(대사 최봉름-국장)

　예고:90.12.31

건설부 안기부	장관 노동부	차관	1차보	2차보	중아국	정문국	영교국	정와대

PAGE 1

외 무 부

종 별 : 긴급

번 호 : BGW-0510 일 시 : 90 0815 1600

수 신 : 장관(건설부,노동부,중근동,기정)

발 신 : 주 이라크 대사

제 목 : 교민철수

대:BGW-0248

1. 이라크교민에 대하여는 출국비자를 취득하는 대로 철수시키고 있는바 이 경우 각 업체에서 수립 실시하고 있는 자체계획대로 철수인원이 결정되는 것이 아니고 주재국의 비자발급 방침 여하에따라 피동적으로 결정될수밖에 없는 상황이므로 사전에 정확한 철수인원 파악은 불가능함

2. 현재까지 파악된 요르단 국경 경유 철수예정 계획은 다음과같음

가. 정우개발근로자 13 명, 현대건설출장자 1 명, 상은, 환은 주재원 각 1명 및 가족 6 명 계 8 명, 대우사원 1 명 및 가족 3 명등 4 명, 도합 26 명이 8.16.15:00 당지를 출발함

나. 삼성건설 15 명, 남광 4 명등 아국근로자 19 명과 삼성 30 명, 남광 4 명등 태국근로자 34 명 도합 53 명이 8.17 24:00 당지를 출발함

다. 현대 아국근로자 5, 태국근로자 1 등 6 명이 8.19.00:30 당지를 출발함

라. 현대 아국근로자 5 명이 8.21.00:30 당지를 출발함.

3. 8.15.06:00 쿠웨이트를 출발한 교민 95 명은 당지에서 1 박한후 8.16.07:00 경 (정확한 시간미상) 당지를 출발할 예정임.끝

(대사 최봉름-국장)

예고:90.12.31 까지

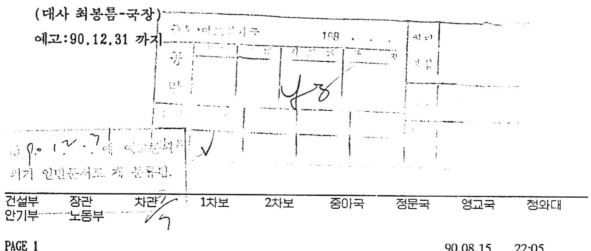

건설부	장관	차관	1차보	2차보	중아국	정문국	영교국	청와대
안기부	노동부							

PAGE 1

90.08.15   22:05

외신 2과 통제관 DH

0124

외 무 부

종 별 : 긴 급

번 호 : BGW-0511

일 시 : 90 0815 1700

수 신 : 장관(중근동)

발 신 : 주 이라크 대사

제 목 : 공관직원 및 가족철수

1. 본직은 8.15 외무성 AL-RAWI 의전장을 면담하고 외교관 철수에 관한 새 규정에 대하여 문의한바, 동 의전장은 아직 동 규정이 확정되지 않았으며 2-3일 더 걸려야 확정될 것이라고 말함

2. 주쿠웨이트 대사관 철수문제에 대해서는 쿠웨이트에 나가있는 이라크당국(COORDINATOR) 과 협의해서 처리해 주기바란다고 말함. 주쿠웨이트대사관직원 및 가족의 요르단 국경을 통한 출국문제는 아직 확정되지 않았으며, 우선 바그다드까지 철수하고 며칠후 새 규정이 확정되는대로 출국하는것이 좋을것이라고함

3. 쿠웨이트대사관의 최종철수 시한 (8.24) 연장관련 8.24 은 철수의 최종일 이며, 절대 연기할 수 없다는 입장을 주장하여 주목됨.

4. 한편 금 8.15 부터 이라크 항공이 바그다드-암만간 매일 1 편씩 운항할것임. 끝

(대사 최봉름-국장)

예고 : 90.12.31 일반

의거 일반문서로 재 분류함.

중아국 건설부	장관 노동부	차관	1차보	2차보	통상국	영교국	청와대	안기부

PAGE 1

90.08.16 00:08

외신 2과 통제관 DH

0125

원 본

외 무 부

종 별 : 긴급

번 호 : BGW-0513

일 시 : 90 0815 1700

사본: 외의장관지침부

수 신 : 장관(중근동,영재,건설부,노동부,기정)

발 신 : 주 이라크 대사

제 목 : 쿠웨이트교민철수 지원대책

1. 금 8.15 부터 쿠웨이트 교민의 당지경유 본격철수가 시작되고있음

2. 이들 쿠웨이트 교민이 당지 경유 1 박시 당지 예산사정과 단체행동 편의등을 위해 현대 및 삼성캠프에 분산 수용, 숙식편의제공 준비중인바, 당지 지사들로서는 자체인력 철수 준비에 여념이없고, 특히 잔류인력운영을 위한 비상식량등이 여유가 없는 상태에서 지사 운영상 본사에대한 책임문제등을 고려, 지사 재량으로 쿠웨이트철수 교민을 무한정 지원하기도 어려운 실정인바, 정부대책본부로 하여금 현대 및 건설 본사를 통해 당지 지사에 쿠웨이트 교민철수를 적극지원토록 전화등 빠른 수단으로 일단 긴급 지시토록 조치해 주심이 철수수행 지원에 효과적일 것으로 사료됨

3. 또한 상기와 같은 생필품 구입 어려움등 당지사정을 고려, 회사측 비상식량의 계속적인 할애가 어려울 경우, 앞으로는 부득이 당지호텔 수용이 불가피한바 이에따른 예산조치등 본부의 지원대책을 건의하오니 하시바람. 끝

(대사 최봉름-국장)

예고:90.12.31 까지

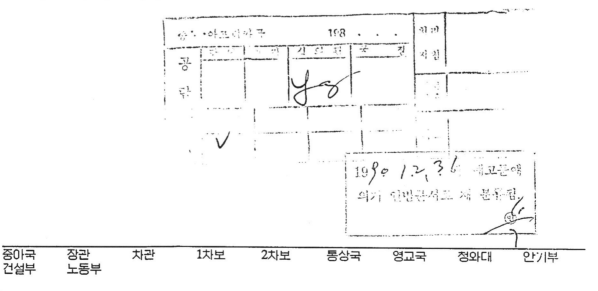

중아국	장관	차관	1차보	2차보	통상국	영교국	정와대	안기부
건설부	노동부							

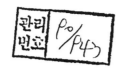

발 신 전 보

	분류번호	보존기간

번 호 : WBG-0257   900816 1708 CG   종별 : 지급

　　　　　　　　　　　　　　　　　　　　　　WKU-0239   WJO-0175

수 신 : 주   수신처 참조   대사 · 총영사

발 신 : 장 관 (중근동)

제 목 : 교민 철수

　　　　　　　　　　　　연 : WKU-0230

　　　　　　　　　　　　대 : KUW-0436

　　1. 요르단 경유 교민 철수와 관련, 8.20 전후 KAL 특별기 전세기 2대
(B747 및 DC-10)를 요르단 암만 공항에 투입할 것을 계획 중인바 주재국 체류
철수 교민의 소속별 파악 및 철수 예정일(일자별)을 지급 보고 바람.

　　2. 동 특별기 운항시 탑승자의 항공임은 귀국후 사후 정산(각업체
소속별등) 하도록 KAL 측과 합의 되었음을 참고 바람. 끝.

예고 : PO. 12. 31. 일반

　　　　　　　　　　　　　　　　(중동아국장   이 두 복)

수신처 : 주 이라크, 쿠웨이트 대사 (사본 : 주 요르단 대사)

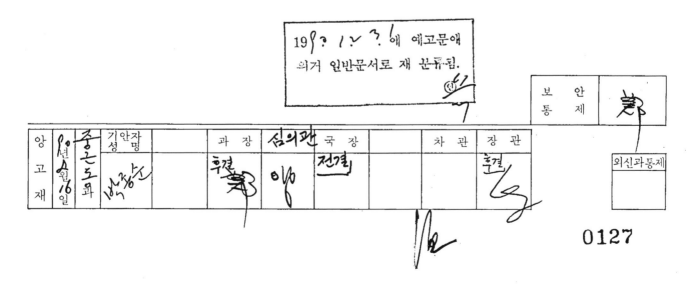

19○. 1. 3.에 예고문에
의거 일반문서로 재 분류됨.

보 안 통 제	

앙고재	90년 8월 16일 중근동과	기안자 성명		과 장	심의관	국 장		차 관	장 관		외신과동제
				후결		전결			후결		

0127

외 무 부

원 본

종 별 : 긴 급

번 호 : BGW-0515

일 시 : 90 0816 0500

수 신 : 장 관 (중근동, 영재)

발 신 : 주 이라크 대사

제 목 : 교민철수

연: KUW-0437

1. 연호 주 쿠웨이트교민 1진 95명이 (차량26대) 8.15. 06:00 쿠웨이트 출발, 8.16. 21:45-8.16. 01:30 당지에 무사히 도착하였음을 보고함 (차량 1대는 이동중 고장으로 길가에 두고 분승)

2. 현재 교민들은 당지 현대건설및 삼성건설 캠프에 분산 수용중이며, 당관에서출발전 필요한 사항과 서류구비등 비상식품, 음료수를 제공한후 금 8.16. 09:00 요르단으로 출발할 예정임.

3. 상세사항 추보하겠음.끝

(대사 최봉름-국장)

중아국   영교국   통상국   대책반   김문욱   1차보   2차보   차관   안기부

외 무 부

종 별 : 긴 급

번 호 : BGW-0517　　　　　　　　　　　일 시 : 90 0816 1100

수 신 : 장 관(건설부,노동부,중근동,영재,기정) 사본:주요르단대사

발 신 : 주 이라크 대사

제 목 : 교민철수등

연: BGW-474,510,515

1. 8.15.06:00 쿠웨이트를 출발한 교민 95 명 전원이 8.15.21:45-8.16.01:30간 당지에 도착 삼성및 현대 캠프에 1 박한후 8.16.09:30 당지를 출발 요르단국경으로 향발함. 95 명의 교민중 4-5 일 이내에 출산할 임산부 1 명과 중환자 1명이 일행과 같이 철수중에 있는바 요르단 도착후의 특별보호책이 강구되어야 할것임.

그리고 수송차량은 대부분 개인승용차(일부 봉고형 미니버스)로서 쿠웨이트출발시 26 대 였으나 이중 1 대는 고장으로 이동치 못하고 95 명의 교민이 25 대에 분승 당지를 출발하였으며 동 차량이 요르단국경을 통과, 계속 암만으로 운행함.

2. 이라크 교민의 철수상황은 다음과같음

가. 정우개발근로자 13 명(가족 3 포함), 현대건설출장자 1 명, 상은, 환은 각 1 명 및 가족 6 명등 8 명, 대우사원 1 명 및 가족 3 명등 4 명 도합 26 명이 8.16. 06:00 당지를 출발함.

나. 강남필터(주)출장자 11 명과 개인출장자 1 명등 12 명이 8.14.14:00 당지를 출발함.

3. 현대건설 701 공사 아국근로자 144 명중 64 명이 8.16.01:30 안전대피를위하여 8.16.01:30 바그다드 캠프로 철수완료하였음. 끝

(대사 최봉름-국장)

예고:90.12.31

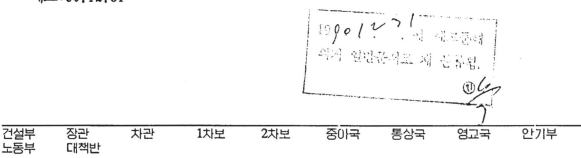

건설부 노동부	장관 대책반	차관	1차보	2차보	중아국	통상국	영교국	안기부

PAGE 1　　　　　　　　　　　　　　　　　　　　90.08.16　　18:14

분류번호	보존기간

발 신 전 보

번 호 : WBG-0259   900816 1917 CT 종별 :

수 신 : 주 이라크 대사. 參照/사

발 신 : 장 관 (중근동)

제 목 : 교 민 철 수

대 : BGW-0513

분사는 이미 해당지사로 하여금

1. 대호 현지 진출 업체 ~~본사의~~ 철수 교 민 지원 문제는 건설부 협조로 교 민 철수에 적극 지원하~~거를~~ *도록* ~~해당본사~~ 긴급 지시를 내리도록 조 치하였음.

2. 본부의 예산 조 치 등 지 원 대책은 현재 관련 부서와 협의 중임을 참고 바람. 끝.

(중동아프리카국장 이 두 복)

199.0 1.2.3 에 예고문에 의거 일반문서로 재 분류됨.

앙고재	90년8월16일 중근동과	기안자 박ᄅ순	과장	심의관 에	국장 전결	차관	장관	보안통제	외신과통제

0130

면 담 요 록

1. 일   시 : 90. 8. 17. 11:00-11:25

2. 장   소 : 외무부 중동아프리카국장실

3. 면 담 자 : 이두복 중동아프리카국장

   Burhan Gazal 주한 이라크 대사대리

4. 배   석 : 박중순 중근동과 서기관

5. 면담내용 :

대사대리 : 귀직과의 면담을 허락해주신데 대해 감사드림.
오늘 귀직과 긴급면담을 하게된것은 사담 후세인 아국
대통령이 라프산자니 이란 대통령에게 보낸 메세지내용
서한을 귀외무장관께 전달하려는 것임. 귀직도 동메세지
내용을 잘알것으로 봄. 동 메세지와 관련 아국 정부는
귀정부가 아측입장을 지지하여 줄 것을 요청하는 것임.

아측은 그간 이란과 정상적인 방법(in normal way)을
통해 협상을 추진해왔음. 아국과 이란 양국은 근
10년간 분쟁문제를 끌어왔는데 8년간은 전쟁을 치루었고,
2년간은 협상을 전개해왔던것인데 이제 이러한 문제점
들을 타결하게 된것임.

이번 평화협상타결은 양국간의 긴장을 완화시키기
위함이 그 이유중의 하나라고 볼 수 있음.
이란인 포로가 3만여명았이 있는데 이번에 이들 모두를
석방시키게 됨. 아국과 이란 양국 상호간에 동시에
포로를 석방시키기위한 조치가 있을 것으로 기대함.

국   장 : 이라크와 이란은 10여년간 서로 대결해왔었는데, 분쟁
문제와 관련한, 이번 양국간의 합의결정 사실은 반가운
소식이며, 이렇게 상호합의 함으로 좋은 결과가 있기를
바람.

대사대리 : 여기 이것이 후세인 아국 대통령께서 이란 대통령에게
보낸 서한 내용임(아측에 동서한 내용의 공한 전달)

국   장 : - 동 서한 내용을 검토하여 장관에게 곧 보고드리겠음.
          - 이라크·쿠웨이트 사태와 관련하여 어떤 새로운 진전
            사항은 있는지?

대사대리 : 아국 외무장관이 발표한것처럼, 우리측이 이번 사태와
관련, 먼저 전쟁을 일으키지는(initiate)않을것임.
그러나 만약 우리측이 공격을 받게된다면 공격할 것이며,
현재 상황이 매우 위험한 상태라고 봄. 한쪽에서 먼저
발포(First shot)하게되면 사태는 갑작스럽게 악화되어
결국은 전세계에 크나큰 영향을 미치게 될 것임.

0132

국　　　장 : 이번사태와 관련, 귀측이 미국에게 귀측 의도(intention)
가 무엇인지를 알리고, 인내를 갖고서 사태해결을 위한
노력을 계속해나가는 것이 좋을것으로 봄.

대사대리 : 우리는 그렇게 할려고 하는데 미국측이 거절하고 있는
형편임.

국　　　장 : 이번 사태를 평화적으로 잘 해결해나가야 할 것으로 봄.
이라크·이란 양국간의 문제와 관련, 양국이 서로
평화적 방법에 따라 상호협상을 통해 문제를 해결해
나가기를 바라는 것이 우리의 기본입장임. 이번 양국간
협상으로 많은 진전이 있었던 것으로 믿는데 모든
문제에 대해 잘 합의가 이루어졌는지?

대사대리 : 미국과의 문제해결에 있어서는 오랜시간이 소요될
것이나, 아랍국가간에는 문제 해결 방법에 있어서도
신속히 강구될 수 있을 것으로 믿음. 한때 북부 이라크
지역에서 아국 정부를 전복시키려던 사건이 일어났을
때나, 바르자니아 사건이 일어났을때 마찬가지로 회교민
이기때문에 신성한 코란정신에 따라 무력분쟁을 쉽게
종결시킬수 있었던 것인바, 결국 아랍인이기에 때문에
이번일들에 대해 해결방법을 쉽게 찾을수 있었던 것으로
믿음. 이처럼 회교도간에는 문제해결이 쉬우나,
이방인들은 다른면을 갖고 있기 때문에 미국과는 결국
문제해결이 용이하지 않을것으로 봄.

0133

국　　　장 :　귀정부측에서 먼저 initiative 를 취하면 어떨런지?
　　　　　　　　귀측에서 어떤 좋은 협상안을 제시한다면 그것도
　　　　　　　　이번사태 해결을 위해 좋을 것으로 봄.

대사대리 :　문제는 미국이 말을 듣지않는데 있다고 봄. 우리로서는
　　　　　　　　미국이 우리측 견해를 잘 들어주길 바라고 있음.
　　　　　　　　우리측은 약소국이나 미국은 초강국이기 때문에 우리측
　　　　　　　　제안에 주의를 기우려 주어야 하는데 그렇지 않고있는
　　　　　　　　것이 문제임. 지난번 우리측 외상이나 UN 주재 우리측
　　　　　　　　대사가 미국측 당국자와의 면담을 원했으나, 미국은
　　　　　　　　이를 받아드리지 않았던 것임.

국　　　장 :　이번 사태해결을 위해 귀정부가 미국측에게 관심을
　　　　　　　　끌수있는 어떤 획기적인 방안을 내놓을수는 없는지?

대사대리 :　아국과 미국간의 문제가 불행이도 그리 쉽게 풀리지
　　　　　　　　않고있으나 어쨓든 평화적인 방법으로 해결되어야 할
　　　　　　　　것으로 봄.

국　　　장 :　아랍세계가 이번 사태에 대한 해결점을 모색하는 것도
　　　　　　　　바람직할 것으로 봄.
　　　　　　　　이번사태와 관련, 이라크 및 쿠웨이트 체류 아국교민
　　　　　　　　들 상태는 양호하며, 귀정부의 아국인에 대한 요르단
　　　　　　　　경유 출국허용 방침에 따라 수일내 쿠웨이트 아국교민
　　　　　　　　200여명이 요르단으로 대피할 예정인데 아측 정부는
　　　　　　　　이들이 이라크를 지나 요르단 국경을 통과,

0134

요브탄에 잠시 체류한후 귀국토록하는 교민 철수작업을
신중히 검토하고 있는바, 이라크 및 쿠웨이트 아국교민
들이 이와같은 육로를 이용 요브탄에 도착후 KAL
특별기를 통해 본국으로 철수하는 방법이 이루어지도록
요브탄 당국과 KAL기의 공항 이·착륙 허가교섭을
추진중에 있음.

대사대리 : 인도도 상기와 같은 방법으로 자국인들을 철수시키려
하고 있는 것으로 앎. 아국은 인도와도 좋은 관계를
맺고 있으며 한국인과 마찬가지로 인도인도 요브탄을
경유 출국하는 것을 허용하고 있음.
한국의 진출업체 근로자 철수와 관련, 현대건설 정사장
은 건설소속 직원들의 철수허용에 대해 만족하게 생각
한다고 본인에게 이야기 하였음.

국   장 : 쿠웨이트 주재각국 공관폐쇄 문제와 관련, 어떤나라는
8.24. 기점으로 공관을 폐쇄하고 그대로 떠나려는
나라가 있는것으로 알고 있음.
동 공관폐쇄 문제에 대해서는 UN 결의나 국제법적인
면이 감안되야 할 것으로 보며, 이점이 공관폐쇄 결정을
짓는 중요한 사항중의 하나가 될 것으로 믿음.

0135

대사대리 : 쿠웨이트에 공관을 주재시키고 있는 국가들은 8.24.
까지 자국 공관을 폐쇄시켜야 함. 귀 정부는 8.24.
까지 공관업무를 이라크로 이관시키는지?

국   장 : 우리로서는 쿠웨이트 주재 아국 공관업무에 아무런
변화없기를(without change of task) 바라고 있음.
귀직의 계속적인 지원을 기대함.

0136

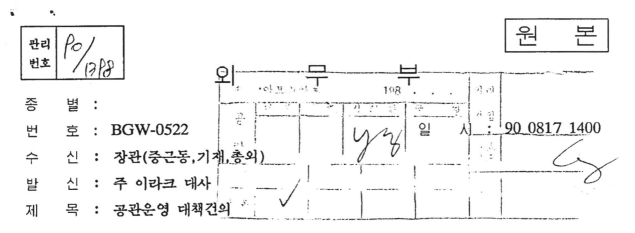

종 별 :

번 호 : BGW-0522

수 신 : 장관(중근동,기재,총외)

발 신 : 주 이라크 대사

제 목 : 공관운영 대책건의

일 시 : 90 0817 1400

1. 주재국에 대하여 강경한 경제제재 조치를 취하고있는 미국, EC, 일본등은 이라크, 쿠웨이트에 체류하고있는 자국 국민의 출국금지 조치에이어 동 대사관의 자금(현지은행 예치)을 동결함으로 대사관 운영에 큰어려움을 겪고 있는것으로 알려짐

2. 당지 주재 일본대사관에 의하면 주재국은 8.15 부터 동대사관의 자금을 동결한다는 봉보를 받았다고 하면서 앞으로 어떻게 대처해야할지 고심하고 있다고함

3. 당관의 경우 8.16 현재까지 당관 자금(현지 은행구좌)을 동결한다는 봉보를 받은바 없으나, 공관운영상 다음과같은 어려운 문제가 제기되고 있음

가. 쿠웨이트소재 은행의 업무중단으로 쿠웨이트 COMMERCIAL BANK 에 미화 구좌를 두고있는 당관 전도자금 및 도급경비(일부)의 인출이 불가능하게 됨에따라 긴급히 필요한 미화지불이 불가함

나. 도급경비및 전도자금의 혼용사용이 불가피함

다. 당지및 쿠웨이트교민의 철수지원 자금이 긴요함. 우선 도급경비 자금에서 인출, 사용하고 있으나 조속한 자금지원이 필요함

라. 일부 물품이 품귀와 가격폭등등 현상이 나타나고 있으며, 사태가 장기화될경우 더욱 일상생활에 압박을 받을것임

4. 건의

가. 쿠웨이트은행에 입금한 전도자금및 일부 도급경비(미화)의 지출은 상당기간 불가능할것인바 별도배정 방도를 검토하여 주시기 건의함(쿠웨이트 은행에 예치된 자금문제는 별도조사 보고하겠음)

나. 교민철수 지원 긴급자금 미불 10,000 배정의 건의함

다. 현지은행구좌 동결등 만일의 사태에대비 당관 요청이 없는한 송금하지 않도록 조치바람. 끝

중아국	장관	차관	1차보	2차보	종무과	기획실	대책반

(대사 최봉름-국장)
예고:90.12.31

0138

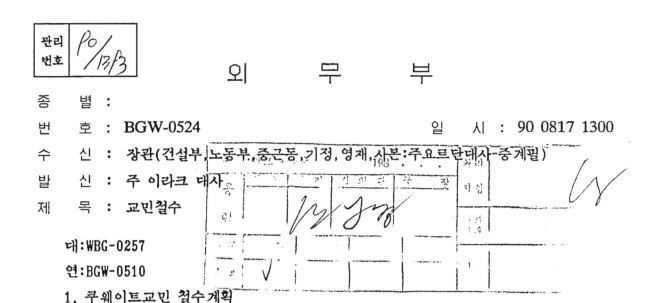

외 무 부

종 별 :

번 호 : BGW-0524
일 시 : 90 0817 1300

수 신 : 장관(건설부,노동부,중근동,기정,영재,사본:주요르단대사-중계필)

발 신 : 주 이라크 대사

제 목 : 교민철수

대:WBG-0257

연:BGW-0510

1. 쿠웨이트교민 철수계획

가. 8.17.06:00 차량 26 대에 분승 쿠웨이트를 출발한 교민 123 명(인도인과결혼한 아국인 가족 3 명 포함)은 당지의 삼성및 현대캠프에 1 박한후 8.18.09:00 경 당지를 출발 요르단으로 향발할 예정임

나. 현대건설 철수예정 인원인 1422 명중 아국근로자 및 가족 170 명, 제삼국근로자 692 명(대부분 태국근로자)등 도합 862 명이 8.17.06:30 쿠웨이트를 출발한바 전원 당지 현대캠프에서 1 박한후 8.18.09:00 경 당지를 출발 요르단으로철수할 예정임. 잔여 인력 560 명(아국 근로자 105,) 제삼국 근로자 455 명)은 8.18.06:00 경 쿠웨이트를 출발할 예정이며 상기와같이 당지 현대캠프에 1 박한후 8.19.09:00 경 요르단으로 철수할 예정임.

2. 이라크 교민중 대림직원 및 가족 2 명등 3 명과 동아직원 1 명 도합 4 명이 8.17.13:00 이라크항공을 이용(8.16. 후 이라크항공이 매일 1 편씩 암만으로운항)암만으로 향발하며 8.18.09:00 남광근로자 4 명이 같은 항공으로 암만으로철수함

3. 교민철수를 위한 특별기 부입과관련 이라크, 쿠웨이트교민에 대한 일자별, 소속별 철수 예정인원 현황은 연호 제 1 항의 사유 및 불확실한 수송수단 확보등의 사유로 정확한 사전 파악이 어려운 실정임을 우선 보고함. 끝

(대사 최봉름-국장)

예고:90.12.31

1990.12.31에 예고문에 의거 일반문서로 재 분류됨.

건설부   장관   차관   1차보   2차보   중아국   영교국   청와대   안기부
노동부   대책반

PAGE 1

90.08.17   21:19

외신 2과   통제관 CW
0139

분류번호	보존기간

발 신 전 보

번 호 : **WBG-0269**   900818 0017 CT   종별 : 긴 급

수 신 : 주 이라크 대사 / 총영사 (사본 : 주쿠웨이트, 요르단대사)   WKU -0248   WJO -0189

발 신 : 장 관 (중근동)

제 목 : 교민 철수 문제

    주인도 대사 보고에 따르면 8.16. 인도 언론은 AZIZ 이라크 외상이 8.14 Gujral 인도 외무장관과의 전화 통화에서 인도인의 철수를 위해 쿠웨이트 또는 바그다드 공항의 사용 가능성을 시사한 것으로 보도 했다하는바, 동 사실 여부 및 아국 교민의 철수를 위한 상기 공항 사용 가능성등을 파악 보고 바람. 끝.

(중동아국장 이두복)

예고 : 90.12.31. 일반

    19**90. 12. 3. 1**에 예고문액
    의거 일반문서로 재 분류됨.

	보 안 통 제	

앙 고 재	90 년 월 17 일	중 근 동 과	기안자 성명 박류옥	과 장	국 장 후기일	차 관	장 관	외신과통제

0140

관리
번호 PC/PA2

	분류번호	보존기간

발 신 전 보

WBG-0272   900818 1259   ER   종별 : 긴급

번   호 :   WKU-0252   WJO-0192

수   신 : 주   수신처 참조   대사 //총영사

발   신 : 장 관   (중근동)

제   목 : 교민철수

　　　　재반 정세 판단과 특수한 사정상 귀지 교민, 공관가족 및 비필수요원의
최대한 신속한 철수를 위하여 노력 바람.   끝.

　　　　　　　　　　　　　　　　　　　　　　(중동아국장   　　이 두 복)

예 고 : 90.12.31. 일반

수신처 : 주 이라크, 쿠웨이트 대사 (사본:주 요르단 대사)

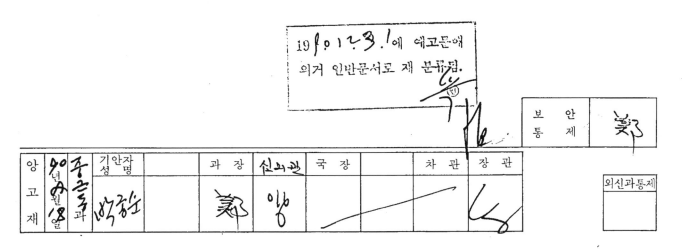

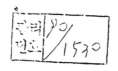

발 신 전 보

	분류번호	보존기간

번   호 : WKU-0253   900818 1624 DY 종별: 긴 급

수   신 : 주 쿠웨이트, 이라크 대사 //총영사 사본: 주 요르단대사 WBG-0274 WJO-0194

발   신 : 장 관   (중근동)

제   목 : 전 교민 긴급 철수

연 : WBG - 0272, 0257
WKU-0252
WJO-0192

1. 전반적인 현 상황을 감안, 쿠웨이트 체류 현대건설 소속 필수요원
(39명) 전원 모두를 포함한 여타업체 소속 필수요원, 잔류 희망 교민
및 공관원 가족등 모든 교민이 가능한 함께 철수토록 종용, 철수 조차 추진
하고 결과 바람.

2. 현대건설 본부와도 긴급 협의한바, 동사는 현지 공관장 지휘하에 소속
필수요원도 함께 철수토록 현지 지사에 지시하겠다 함을 참고 바람.

끝.

(중동아프리카국장   이 두 복)

예 고 : 90. 12. 31. 일반

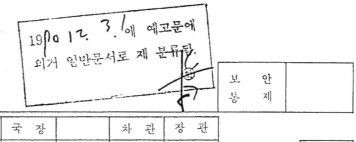

1990 12. 31에 예고문에
의거 일반문서로 재 분류됨.

앙 고 제	90년월일 중근동	기안자 성명		과 장	심의관	국 장		차 관	장 관		외신과동재
		이강철		罗		전결					

보 안	
통 지	

0142

외 무 부

종 별 : 긴 급

번 호 : BGW-0528   일   시 : 90 0818 1000

수 신 : 장 관(중근동,영재,노동,건설,기정)사본:주요르단대사본부중계필

발 신 : 주 이라크 대사

제 목 : 교민철수

　　1.쿠웨이트철수교민 2진 120명(인도인과 결혼한 아국인 부인1명포함)이
8.17.18:00-21:00   사이에 전원 무사히 당지도착, 현대와 삼성캠프에
각각분산수용,당관에서 1진과 동일요령으로 필요사항 지원후 8.18.08:00 요르단으로
출발하였음(이동중쿠웨이@지역에서 차량1대,당지에서 1대고장 23대로분승 출발)

　　2.한편 쿠웨이트 현대소속 아국인169명(직원36명,근로자 125명,가족8명)과
태국인근로자 686명이 차량 39편 8.17.06:30쿠웨이트을 출발했으나 많은장비와
인원으로인해 이동속도가 느려 도중에서 1박노숙하였으며, 8.18.09:00 현재
바그다드남방 90 KM지점을 통과중임을 확인하였음

　　3.관련사항 추보하겠음.끝

　　(대사 최봉름-국장)

중아국 건설부	차관	1차보	2차보 ✓	정문국	영교국		안기부
	통상국	노동부	대책반				

PAGE 1   90.08.18   17:48 ER

외신 1과 통제관
0143

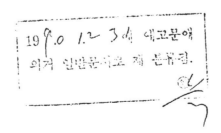

관리 번호	PO/1407

외 무 부

종 별 : 긴급

번 호 : BGW-0532

일 시 : 90 0818 1200

수 신 : 장관(건설부,노동부,기정,중근동,영제)

발 신 : 주 이라크 대사

제 목 : 교민철수

대:WBG-0257

연:BGW-0510

1. 8.17.24:00 철수예정이던 삼성의 아국근로자 15 명과 삼국근로자 30 명 등 45명이 일정을 변경, 8.18.23:00 당지를 출발예정이며 차량은 삼성의 요르단협력업체가 제공한 암만의 전세버스로 철수함. 그리고 상기 근로자등과 동행하여 철수 예정이던 남광의 아국근로자 4 명과 태국근로자 5 명등 8 명이 8.18.09:00 항공편으로 암만으로 향발 하였음.

2. 대한항공 직원 1 명이 8.19.09:00 항공편으로 암만으로 철수함. 끝

(대사 최봉름-국장)

예고:90.12.31

건설부 안기부	장관 노동부	차관 대책반	1차보	2차보	중아국	통상국	영교국	정와대

PAGE 1

90.08.18   18:38

외신 2과 통제관 CF

0144

외 무 부

종 별 : 긴급

번 호 : BGW-0536

일 시 : 90 0819 1000

수 신 : 장관(중근동, 영재, 정일)

발 신 : 주 이라크 대사

제 목 : 외교관 및 가족철수허용

1. 금 8.19 권찬공사가 MR.KAIS MOUSA 주재국 의전실특별보좌관을 접촉하였던바 상금까지 허용되지않고 있던 아세아지역 외교관및 가족의 출국을 8.19. 아침 10:00 시부터 허용키로 주재국정부가 새방침을 세웠다고 통보해줬음. 출국방법은 육로및 항공으로 공히 할수있으나 육로일경우 종전과같이 여행허가서(소요일수 5 일간 이라함)를 받는 조건이라함.

2. 상기 허가에 따라 당관직원 가족들을 수일내(표예약 가능일)본국으로 철수시킬 계획이며 선발대표 당관 이강업상무관(코트라관장)를 동행시킬 예정임.끝

(대사 최봉름-국장)

예고:90.12.31

19○012기. 에 예고문에
의거 일반문서로 재 분류됨.

| 중아국
대책반 | 장관 | 차관 | 1차보 | 2차보 | 정문국 | 영교국 | 청와대 | 안기부 |

PAGE 1

90.08.19   18:40

외신 2과 통제관 EZ

0145

걸프사태 : 재외동포 철수 및 보호, 1990-91. 전14권 (V.2 쿠웨이트 및 이라크, 1990.8.11-19) 281

외 무 부

홍 건

종 별 : 긴 급

번 호 : BGW-0538   일 시 : 90 0819 1100

수 신 : 장관(건설,노동,기정,중근동)

발 신 : 주 이라크 대사

제 목 : 교민철수

대:WBG-0257

연:BGW-0510

1. 8.17. 06:00 쿠웨이트를 출발한 현대근로자 제 1 진 857 명(아국 169, 태국 688)과 교민 5 명등 862 명 8.18.14:00 당지에 도착 휴식을 취한후 그동안 현대캠프에 체류중이던 쿠웨이트 실종인수 인력 3 명을 포함한 총 865 명(아국인 177, 태국인 688)이 선후발대로 나누어 선발대 438 명은 8.18.21:30 에, 후발대 427 명은 같은날 22:00 에 당지를 출발한바, 대규모인력 이동에 따른 운행속도의 제약으로 암만도착까지는 상당 시간이 소요될것으로 보임

2. 8.18. 08:00 쿠웨이트를 출발한 현대근로자 2 진 560 명(아국 105, 태국 455)중 일부가 8.19.04:00 최초로 당지에 도착하였으며 잔여인력이 계속 도착하고 있는바 정확한 도착인력등의 상황은 파악되는대로 보고위계임

3. 이라크 교민의 철수(또는 계획)상황은 다음과같음

가. 삼성의 아국근로자 15 명과 태국근로자 30 명등 45 명이 8.18.22:00 암만으로부터의 전세버스로 당지를 출발함.

나. 현대의 아국근로자 7 명이 8.19.07:00 당지-암만간의 영업용 버스로 당지를 출발하였음

다. 한양의 아국근로자 16 명이 8.19. 밤(시간미정)에 육로로 당지를 출발예정

라. 정우개발의 아국근로자 6 명이 8.19 밤(시간미정)당지를 출발 예정임.

마. 현대건설 철수계획

1) 8.20.24:00 아국근로자 5 명이 당지-암만간의 영업용 버스로 당지를 출발예정임

2) 8.21(시간미정) 아국근로자 약 80 명이 육로로 당지를 출발할 예정임.끝.

(대사 최봉름-국장)   예고: 90.12.31

건설부	장관	차관	1차보	2차보	중아국	통상국	정문국	정와대
안기부	노동부	대책반						

90.08.19   18:35

외신 2과 통제관 EZ

0146

외 무 부

종 별 : 긴 급

번 호 : BGW-0540   일 시 : 90 0819 1300

수 신 : 장관(중근동, 영재, 정일)

발 신 : 주 이라크 대사

제 목 : 외교관및가족철수

연:BGW-0536

   본직이 외무성 영사국장으로부터 확인한바 의하면, 금 8.19 부터 모든외교관및
가족(국가제한없음)은 자유롭게 출국가능하다고함. 끝

   (대사 최봉름-국장)

   예고:90.12.31

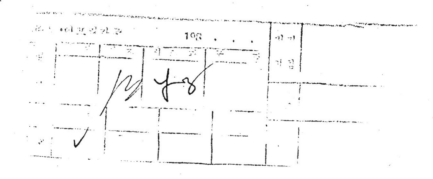

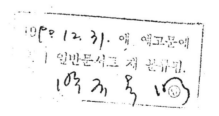

중아국 대책반	장관	차관	1차보	2차보	정문국	영교국	청와대	안기부

외 무 부

종 별 :

번 호 : BGW-0541

일 시 : 90 0819 1300

수 신 : 장관(건설,노동,기정,중근동,영재,정일)

발 신 : 주 이라크 대사

제 목 : 교민철수

연:BGW-0524

쿠웨이트의 현대건설소속 아국근로자 105 명과 태국근로자 460 명등 565 명전원이
무사히 8.19.11:30 당지에 도착완료 하였으며, 현대캠프에서 휴식을 취한후
8.19.21:00 경 당지를 출발 요르단으로 철수예정임.끝

(대사 최봉름-국장)

예고:90.12.31

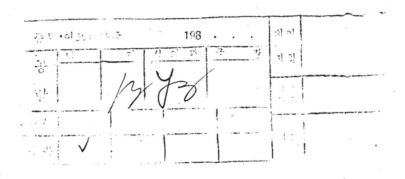

| 건설부 | 장관 | 차관 | 1차보 | 2차보 | 중아국 | 정문국 | 영교국 | 청와대 |
| 안기부 | 노동부 | 대책반 | | | | | | |

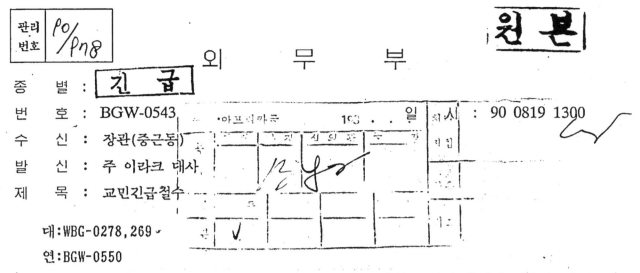

관리 번호	PO/PN8

외 무 부

종   별 : **긴 급**

번   호 : BGW-0543   시 : 90 0819 1300

수   신 : 장관(중근동)

발   신 : 주 이라크 대사

제   목 : 교민긴급철수

대:WBG-0278,269

연:BGW-0550

1. 본직은 8.19 외무성 AJJAM 영사국장을 면담, 교민철수 관련 협의한 내용을 아래 보고함

가. 본직은 쿠웨이트 체류교민의 철수진행상황을 설명하고, 주재국의 협조에 감사를 표함

나. 주재국체류 교민철수관련,713 명의 아국체류자중 금일현재 96 명이 철수한 사실을 설명하고, 만일의 사태에 인명피해를 최소화하기 위하여 아국근로자에 대한 출국사증 발급을 보다 신속히 처리해줄것을 간청함. 이에대하여 동국장은 현재로서는 관계회사가 발주처에 철수에 관한 합리적인 설명을 하고 잘설득하여 SUPPORTING LETTER 를 받는 방법밖에 없다고 말하면서, 외국회사의 계약이행(출입국, 잔류)에 대해서는 이미 대통령이 지시한바 있음을 상기시켰음

다. 항공기에 의한 철수 문제와 관련, 오늘현재 인도외상이 방문하여 협의중에 있으며, 현재까지 합의된 사항으로는 쿠웨이트에서 바그다드로 피난중인 4,000 명의 인도인에 대해 바그다드에서 암만까지 이라크항공으로 보내고, 인도항공이 암만에서 그인원을 인수, 철수하도록 합의되었다함. 현재 쿠웨이트에 19 만여명의 인도인이 있으며 인도는 동 인원을 선편을 이용철수를 제의하였으나, 주재국은 아직 동문제에 결정을 내리지못하고있다고함.

라. 파우치운행이 정지되고있는 현상황 타개방법에 대한 본직문의에 대해, 동국장은 8.19 모든 외교관에 출입국이 전과 동일하게 자유롭게 되었고, 현재로서는 항공기 운항에 제한을 받고있으나 꼭 필요하면 암만을 중계지로 암만-바그다드간 육로로 주재국 허락하에 파우치수발을 할수있을것이라고 말함

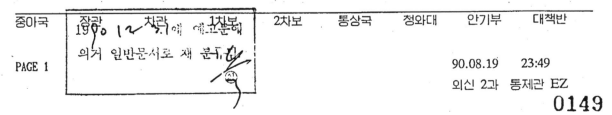

중아국	장관	차관	1차보	2차보	통상국	청와대	안기부	대책반

PAGE 1

90.08.19   23:49

외신 2과   통제관 EZ

0149

2. 관찰및 평가

1. 주이라크 아국인철수현황은 8.19 현재 732 명중 96 명이 출국함. 이는 기보와같이 계약부서의 필요시 출국중지 방침과 상대적으로 큰 인원(499 명)을 갖고있는 현대건설이 쿠웨이트 인원 우선, 이라크 인원 후 철수계획을 수립 시행하고 있는데 기인함

2. 주재국 영사국장 견해및 당지실정등을 감안, 현대건설 인원철수방법은 서서히 단계적으로 시간을두고, 주재국관계당국의 감정을 건드리지않고 시행하는것이 바람직하며 현재로서 전원철수는 주재국 출국제한및 물리적으로 불가능함.

3. 쿠웨이트 아국인의 경우, 서방국과 대조적으로 특혜를 받은셈이고, 이라크 아국인은 개별적으로는 몇명을 제외하고는 거의 출국허가를 얻어낸 셈인데, 특히 현대건설은 출국비자수속에 있어 이점 각별 유의하여 조치하도록 당관이 지도 하고있음을 참고로 보고함

아국항공기 주재국 착륙에의한 철수교섭은 시기적으로 늦었으며 출국허가 인원이 많지않으므로 현재로서는 불필요한것으로 사료됨. 끝

(대사 최봉름-국장)

예고:90.12.31

4. 요르단

0151

외 무 부

종 별 : 지 급

번 호 : JOW-0258 9.

일 시 : 90 0811 1530

수 신 : 주 쿠웨이트 대사, 중근동, 마그, 기정, 사본:주 이락대사-중계필

발 신 : 주 요르단 대사

제 목 : 교민철수

Joadon Visa 알주시
3.의 2712시시

대:XQKUW-0001

1. 이락측에서 요르단으로의 출국이 허용될경우, 주재국에의 입국은 별문제가 없음(사전비자 획득요)

2. 이락 국경봉과후 주재국내에서의 봉로는 안전함

3. 약 200 명의 인원이 동시에 움직일경우, 세계 여론 및 이락정부의 관심을 집중시켜 후속적인 교민철수에 다소 영향을 미칠 가능성도 있음을 고려, 사전봉로안전 점검과 함께 분만 출국시키는 방법도 계속적인 안전철수면에서 좋을것으로 사료되오니 참고하시기 바람.끝.

(대사 박태진)

중아국   장관   차관   1차보   2차보   중아국   정문국   청와대   안기부

발 신 전 보

WJO-0159   900812 1852 DO   종별 : 지급

번   호 :

수   신 : 주   요르단   대사./총영사

발   신 : 장   관   (중근동)

제   목 : 교민 철수 수용

1. 주이라크 대사 보고에 의하면 이라크 당국이 아국인의 귀지 경유 철수에
   호의적인 반응을 보였음.

2. 쿠웨이트 및 이라크 교민중 부녀자 및 단기 체류자등 비필수 요원의 조속한
   철수를 추진코져 하니 귀 주재국 사증없이 입국이 가능하도록 교섭 바람.

3. 주이라크 대사관과 긴밀히 협조하여 교민 철수가 실현될 경우 입국 지점에
   직원을 파견하는등 구체적 대책을 수립 보고하고 시행에 만전을 기하기 바람.

4. 교민 철수에 대한 국내 각계의 관심이 지대한만큼 귀지 도착 교민 상황에
   관하여는 수시 긴급 보고 하고 이라크를 자극하는 언동이 없도록 각별
   계도 바람.

(중동아국장 이두복)

예고 : 90.12.31. 일반

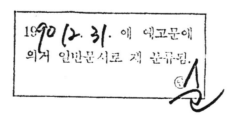

1990 12. 31. 에 예고문에
의거 일반문서로 재 분류됨.

	보 안 통 제	

앙 고 재	90 년 8 월 12 일 과	기안자 성명	과 장	국 장	차 관	장 관

외신과통제

0153

관리 번호	

외 무 부

종 별 :

번 호 : JOW-0264   일 시 : 90 0813 1220

수 신 : 장 관(중근동,마그,기정) 사본:주이락,쿠웨이트 대사-중계필

발 신 : 주 요르단 대사

제 목 : 교민철수 수용

대:WJO-0159

1. 8.13 본직은 HAMAD 내무차관을 방문, 대호 교민 입국에 대한 협조를 요청한바, 동 차관은 아국교민의 입국시기를 문의하면서 대사관 책임하에 숙소 및 운송편이 확보되고 1 주일이내 주재국 체류시는 국경에서 통과사증을 즉시 발급토록 조치하겠다고 함

2. 대호 교민들의 주재국 입국예정 일시 및 체류기간 통보바람

3. 당관은 당지 코트라, 주재상사를 포함한 교민철수 대책본부를 설치, 대호교민 입국 편의 제공을 위해 만전을 기하고 있음

4. 근무 종료후 당지 경유 귀국하는 이라크 근무 현대 노무자 55 명은 14일 귀국 예정임

(대사 박태진-국장)

예고:90.12.31 일반

주무•아프리카국		193 . . .		차 리 지 침	
공	란	지	신 인 란	국 장	

중아국   장관   차관   1차보   2차보   중아국   청와대   안기부

PAGE 1   90.08.13   19:22

외 무 부

종 별 :

번 호 : JOW-0265   일 시 : 90 0813 1300

수 신 : 장 관(주이락대사-중계필,중근동,마그,기정)

발 신 : 주 요르단 대사

제 목 : 교민철수

대:XQBGW-0001

대호 ORIENT TRANSPORT 사와 협조, 명 14 일 10:00 까지 TRABIL 에 버스 1대를 대기시키기로 하였으며, 숙소는 당지 AL-MANAR 호텔에 예약되어 있으며, 명일 출국 예정인 항공편도 주선 완료중임(추보)

(대사 박태진-주 이락대사)

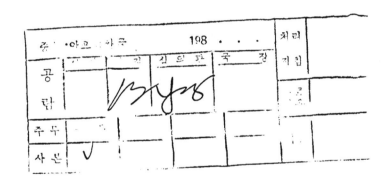

중아국   차관   1차보   2차보   중아국   안기부

PAGE 1   90.08.13   19:27

외신 2과   통제관 CF

0155

외 무 부

종 별 :

번 호 : JOW-0266

일 시 : 90 0813 1300

수 신 : 장관(주쿠웨이트 대사-필,중근동,마그,기정)사본:주 이락대사-필

발 신 : 주 요르단 대사

제 목 : 교민철수

대:참조전문

대호 각각 자기차로 입국이 가능하며, 일단 3 개월 정도의 국내체류를 허가하며
연장시는 일종의 BANK DEPOSIT 하에 가능함

(대사 박태진-주 쿠웨이트 대사)

중아국	차관	1차보	2차보	중아국	안기부

외 무 부

종 별 : 지급

번 호 : JOW-0270　　　　　　　　　일 시 : 90 0814 1520

수 신 : 장 관(중근동,마그,기정)사본:주이락,쿠웨이트 대사

발 신 : 주 요르단 대사

제 목 : 교민철수

연:JOW-0264

1. 연호와 같이 주재국 내무성측에서는 국경에서의 아국인에 대해 통과비자를 부여키로 하고 협조를 위해 아국교민의 국경 도착일시, 인원을 적기에 통보해줄 것을 희망하고 있음

2. 또한 당관의 교통편 및 숙소예약을 위해서도 우선순위에 따른 구체적, 일자별 이동계획의 조기파악이 필요하니 통보바람

3. 8.17 경부터는 수만명의 쿠웨이트, 이락체류 외국인 노무자들이 주재국으로 입국함으로 상기 사항파악없이는 제반 시설확보가 어려움

4. 다수인원 출국을 위한 ~~항공편 주선 관계 본부지침 회시바람~~

(대사 박태진-국장)

예고:90.12.31 일반

중아국 노동부	장관	차관	1차보	2차보	중아국	영교국	청와대	안기부

PAGE 1

관리
번호

발 신 전 보

번 호 : WJO-0165   900814 2138   CG   종별 : 긴급

WSB -0317   WBG -0244

수 신 : 주 수신처 참조 *재외비공개사*

발 신 : 장 관 (중근동)

제 목 : 교민 철수

　　　1. 쿠웨이트 및 이라크로 부터 귀지에 도착하는 교민이 있을 경우 최우선으로 보고 바람.

　　　2. 특히 교민이 사우디로 탈출하는 사례가 언론에 먼저 보도될 경우 이락 당국을 자극하여 잔여 교민 철수에 지장을 초래할 우려가 있음.

　　　3. 특히 현지 아국 취재팀이 탈출 경로, 경위, 목격 사실 등을 취재 보도할 경우 극히 불리한 반응이 예상되니 특히 유념 바람. 끝.

예 고 : 독후 파기

(중동아프리카국장   이 두 복)

수신처 : 주 요르단, 사우디 대사 (사본 : 주 이라크 대사)

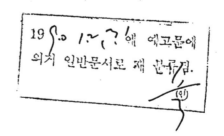

앙고재	90년8월 중근동과	기안자		과 장		국 장		차 관	장 관		보안통제	외신과통제

0158

관리
번호 90/1520

WBG-0246 WKU-0228

발 신 전 보

번 호 :   종별 :
수 신 : 주 요르단 대사. *[handwritten]* 사본: *[handwritten]*
발 신 : 장 관 (중근동)
제 목 : 교민 철수.

대 : JOW - 0270

[handwritten annotation]

1. 철수 교민의 구체적, 일자별 이동 계획은 파악되는 대로 통보 위계임.

2. 교민의 큰 비중을 차지하는 현대 건설에서는 귀지 지사에서 숙식 및

항공편 예약을 책임 전담함. *[handwritten]* 기타 인원에 대한 본부의 지원은 곤란한 형편이나 가능한한 편의

재공 바람. 끝. *[handwritten]*

예 고 : 90. 12. 31. 일반

(중동아프리카국장 이 두 복)

[handwritten stamp] 90 12 3 예고문에
의 일반문서로 재 분류됨.

앙고재	90년 8월 14일 중근동과	기안자 성명	과 장	국 장	차 관	장 관	보안통제
		[sign]	*[sign]*	전결		*[sign]*	외신과통제

0159

외 무 부

종 별 : 긴급

번 호 : JOW-0274   일 시 : 90 0814 2130

수 신 : 장 관(중근동,마그,기정)사본: 주 이락대사

발 신 : 주 요르단 대사

제 목 : 교민 철수

대:WJO-0163

1. 대호 삼성건설등 아국교민 일행(아국인:24 명, 외국고용인:10 명)은 금 14 일 18:10 경 암만에 도착함. 도착시간이 다소 지연된 것은 많은 출입국 인원으로 양국경에서의 수속이 늦어진 때문이라함

2. 삼성측 관계자 27 명은 명 15 일중 항공편이 연결되는대로 방콕으로 향발 예정이며, KAL 및 대우가족들도 일간 개별적으로 유럽등 경유 귀국할것이라함.

(대사 박태진-국장)

예고:90.12.31 일반

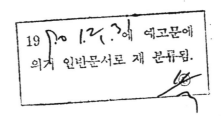

중아국	장관	차관	1차보	2차보	중아국	영교국	정와대	안기부

0160

외 무 부

종 별 : 지 급

번 호 : JOW-0275

일 시 : 90 0815 1000

수 신 : 장 관(공보,중근동,마그,기정) 사본:주 이락대사

발 신 : 주 요르단 대사

제 목 : 교민철수

BG: 0914.

연: JOW-0274

연호 8.14 당지에 도착한 삼성건설등 아국인 명단은 다음과같음

가.삼성(17인)

박영만, 이정춘, 염승섭, 김영호, 박경탁, 김용덕, 엄재호, 조태환, 한승숙,

백인숙, 이혜숙, 장영노, 양승우, 양승택, 김정환, 강경성, 안원경

나.대우(4인)

이해동과장, 처, 자녀 2인

다. KAL(3인)

김청규지사장, 처 황숙현외 자녀2인

라.투숙호텔은 AL-MANAR호텔이며, 전화번호:662186

(대사 박태진-공보관)

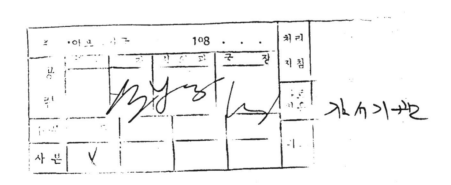

공보   중아국   중아국   안기부   대책반   1차보   2차보   영교국
(중근동)

PAGE 1

90.08.15   16:29 FG

외신 1과   통제관

0161

8.14 ██르단 도착 이라크 교█ 명단

아래 25명중 삼성 소속 17명은 8.15 22:00시 (현지시간)
RJ-184편으로 암만을 출발, 방콕 경유, 8.17. 19:20시
(한국시간) 타이항공편 서울 도착 예정임.

8.14 당지에 도착한 삼성건설등 아국인 명단은 다음과같음
가. 삼성(17인)
박영만, 이정춘, 염승섭, 김영호, 박경타, 김용덕, 엄재호, 조태환, 한승숙,
배인숙, 이혜숙, 장영뇨, 양승우, 양승택, 김정환, 강경성, 안원경
나. 대우(4인)
이해동과장, 처, 자녀 2인
다. KAL(3인)
김청규지사장, 처 황숙현외 자녀2인
라. 투숙호텔은 AL-MANAR호텔이며, 전화번호:662186

0162

외 무 부

종 별 : 긴 급

번 호 : JOW-0276 일 시 : 90 0815 1030

수 신 : 장 관(중근동,영재,기정) 사본:주 이락,쿠웨이트 대사

발 신 : 주 요르단 대사

제 목 : 교민철수

대: WJO-0167

1. 대호 특별기 주선을 위해서는 사전교섭등시간이 필요하므로 이미 8.20경까지당지 도착예정으로있는 쿠웨이트 교민 200여명과 현대건설 소속300여명등 조기 후송을 위해 최소한 지금부터라도 조치를 취해야 할것으로 봄.

2. 추가 산발적으로 도착하는 교민은 2,3일 정도대기시켜 후송할수 있을것임.

(대사 박태진-국장)

중아국 영교국 안기부 1차보 2차보 대책반 통상국.

PAGE 1 90.08.15 16:49 FG

외신 1과 통제관

0163

외 무 부

종 별 :

번 호 : JOW-0277   일 시 : 90 0815 1030

수 신 : 장 관(중근동, 영재, 기정) 사본:주 이락대사

발 신 : 주 요르단 대사

제 목 : 교민철수

대: WJO-0165

금 8.15 강남필터(주) 소속 박관오 이사 외11명 요르단에 입국함.

(대사 박태진-국장)

중아국   영교국   안기부   /차보 乙차보 대책반

90.08.15   17:25 FG

외신 1과 통제관

0164

외 무 부

종 별 :

번 호 : JOW-0279   일 시 : 90 0815 1720

수 신 : 장 관(중근동,마그,기정)사 본:주 쿠웨이트 대사

발 신 : 주 요르단 대사

제 목 : 교민철수

　　대: KUW-0437

　　암만-바레인간의 RJ 전세기(230인승)는 6만미불이라는바, 대호 쿠웨이트 교민체
1,2진 약 200명을 8.19 오후 전세기편 출발시켜 8.20 00:00 서울 출발 예정인 KAL 편
귀국시킴이 좋을것으로 사료되어 건의하오니 본부입장 긴급회시바람

　　(대사 박태진-국장)

중아국　　중아국　　안기부

PAGE 1   90.08.16　　00:41 DY
외신 1과　통제관

외 무 부

종 별 :

번 호 : JOW-0280　　　　　　　　　　　일 시 : 90 0815 1720

수 신 : 주 쿠웨이트 대사　사 본:중근동

발 신 : 주 요르단 대사

제 목 : 근로자철수

　　대: KUW-0441

　　대호, ASFOUR 태국명예 총영사와 접촉한바, 이미 잘알고 있으며, 시기 통보받은즉시 협조할것이함

　　　　(대사 박태진-주 쿠웨이트 대사)

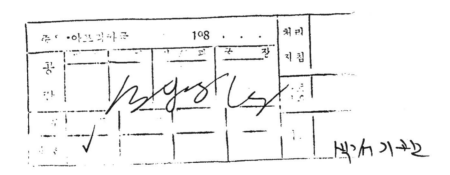

중아국　　상황실　　1해실　2과년

　　　　　　　　　　　　　　　　90.08.16　　00:45 DY

외신 1과 통제관

0166

외 무 부

종 별 :

번 호 : JOW-0281   일 시 : 90 0815 1730

수 신 : 장 관(중근동,마그,기정) 사 본:주 이락대사

발 신 : 주 요르단 대사

제 목 : 교민철수

　　대: WJO-0163

　　삼성건설 일행 27명은 금 15일 22:45 당지 출발하며, 아국인은 방콕경유 KE-634편 8.18 16:40 서울도착함

　　　　(대사 박태진-국장)

중아국　　중아국　　안기부

PAGE 1

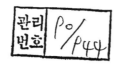
분류번호	보존기간

발 신 전 보

번 호 : __WJO-0174   900816 1707 CG__   종별 : 긴급

수 신 : 주 요르단   대사. 총영사 (사본 : 주 이라크, 쿠웨이트 대사)   WBG.-0256 WKU.-0238

발 신 : 장 관   (중근동)

제 목 : 교민 철수

　　　　　　　　대 : JOW-0276, 0279
　　　　　　　　연 : WJO-0167

　　1.　쿠웨이트 교민 200명 및 현대건설 소속 300 여명이 8.20 까지 귀지 경유 철수 예정임을 감안, 8.20 전후 KAL 특별 전세기 2대(B 747 및 DC-10)를 주재국 암만 공항에 투입, 직접 아국으로 철수시킬 준비를 하고 있는바, 동 항공기의 공항이, 착륙 허가를 　　　　주재국과 사전 긴급 교섭하고, 결과 보고 바람.

　　2.　KAL측은 동 운항 계획서를 작성중이며, 운항 허가 신청서가 입수 되는데로 통보할 예정인바, 철수 추진에 만전을 기하기 바람.

　　3.　동 전세기 투입 경우, 탑승 인원에 대한 항공료는 사후 정산키로 KAL 과 합의 되었는바, 사후 정산에 필요하니 8.20 귀지 경유 철수 예정인 쿠웨이트 교민 200명을 포함, 주재국을 경유 동 특별기 탑승 예정인 철수교민 명단을 소속별로 파악 수시 보고 바람.　끝.

　　　　　　　　　　(중동아프리카국장　　　이 두 복)

예고 : 90. 12. 31 일반

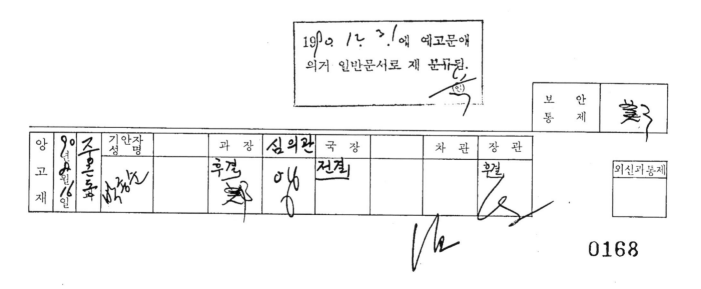

1990. 12. 31에 예고문에 의거 일반문서로 재 분류됨.

보안통제	

앙고재	90년8월16일	기안자 성명		과장	심의관	국장		차관	장관
				후결	이용	전결			후결

외신과통제

0168

외 무 부

종 별 : 긴급

번 호 : JOW-0285

일 시 : 90 0817 1240

수 신 : 장 관(중근동,마그,기정) 사본:주 이락,쿠웨이트 대사

발 신 : 주 요르단 대사

제 목 : 교민철수

대: WJO-0178

대호 쿠웨이트 교민 95명은 8.16.23:30 경 이락국경에 도착 양국 출입국
수속을마친후, 8.17.10:30 암만을 향해 출발하였음. 도착 즉시 추보하겠음. 끝.

(대사 박태진-국장)

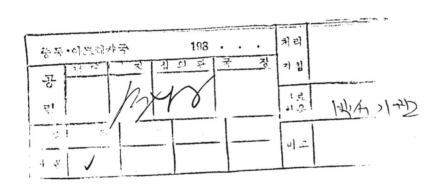

중아국	차관	1차보	2차보	중아국	통상국	안기부	대책반

PAGE 1

90.08.17   19:23 BB

외신 1과 통제관

0169

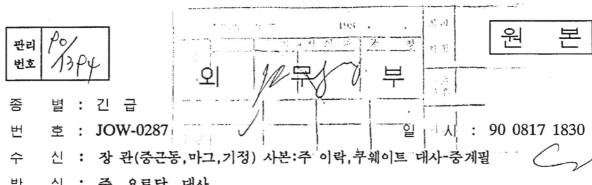

원 본

외 무 부

종 별 : 긴 급

번 호 : JOW-0287   일 시 : 90 0817 1830

수 신 : 장 관(중근동,마그,기정) 사본:주 이락,쿠웨이트 대사-중계필

발 신 : 주 요르단 대사

제 목 : 교민철수

대:WJO-0175,188

연:JOW-0277

1. 8.9-8.18 간 당지에 도착한 철수교민 현황은 다음과 같음

8.9. 쿠웨이트 거주 김옥구씨 부부 (8.16 바레인 향발)

8.12 이락 현대건설 양성섭등 근로자 5 인(8.14 출국, 바레인경유 귀국)

8.14 이락 삼성건설 조태환등 근로자 17 인(8.15 출국, 방콕경유 귀국)

KAL 바그다드 김평규 소장 가족 3 인(8.15 출국, 구주경유 귀국)

이락 대우 이해동 가족 4 인(가족은 8.17 출국, 구주경유 귀국예정)

8.15 이락 강남필터(주) 및 성진(주) 박관호등 12 인(8.16 출국, 동남아 경유귀국, 1 인은 바레인 향발)

이락 현대건설 김판기등 근로자 3 인(8.15 출국, 동남아 경유 귀국)

8.17 정우개발 송수만 지사장등 14 인(지사장은 사후처리를 위해 당분간 체류하며, 13 명은 특별기편 귀국예정)

상은 고괄만 소장등 가족 4 인 당분간 체류(본부지시 대기)

외은 안병구 소장등 가족 4 인(8.18 출국, 런던 경유 귀국예정)

대우 송은남 지사장등 가족 4 인 지사장은 본부지시 대기(가족은 KAL 특별기편 귀국예정)

현대 정천수 차장(출장자) (8.18 출국, 바레인 경유 귀국예정)

대림건설 원석호 지사장등 가족 3 인(특별기편 귀국 예정)

동아건설 조규방 지사장(특별기편 귀국 예정)

(대사 박태진-국장)

예고:90.12.31 까지

19 0. 12. 8.1해 예고문에 의거 일반문서로 재 분류됨.

PAGE 1   90.08.18   01:10

외신 2과 통제관 CW

0170

외 무 부

종 별 :

번 호 : JOW-0288   일 시 : 90 0817 1830

수 신 : 장 관(중근동,마그,기정) 사본:주이락,쿠웨이트 대사-중계필

발 신 : 주 요르단 대사

제 목 : 교민철수

연:JOW-0285

대:WJO-0178

1. 대호 쿠웨이트 교민 95 명은 금 17 일 오후 17:00 전원 암만에무사 도착함.
동일행중 중환자인 임광웅씨는 우선 당지의 한종합병원에 긴급 입원조치 하였으며
임산부 3 인은 현재 호텔에서 안정을 취하고 있음

2. 이락주재 정우개발, 상은, 외은, 대우 직원 및 가족등 27 명도 무사히 도착함

3. 쿠웨이트 철수 교민들의 정확한 귀국 예정 인원을 확인후 추보하겠음

(대사 박태진-국장)

예고:90.12.31까지

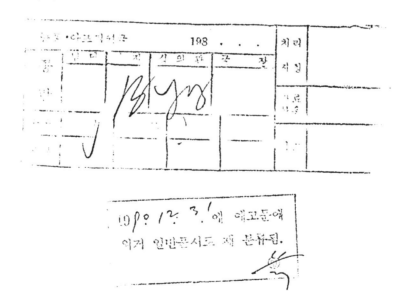

중아국 안기부	장관 대책반	차관	1차보	2차보	중아국	정문국	영교국	정와대

PAGE 1

90.08.18   01:11

외신 2과 통제관 CW

0171

외 무 부

종 별 : 긴 급

번 호 : JOW-0290   일 시 : 90 0817 1830

수 신 : 주 이락 대사

발 신 : 주 요르단 대사

제 목 : 교민철수

    대: XQWJO-0040,0188

    연: JOW-0277

1. 대호 장흥래씨로부터 확인한 사항 및 당부사항은 다음과 같음

가. 샤카르는 급유등 국경까지의 통행과정과 출입국 수속에서 나름대로 성실하게 처리하였으나, 임기응변적인 대응력이 다소 미흡하였다함

나. 캠프에서 05:30경 출발, 중도에서 주유함이없도록 (사전에 FULL TANK 하고 5갈론통 예비) 하면 조기 이락국경 도착 및 시간절약에 도움이될 것임 (중도 주유시 약 2시간 정도 소요됨)

다. 재급유 필요시 RUTBAH 에서 필히 재급유 할것

2. 연호화 같이 강남필타 및 성진(주) 박관호외11명은 당지에 8.15 입국 체류후 이미 8.16 출국함

    (대사 박태진-대사)

중아국	1차보	안기부	대책반	통상국	검은국	2차보	차관	

발 신 전 보

번 호 : WBG-0269   900818 0017 CT   종별 : 긴 급

WKU -0248 WJO -0189

수 신 : 주   이라크   대사 / 총영사   (사본 : 주쿠웨이트, 요르단대사)

발 신 : 장 관   (중근동)

제 목 : 교민 철수 문제

　　　주인도 대사 보고에 따르면 8.16. 인도 언론은 AZIZ 이라크 외상이 8.14
Gujral 인도 외무장관과의 전화 통화에서 인도인의 철수를 위해 쿠웨이트 또는
바그다드 공항의 사용 가능성을 시사한 것으로 보도 했다하는바, 동 사실 여부
및 아국 교민의 철수를 위한 상기 공항 사용 가능성등을 파악 보고 바람. 끝.

(중동아국장 이두복)

예고 : 90.12.31. 일반

1990. 12. 31.에 예고문에
의거 일반문서로 재 분류됨.

		보 안 통 제	

앙 고 재	90 년 8 월 17 일 중 근 동 과	기안자 성명 박류옥	과 장	국 장 후기열	차 관	장 관

외신과통제

0173

분류번호	보존기간

발 신 전 보

WBG-0272   900818 1259 ER   종별 : 긴급

WKU-0252 ✓WJO-0192

번 호 :

수 신 : 주   수신처 참조   대사.''총영사

발 신 : 장 관   (중근동)

제 목 : 교민철수

　　　　제반 정세 판단과 특수한 사정상 귀지 교민, 공관가족 및 비필수요원의
최대한 신속한 철수를 위하여 노력 바람.　끝.

　　　　　　　　　　　　　　　　　　　　　(중동아국장　　이 두 복)

예 고 : 90.12.31. 일반

수신처 : 주 이라크, 쿠웨이트 대사 (사본: 주 요르단 대사)

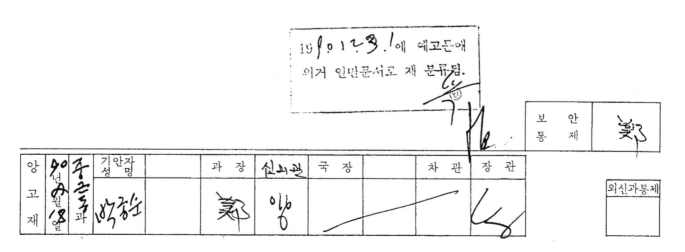

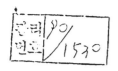

발 신 전 보

분류번호	보존기간

번   호 : WKU-0253   900818 1624 DY   종별 : 긴 급

수   신 : 주 쿠웨이트, 이라크   대사.//총영사   사본: 주 요르단대사

발   신 : 장 관   (중근동)

제   목 : 전 교민 긴급 철수

연 : WBG - 0272, 0257
WKU-0252
WJO-0192

1. 전반적인 현 상황을 감안, 쿠웨이트 체류 현대건설 소속 필수요원
   (39명) 전원 모두를 포함한 여타업체 소속 필수요원, 잔류 희망 교민
   및 공관원 가족등 모든 교민이 가능한 함께 철수토록 종용, 철수 조치 추진
   하고 결과 바람.

2. 현대건설 본부와도 긴급 협의한바, 동사는 현지 공관장 지휘하에 소속
   필수요원도 함께 철수토록 현지 지사에 지시하겠다 함을 참고 바람.

                                                            끝.

(중동아프리카국장   이 두 복)

예 고 : 90. 12. 31. 일반

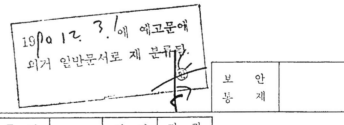
1990 12. 31에 예고문에
의거 일반문서로 재 분류됨.

보 안	
통 제	

앙고제	90년 8월 18일	중근동과	기안자 성명		과장	심의관	국장		차관	장관		외신과통제
							전결					

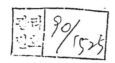

전문번호 : Jow—0295

수신 : 장관 (중근동, 마그, 기정   사본 : 주쿠웨이르, 이라크 대사)

발신 : 주요르단대사

제목 : 교민철수

    대 : Wjo —0187,   BGW—0528

  1. 대호 주쿠웨이르철수 교민 2진 120명이 8.18 23:00 요르단 국경에

무사도착, 입국 수속중임. 암만 도착후 즉시 추보하겠음.

  2. 원활한 교민철수 업무 추진을 위해 필요한 현장용 워키토키

6대 및 안내용 무선 마이크 1대 긴급 지원바라며 이면주 연구관 또는 특별기편

송부바람.   (대사   박래진 —국장)

예고 : 12. 31 재분류

0176

외 무 부

종 별 : 긴급

번 호 : JOW-00295   일 시 : 90 0819 0040

수 신 : 장 관(중근동,마그,기정)사본:주 이락,쿠웨이트 대사

발 신 : 주 요르단 대사

제 목 : 교민철수

대:WJO-0187, BGW-0528

1. 대호 쿠웨이트 철수교민 2 진 120 명이 8.18 23:00 요르단 국경에 무사도착, 입국수속중임. 암만도착즉시 추보하겠음

2. 원할한 교민철수 업무추진을 위해 필요한 현장용 워키토키 6 대 및 안내용 무선마이크 1 대 긴급 지원바라며, 이면주 연구관 또는 특별기편 송부 바람

(대사 박태진-국장)

예고:90.12.31 까지

중아국	차관	1차보	중아국	안기부	대책반

장관

外　務　部

종　별 : 긴급

번　호 : JOW-0297　　　　　　　　　　　일　시 : 90 0819 1430

수　신 : 장관(중근동,마그,기정)(사본:주이락,쿠웨이크대사-중계필)

발　신 : 주 요르단 대사

제　목 : 교민철수

　　　쿠웨이트 교민 2진(124 명)은 8.19 13:30 암만에 무사히 도착함. 단 쿠웨이트 무역관장 부인은 암만 근교 50KM 지점에서 탈진으로 인해 인근 병원에서 일시 치료를 받고 있음

　　　(대사 박태진-국장)

　　예고:90.12.31 까지

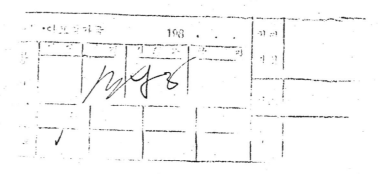

중아국	장관	차관	1차보	2차보	중아국	청와대	안기부	대책반

PAGE 1　　　　　　　　　　　　　　　　　　　90.08.19　20:41

외신 2과 통제관 EZ

0178

외 무 부

종 별 : 긴 급

번 호 : JOW-0296   일 시 : 90 0819 1140

수 신 : 장 관(중근동,마그,기정)

발 신 : 주 요르단 대사

제 목 : KAL 특별전세기 운항

　　1. 현대 철수 1,2진의 이동이 지연되고 있는 관계로 특별기 제 2편을 8.22 06:00
당지 도착으로 연기 운항함이 보다 안전할것으로 사료되어 건의하오니 조치바람

　　2. 8.19 11:00 현재 현대 1진(한국인 172 명, 태국인 688 명)이 이락 국경에
도착치 못하였다함

　　(대사 박태진-국장)

　　예고:90.12.31 일반

중아국 대책반	장관	차관	1차보	2차보	중아국	정문국	정와대	안기부

외 무 부

종 별 : 긴 급
번 호 : JOW-0301
일 시 : 90 0819 2200
수 신 : 장 관(중근동, 영재, 마그, 기정)(사본:주 이락,쿠웨이트 대사-중계필)
발 신 : 주 요르단 대사
제 목 : 교민철수

　참조:KUW-0436

　금번 쿠웨이트 철수 교민들은 참조와 여히 갑작스러운 사변으로 수중에 돈이 없는
실정인바, 현대소속 요원을 제외한 쿠웨이트 철수교민 제 1,2 진(215 명)에 대한 당지
호텔 체류비등 처리지침 지급회시요망.(출국시까지 예상 체류비는 13,000 여 미불
예상되며 대사관 지불보증 개월 이내 후불처리 가능)

　(대사 박태진-국장)

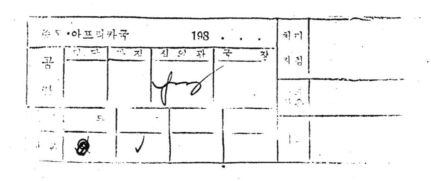

중아국
대책반　　장관　　차관　　1차보　　2차보　　중아국　　영교국　　정와대　　안기부

PAGE 1

외 무 부

종 별 : 지 급

번 호 : JOW-0302   일   시 : 90 0819 2300

수 신 : 장 관(중근동,마그,기정)사본:주 이락,쿠웨이트 대사

발 신 : 주 요르단 대사

제 목 : 교민철수

    쿠웨이트 현대소속 1 진 (아국인 172 명, 태국인 688 명)은 8.19 22:30 요르단
입국수속을 마치고 암만으로 출발함

    (대사 박태진-국장)

중아국   장관   차관   1차보   2차보   중아국   청와대   안기부   대책반

정 리 보 존 문 서 목 록					
기록물종류	일반공문서철	등록번호	2020120194	등록일자	2020-12-28
분류번호	721.1	국가코드	XF	보존기간	영구
명 칭	걸프사태 : 재외동포 철수 및 보호, 1990-91. 전14권				
생 산 과	북미1과/중동1과	생산년도	1990~1991	담당그룹	
권 차 명	V.3 쿠웨이트 및 이라크, 1990.8.20-31				
내용목차	1. 대책 2. 쿠웨이트 ＊사우디아라비아로 철수 포함 3. 이라크 4. 요르단 ＊공관 직원 및 가족, 동포 철수 ＊재외동포 철수 및 비상철수계획 수립 등				

0001

1. 대책

0002

주 쿠웨이트 주재 공관 철수 관련 대응 동향

(90.8.20. 현재)   - 중동아프리카국 -

구 분	국 가 명
1. 사태 추이 관망후 적절 대처	일본, 중국, 헝가리, 터키, 리비아, 이란, 스웨덴, 예멘 (8)
2. 공관 폐쇄 결정	브라질(잠정), 사우디, 수단 (3)
3. 자국민 안전 대피후 철수	말레이지아 (1)
4. 강요 또는 사태 악화시 철수	이집트 (1)
5. 철수 불고려	미국, 카나다, 영국, 프랑스, 서독, 이태리, 인도, 파키스탄 (8) ※ 미.EC 제국 : 공동 대응방안 모색중 ※ 인도, 파키스탄 : 자국민 보호이유

0003

(8. 20   10:00   현재)

이라크및우웨이트
＜교민 철수 현황＞   교민총 : 1312명중
    철수교민 총 : 609 명 (잔류자 : 708 명)

        — 이라크 : 100 명 (잔류자 : 612명)
        — 쿠웨이트 : 509명 (잔류자 : 96명)

    ※   쿠웨이트 철수교민 509명중

        — 교민제2진 124 명 및 현대건설 소속
          근로자및 가족제1진 169 172명
          요르단 무사도착 (8. 19)

        — 현대건설 소속 근로자및 가족 제2진
          105명, 이라크 체재류 중 (8. 19)
          8. 20중 요르단 향발예정 임.

                        1 2 4
                          7 7
                    ——————————
                        2 0 1
                        1 7 2
                    ——————————
                        (3 7 3)

                          2 7
                    ——————————
                          4 0

                                    0004

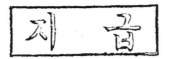

심의관

분류기호 문서번호	중근동720- 245 ( )	협조문용지	결 재	담당	과장	국장
시행일자	1990.8 .20.			中	郑	郑
수 신	영사교만국장	발신	중동아프리카국장 (서명)			
제 목	출국신고 협조의뢰					

이라크 및 쿠웨이트 교민 철수 긴급지원을 위해 직원 2명이

아래와 같이 요르단에 출장예정인바, 동인들의 출국신고에 따른

제반 필요사항에 대해 적의 조치하여 주시기 바랍니다.

- 아 래 -

1. 출장자 인적사항

　ㅇ 이면주 부이사관(외교안보연구원 연구관)

　　생년월일 : 1938.10.4.

　　여권번호 █████

　ㅇ 이경환 사무관(총무과 외환계장)

　　생년월일 : 1950.2.18.

　　여권번호 : █████　　　　　　　　　/계속.../

0005

1505 - 8 일 (1)
85. 9. 9 승인 "내가아낀 종이 한장 늘어나는 나라살림

190mm×268mm(인쇄용지 2급 60g / ㎡)
가 40-41 1990. 3. 15

2. 출 장 지 : 요르단 암만

3. 출장목적 : 교민 철수 지원

o 줄장일시 : 90.8.20 - 약 10일간.   끝.

0006

1505-25(2-2) 일(1)을
85. 9. 9. 승인

190mm×268mm 인쇄용지 2급 60g /㎡
가 40-41 1987. 9. 3.

분류기호 문서번호	중근동 720- 251	협조문용지	(	)	결 재	담당 강금구	과장	국장

시행일자	1990. 8. 21.			(서명)
수 신	문서담당관	발 신	중동아프리카국장	
제 목	물품 송부 의뢰			

이라크·쿠웨이트 사태관련 아래와 같이 특별전세기 편으로

식품류 송부를 의뢰하오니 협조해 주시기 바랍니다.

- 아   래 -

1. 편명 및 출발 시각

   KAL 특별전세기 DC10.

   8. 22. 22:00 서울 출발

2. 품목 및 수량

품 목	수 량	
라 면	100 Box	
깻 잎	10 Box	
김 치	50 동	

0007   /계속····

	고 추 장	50개	
	된 장	50개	

끝.

0008

長 官 報 告 事 項

1990. 8.21.
總 務 課

題 目 : 중동지역 식품 송부

1. 이라크, 쿠웨이트 사태관련 아래와 같이 특별전세기 편으로 식품류를

송부예정임을 보고드립니다.

　　　　　　　　　　　　　- 아 레 -

품 　 　 목	수 　 　 량
라 　 　 　 면	100 Box
깻 　 　 　 잎	10 Box
김 　 　 　 치	50 통
고 　 추 　 장	50 개
된 　 　 　 장	50 개

2. 금액 및 예산항목 : 약 98만원, 정무활동 특판비. 끝.

0003

o 철수교민중 무의탁 교민의 철수
   소요경비 사후정산 및 귀국후
   사후대책이 큰 현안 문제임

o 따라서, 대책반 주관 철수 관계
   부처 대책회의 소집 필요성 대두

o 8.23 중 관계부처 대책회의 개최를
   건의함

0010

교민 철수 관련 관련부처 대책회의 자료

1. 교민 철수 관련 현황

    가. 철수 교민 현황 (8.21. 08:00 현재) 〈세부현황 별첨 참조〉

    이 라 크 : 144명

    쿠웨이트 : 509명

    총   계 : 653명

    나. 잔류 교민현황

    이 라 크 : 568명

    쿠웨이트 : 57명

    총   계 : 625명

    다. 향후 조치 계획

    o KAL 특별 전세기 제2편(DC-10) 투입 예정

    o KAL 특별 전세기 2대, 1회 추가 운항 예정 (B 747 및 DC-10)

    - 운항일정은 교민 철수 진전상황 의거 결정

    라. 철수 관련 소요경비 : 총₩827,616 (세부내역 별첨 참조)

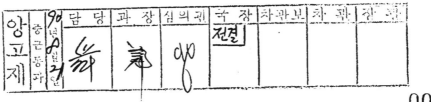

0011

마. 참고사항

    ㅇ 무의탁 철수 교민 현황

    약 260명 (정확한 인원은 추후 별도 파악)

    ※ 무의탁 철수 교민 개념 : 개인별 취업자등 소속 불명인

    자로서 생활이 어려운 교민으로 정의

2. 철수 관련 문제점

  가. 교민 철수 소요경비 사후 정산 문제

    ㅇ 귀국 항공임 및 경유지 체류비(요르단등) 부담 문제

      - 진출업체등 소속기관별 사후 정산

      - 무의탁 철수교민 별도 사후정산에 대한 정부 보증

    ㅇ 무의탁 철수 교민의 철수 소요경비에 대한 정부지원 문제

      ※ 국가적 차원에서의 KAL측 배려 : 무임 탑승 지원

  나. 무의탁 교민 철수 사후 대책

    ㅇ 귀국후 생활 대책 강구

      - 정상 회복시까지의 숙식문제

      - 융자 내지 직장 알선 문제

    ㅇ 기타 무의탁 철수교민 요청사항에 대한 지원 강구

  다. KAL 특별기 적기 운항 문제

    ㅇ 철수 교민의 긴급 대피 철수를 위해 특별기의 긴급 투입 필요

    ㅇ 철수 교민 탑승인원 부족으로 인한 탑승 좌석 VACANCY와 관계

    없이 적기 운항

0012

라. 이라크 및 쿠웨이트 체류 현대건설 소속 직원의 철수 지연 문제

　　o 현대건설 자체판단 의거, 사태 진전에 따른 단계적 철수 자체
　　　계획은 현실적 위험성 내재

3. 당면 조치 사항

　o 무의탁 교민 철수 소요경비 재원 확보(경기원 협조)

　o 무의탁 교민용 융자금 재원 확보 및 지원 조치
　　(경기원, 재무부, 노동부, 건설부 협조)

　o 무의탁 교민을 위한 숙소제공 재원 확보 및 지원방안 강구, 조치
　　(경기원, 건설부, 노동부등, 대한적십자사 등)

　o KAL측과의 항공임 사후 정산문제 협의 및 조치
　　(건설부, 노동부, 교통부, KAL)
　　　　- 무의탁 교민(개인별 취업자등) 분류 및 항공임 정산 조치

4. 검토 의견

　o 철수교민중 무의탁 철수 교민에 대한 사후 처리가 문제임

　o 무의탁 철수 교민에 대해서는 국가차원의 정부지원 바람직
　　　- 이라크.쿠웨이트 무력 사태로 인한 급박한 상황에서 긴급 대피
　　　　철수한만큼, 천재지변 상태로 야기된 '난민'으로 분류 바람직
　　　- 철수 관련 소요경비(항공임 및 철수경유지 체류비용), 국가 부담
　　　- 단, 귀국후 국내 체류 문제는 각 개인별 사안인 만큼, 각자 해결
　　　　바람직

0013

o 무의탁 철수교민(귀국후)에 대한 사후 대책은 난민에 대한 사회복지

　차원에서 검토됨이 바람직

　　- 해당 부처인 보사부에서 대책방안 검토 필요 조치 요망(노동부, 건설부 협조)

　　　.. 직장 알선 문제

　　　. 융자문제등

첨 부 : 1. 철수관련 소요경비 내역

　　　 2. 교민 철수 현황

이라크 및 쿠웨이트 아국 교민 철수 현황

(90.8.21. 08:00 현재)

이 라 크 : 총 144 명
쿠웨이트 : 총 509 명

구분 \ 국별	교민총수	귀국 및 인접국 대피	요르단 이동중 (이라크 체류포함)	요르단 체류	잔류자	비 고
쿠웨이트	605	35	0	474	96	잔류 희망 교민 : 21 명 공관직원 및 가족 : 40 명 현대건설소속필수요원 : 35 명
이 라 크	712	65	24	55	568	귀국 : 23
계	1,317	100	24	529	664	

※ 쿠웨이트 아국 교민 (공관원 2명 및 가족 포함) 27명, 8.21 쿠웨이트 출발 예정

0015

"노 사 간 접 안 정"

노   동   부

지급

해지 3■0■3- 1166━   503-9750   1990. 8. 21

수신 외무부장관

참조 중동아프리까국장

제목 이라크·쿠웨이트 우리근로자 출국동향 피악 협조

　　　현지 대사관에서 이·쿠사태로 인한 여파는 여간임대도 접수하고
　　보호에 만전을 기하고 있으나라 사료되오나 최근 전문보고에 의하면
　　교민과 구분되지 않아 우리부 근로자 안전대책수립에 차질을 초래
　하고 있는바, 매일 24:00 현재로 진출회사별 총근로자에 대한 출국근로자수를
　파악보고하도록 하여주시기 바라며

　　　2.　필수요원으로서 불가피한 사유로 출국이 어려운 근로자에 대하여
　최소한의 안전대책을 강구한 후 잔류하도록 주이라크·쿠웨이트대사에게 건의
　　　구시기 바랍니다.　끝.

노   동   부

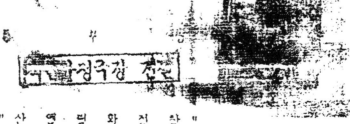

"산 업 평 화 정 착"

" 노 사 관 계 안 정 "

노   동   부

색지 3503-1163   503-9750   1990. 8. 21

우신 외부장관

참조 수신처참조

책목 근로자 현황 파악보고

1.   최근 이락크·쿠웨이트 사태와 관련, 현지 취업중인 우리근로자
들이 귀국하는 사태가 보도되고 있는바, 노무관으로 하여금 근로자 현황과 급격
한 근로자수 및 사유등 변동사항을 수시 우리부에 전문보고(아랍에미라트의 노
무관은 '파견된 진출근로자 포함)하도록 하여 주시기 바라며

2.   주요르단 대사관은 파견 근무중인 "이양정" 주이락크 노무관으로도
하여금 이락·쿠웨이트 철수근로자 현황 (총원, 철수인원, 잔여인원)을 매일
파악 보고하도록 하여 주시기 바랍니다.

노   동   부

직업안정국장 전결

수신처: 주사우디대사, 주아랍에미라트연합국대사, 주요르단대사.

" 산 업 평 화 정 착 "

0017

이라크 및 쿠웨이트 아국 교민 철수 현황

(90.8.22. 07:00 현재)

이라크 : 총 144 명

쿠웨이트 : 총 549 명

구분 \ 국별	교민총수	귀국 및 인접국 대피	요르단 이동중 (이라크 체류포함)	요르단 체류	잔류자	비 고
쿠웨이트	605	331	294 총 26	182 191	56	〈잔류자〉 · 잔류 희망 교민 : 16 명 · 주쿠웨이트 공관직원 · 현대건설소속필수요원 : 36명
이라크	712	86 65	24	34 55	568	귀국 : 84 명
계	1,317	396	51	246	624	

※ 주이라크 대사관직원 및 가족 15 명 철수준비 (일부)

※ 대사부부 및 관리인 1 명 + 고용원 2명 = 11명 잔류

분류기호 문서번호	중근동 720- 10487	기안용지		시 행 상 특별취급	
보존기간	영구.준영구 10. 5. 3. 1	장 관			
수 신 처 보존기간					
시행일자	1990. 8.22.				

보조 기관	국 장	전결	협조기관			문 서 통 제
	심의관					거열 1990. 8. 29 서 관
	과 장					
기안책임자		박 종 순				발 종 인

경 유		발신명의	발신송 1990. 8. 29 의무부
수 신	문교부장관		
참 조	보통교육국장		
제 목	피난 철수교민 사후 대책		

1. 이라크의 쿠웨이트 무력 점령 사태로 미군등 서방국가의

대 이라크 군사개입 및 대규모 이라크군의 사우디 국경배치등으로 인해

동 사태가 미.이 무력 충돌 가능성등 일촉즉발의 위기상황이 전개되고

있는 가운데 대다수 이라크 및 쿠웨이트 체류교민이 요르단 국경을 경유

긴급대피 철수하여 귀국하고 있습니다.

2. 이와관련, 이라크 및 쿠웨이트 사태로 인하여 이라크 및

쿠웨이트 체류 교민 자녀가 취학하고 있는 외국인 학교 개교가 불가능

하게 됨으로 동 교민들이 귀국한 이후 이들 자녀들의 국내 취학이

문제시 되고 있어, 국내 취학에 관한 특별 대책이 강구되어야 할 것으로

/ 계속 . . . .

0013

사료되는바, 이에 대한 대책 방안을 검토하여, 필요한 조치를 취하여

주시기 바랍니다.   끝.

0020

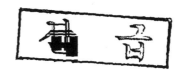

40479

분류기호 문서번호	중근동 720-	기 안 용 지	시 행 상 특별취급	
보존기간	영구;준영구 10. 5. 3. 1		장 관	
수 신 처 보존기간				
시행일자	1990. 8.22.			
보조 기관	국 장	협조기관		문 서 통 제
	심의관			
	과 장			
기안책임자	박 종 순			반 송 승 1990. 8. 22 의 무 부
경 유 수 신 참 조	수신처 참조	발신명의		

제 목 피난 철수교민 사후 대책

　　1.　이라크의 쿠웨이트 무력 접령 사태로 미군등 서방국가의

대 이라크 군사개입 및 대규모 이라크군의 사우디 국경배치등으로 인해

동 사태가 미.이 무력 충돌 가능성등 일촉즉발의 위기상황이 전개되고

있는 가운데 대다수 이라크 및 쿠웨이트 체류 아국인이 요르단 국경을

경유 긴급대피 철수하여 귀국하고 있습니다.

　　2.　이와관련, 아국 피난교민들중 상당부문(약270여명) <명단

별첨 통보>은 이번 사태를 맞아 긴급 피난함으로서 거의 파산 상태에

놓여있게 된바, 귀국 비용도 없을 뿐만 아니라 본국 도착후 기탁처가

없어 오갈데가 없고 더우기 생활 대책이 막연한 입장에 처해 있습니다.

/ 계속 . . . .

0021

따라서, 불우한 처지에 있는 이들 긴급 피난 교민을 위해 국가적 차원

에서의 긴급 지원이 이루어질수 있도록 아래 사항에 대해 필요한 대책을

강구해 주시고, 결과를 회보하여 주시기 바랍니다.

                    - 아   래 -

ㅇ 귀국 이후 직장 알선 및 융자 지원

ㅇ 정상회복시까지의 당분간의 숙식 문제

ㅇ 기타 생활대책 강구등 필요사항 조치등

        3. 참고로 상기 긴급 피난민들 대부분은 졸지에 모든 재산과

생활터전을 잃고 허탈감에 빠져있어 국가적 차원의 구호를 호소하고

있는 실정임을 첨언합니다.   끝.

수신처 : 노동부장관(직업안정국장), 보건사회부장관(사회국장)

0022

40478

분류기호 문서번호	중근동 720-	기 안 용 지	시 행 상 특별취급	
보존기간	영구.준영구 10. 5. 3. 1		장 관	
수 신 처 보존기간				
시행일자	1990. 8.22.			
보조기관	국 장	전결		
	심의관			
	과 장	郞		
기안책임자	박 종 순			
경 유 수 신 참 조	대한적십자사 총재		발신명의	
제 목	피난 철수교민 사후 대책			

협조기관

문서통제

발신순 1990. 8. 23 외무부

    1. 이라크의 쿠웨이트 무력 점령 사태로 미군등 서방국가의

대 이라크 군사개입 및 대규모 이라크군의 사우디 국경배치등으로 인해

동 사태가 미.이 무력 충돌 가능성등 일촉즉발의 위기상황이 전개되고

있는 가운데 대다수 이라크 및 쿠웨이트 체류 아국인이 요르단 국경을

경유 긴급대피 철수하여 귀국하고 있습니다.

    2. 이와관련, 아국 피난교민들중 상당부문(약270여명) <명단

별첨 통보>은 이번 사태를 맞아 긴급 피난함으로서 거의 파산 상태에

놓여있게 된바, 귀국 비용도 없을 뿐만 아니라 본국 도착후 기탁처가

없어 오갈데가 없고 더우기 생활 대책이 막연한 입장에 처해 있습니다.

/ 계속 . . . .

0023

따라서 불우한 처지에 있는 이들 재해 피난민에게 인도적 차원에서

구호토록 아래 사항에 대해 적극 지원하여 주실것을 귀사에 요청하니,

필요한 조치를 취해 주시기 바랍니다.

- 아   래 -

o 귀국후 임시거소등 지원활동

o 정상회복시까지의 당분간 숙식문제

o 긴급 피난민에 대한 기타필요지원 사업등

    3. 참고로 상기 긴급 피난 철수교민들 대부분은 졸지에 모든

재산과 생활터전을 잃고 현재 허탈감에 빠져있어 인도적 차원의 구호를

호소하고 있는 실정임을 첨언함.   끝.

0024

이라크 및 쿠웨이트 무의탁 철수 교민 대책 관련사항

1. 배   경
   o 8.2. 이라크의 쿠웨이트 무력 침공 사태로 위기상황 전개
     - 미.이 무력 충돌 가능성
   o 철수 교민들, 갑작스런 긴급 대피로 파산 상태 직면
     - 은행 폐쇄에 따른 금전 인출 불가등으로 야기
   o KAL 특별기 1편 이용 귀국 무의탁 교민 190여명(철수 교민중 업체 소속별 이외), 귀국후 생활 대책 마련 난감
     - 업체 소속 교민에 대해서는 소속회사에서, 자체별 귀환 대책 수립중
   o 무의탁 철수 교민, 주 요르단 아국 대사에게 귀국후 생활 대책 요구
     - 주 요르단 대사, 이들의 생활대책 강구 요망 보고 (8.21)
   o 당부, 이들의 귀국후 생활대책 관련, 보사, 노동부 및 대한적십자사에 대책 강구 협조 요청 (8.22. 협조공문 긴급 발송)

2. 무의탁 철수 교민의 생활 대책 관련 요구사항
   o 귀국후 직장 알선 및 융자지원
   o 정상회복시까지의 당분간 숙식 문제 해결
   o 철수 도중의 제비용 지원 (항공료 및 경유지 체류비등)

0025

3. 문제점

　　o 무의탁 철수 교민의 요구사항에 대한 대책 강구 시급하나, 추진 과정에서

　　　다소의 시일 소요

　　o 따라서, 이들에 대한 당장의 해결 방법이 문제임

4. 검토의견

　　o 긴급 피난한 이들 교민을 위한 국가적 차원에서의 긴급 지원 필요

　　　 o - 보사부, 노동부, 대한적십자에서 대책 수립, 추진 바람직

　　o 우선, 불우한 처지에 놓여있는 이들 교민 위한 범 국민적 모금

　　　운동 전개 바람직

0026

이라크 및 쿠웨이트 아국 교민 철수 현황

(90.8.23. 07:00 현재)

이 라 크 : 총 230 명

쿠 웨 이 트 : 총 592 명

총 철수인원 :   822 명

잔 류 인 원 :   495 명

구분 국별	교민총수	귀국 및 인접국 대피	요르단 이동중 (이라크 체류포함)	요르단 체류	잔류자	비 고
쿠웨이트	605	331	69	192	13	〈잔류자〉 ·잔류 희망 교민 : 9명 ·공관직원 : 4명
이 라 크	712	86	79	65	482	귀국 : 84명
계	1,317	417	148	257	495	

0027

쿠웨이트 주재 외교 공관 철수 동향

(90.8.23. 현재)

구 분	지역별	국 가 명
1. 철수 결정 (15개국)	아주 (3)	인도, 말련, 스리랑카
	미주 (1)	브라질
	구주(7)	소련, 체코, 핀랜드, 스웨덴, 스위스, 헝가리, 오지리
	아중동(4)	바레인, 사우디, 수단, 나이지리아
2. 잔 류 (49개국)	아주(9)	일본, 중국, 한국, 호주, 방글라데쉬, 파키스탄, 필리핀, 태국, 인도네시아
	미주(4)	미국, 카나다, 쿠바, 베네주엘라
	구주(16)	영국, 벨지움, 불가리아, 덴마크, 프랑스, 노르웨이, 서독, 동독, 그리스, 이태리, 네덜란드, 폴란드, 루마니아, 스페인, 터키, 유고
	아중동(20)	아프가니스탄, 알제리, 이집트, 가봉, 이란, 이라크, 요르단, 레바논, 리비아, 모리타니아, 니제르, 오만, 카타르, 세네갈, 소말리아, 시리아, 튀니지, 아랍에미리트, 예멘, 모로코

(참고사항) - 8.24까지 동남아, 동구 및 북구 일부국가 추가 철수 예상

0028

이라크 및 쿠웨이트 아국 교민 철수 현황

(90.8.24. 07:00 현재)

이 라 크 : 총 230 명
쿠 웨 이 트 : 총 592 명
총 철수인원 : 822 명
잔 류 인 원 : 495 명

구분 \ 국별	교민총수	귀국 및 인접국 대피	요르단 이동중 (이라크 체류포함)	요르단 체류	잔류자	비　　　고
쿠웨이트	605	331	37	224	13	〈잔류자〉 · 잔류 희망 교민 : 9명 · 공관직원 : 4명
이 라 크	712	86	0	144	482	귀국 : 84명
계	1,317	417	37	368	495	

※ 요르단 체류 철수교민 249명, KAL 특별기 2편(DC-10) 탑승, 8.24. 10:00 김포 착 예정.
　〈주 이라크 공관원 가족 15명 동 특별기에 동승〉

※ 주 쿠웨이트 공관원 및 가족 27명, 8.23. 20:00 요르단 무사 도착

0023

교민 철수 관련 관련부처 대책회의 자료

1. 교민 철수 관련 현황

    가. 철수 교민 현황 (8.24. 13:00 현재) 〈세부현황 별첨 참조〉

      이 라 크 : 230명

      쿠웨이트 ; 592명

      총   계 : 822명

    나. 잔류 교민현황

      이 라 크 : 482명

      쿠웨이트 : 13명

      총   계 : 495명

    다. 향후 조치 계획

      ㅇ KAL 특별 전세기 2대 1회 추가 운항 예정 (B 747 및 DC-10)

        - 운항일정은 교민 철수 진전상황 의거 결정

    라. 철수 관련 소요경비 : 총 $ 827,616 (세부내역 별첨 참조)

0030.

마. 참고사항

  ○ 무의탁 철수 교민 현황

    약 260명 (정확한 인원은 추후 별도 파악)

    ※ 무의탁 철수 교민 개념 : 개인별 취업자등 소속 불명인

                         자로서 생활이 어려운 교민으로 정의

2. 철수 관련 문제점

  가. 교민 철수 소요경비 사후 정산 문제

    ○ 귀국 항공임 및 경유지 체류비(요르단등) 부담 문제

      - 진출업체등 소속기관별 사후 정산

      - 무의탁 철수교민 별도 사후정산에 대한 정부 보증

    ○ 무의탁 철수 교민의 철수 소요경비에 대한 정부지원 문제

      ※ 국가적 차원에서의 KAL측 배려 : 무임 탑승 지원

  나. 무의탁 교민 철수 사후 대책

    ○ 귀국후 생활 대책 강구

      - 정상 회복시까지의 숙식문제

      - 융자 내지 직장 알선 문제

    ○ 기타 무의탁 철수교민 요청사항에 대한 지원 강구

  다. KAL 특별기 적기 운항 문제

    ○ 철수 교민의 긴급 대피 철수를 위해 특별기의 긴급 투입 필요

    ○ 철수 교민 탑승인원 부족으로 인한 탑승 좌석 VACANCY와 관계
      없이 적기 운항

0031

3. 당면 필요 조치 사항

　　o 무의탁 교민 철수 소요경비 재원 확보

　　o 무의탁 교민용 융자금 재원 확보 및 지원 조치

　　　(경기원, 보사부, 재무부, 노동부, 건설부 협조)

　　o 무의탁 교민을 위한 숙소제공 재원 확보 및 지원방안 강구, 조치

　　　(경기원, 건설부, 노동부, 대한적십자사등)

　　o KAL측과의 항공임 사후 정산문제 협의 및 조치

　　　(건설부, 노동부, 교통부, KAL)

　　　　　- 무의탁 교민(개인별 취업자등) 분류 및 항공임 정산 조치

4. 검토 의견

　　o 철수교민중 무의탁 철수 교민에 대한 사후 처리가 문제임

　　o 무의탁 철수 교민에 대해서는 국가차원의 정부지원 바람직

　　　　　- 이라크.쿠웨이트 무력 사태로 인한 급박한 상황에서 긴급 대피
　　　　　　철수한만큼, 천재지변 상태로 야기된 '난민'으로 분류 바람직

　　　　　- 철수 관련 소요경비(항공임 및 철수경유지 체류비용), 국가 부담

　　　　　- 단, 귀국후 국내 체류 문제는 각 개인별 사안인 만큼, 각자 해결
　　　　　　바람직

　　o 무의탁 철수교민(귀국후)에 대한 사후 대책은 난민에 대한 사회복지
　　　차원에서 검토됨이 바람직

0032

- 해당 부처인 보사부에서 대책방안 검토, 필요 조치
  (노동부, 건설부, 재무부, 대한적십자사등 협조)
  - 직장 알선 문제
  - 융자문제등

첨 부 : 1. 철수관련 소요경비 내역
       2. 교민 철수 현황

0033

첨부 1.

철수 관련 소요 경비 내역

가. 소요 경비 지원 대상 : 296명

　ㅇ 총 1,317명중 업체 소속 직원 및 근로자 1,021명 제외

　　※ 업체 소속 직원 및 근로자는 해당 업체에서 부담

나. 총 소요 경비 : $827,616

다. 소요 경비 내역

　ㅇ 항공 요금 : $996(암만 → 서울간 편도)

　　- 대한항공에서 산정한 금번 특별기 운항 요금

　ㅇ 숙 식 비 : $200(1인 1일)

　　- 현지의 생필품 및 식량 구입난등 고려, 국외 여비 수준보다
　　　약간 높게 책정

　ㅇ 차량 사용비

　　- 쿠웨이트, 이라크에서 요르단까지 3일간 소요 기준

　　- 정액 1인 $100 기준

　ㅇ 기타 부대 경비

　　- 전체 소요 금액의 약 4% 규모로 책정

0034

라. 세부 내역

   ※ 철수 교민 : 296명(업체 근로자 제외)

   ㅇ 숙 식 비

      1일 $200x296명 x 7일 = $414,400

   ㅇ 항공요금(암반 → 서울 편도)

      1인 $996x296명 = $294,816

   ㅇ 차량 사용비(쿠웨이트 및 이라크 → 요르단)

      1인 $100x3일x296명 = $88,800

   ㅇ 기타 부대 경비

      1인 $100x296명 = $29,600

                           총 : $827,616
                           ─────────────

0035

첨부 2.

이라크 및 쿠웨이트 아국 교민 철수 현황

(90.8.24. 13:00 현재)

이 라 크 : 총 230명

쿠웨이트 : 총 592명

철수인원 : 822명

구분 국별	교민총수	귀국 및 인접국 대피	요르단 이동중 (이라크 체류포함)	요르단 체류	잔류자	비 고
쿠웨이트	605	514	43	35	13	〈잔류자〉 잔류희망교민 : 9 공관직원 : 4
이 라 크	712	137	0	93	482	
계	1,317	651	43	128	495	

0036

이라크 및 쿠웨이트 아국 교민 철수 현황

(90.8.24. 07:00 현재)

이 라 크 : 총 230 명

쿠웨이트 : 총 592 명

총 철수인원 : 822 명

잔류인원 : 495 명

구분 \ 국별	교민총수	귀국 및 인접국 대피	요르단 이동중 (이라크 체류포함)	요르단 체류	잔류자	비 고
쿠웨이트	605	331	37	224	13	〈잔류자〉 · 잔류 희망 교민 : 9명 · 공관직원 : 4명
이 라 크	712	86	0	144	482	귀국 : 84명
계	1,317	417	37	368	495	

※ 요르단 체류 철수교민 249명, KAL 특별기 2편(DC-10) 탑승, 8.24. 10:00 김포 착 예정

〈주 이라크 공관원 가족 15명 동 특별기에 동승〉

※ 주 쿠웨이트 공관원 및 가족 27명, 8.23. 20:00 요르단 무사 도착

0037

이라크 및 쿠웨이트 아국 교민 철수 현황

(90.8.25.   07:00   현재)

이 라 크 : 총 230 명

쿠 웨 이 트 : 총 592 명

총 철수인원 :   822 명

잔 류 인 원 :   495 명

국별＼구분	교민총수	귀국 및 인접국 대피	요르단 이동중 (이라크 체류포함)	요르단 체류	잔류자	비 고
쿠웨이트	605	514	43	35	13	〈잔류자〉 ·잔류 희망 교민 : 9명 ·공관직원 : 4명
이 라 크	712	137	0	93	482	
계	1,317	651	43	128	495	

0038

잔류 공관 직원 현황

1. 주 쿠웨이트 대사관 (4명)

   o 대 사   외무이사관   소병용
   o 2서겸영사   외무사무관   최종석(카타르 부임 예정)
   o 외신관겸부영사 외신기사보   김영기
   o 참 사 관   외무이사관   정운길(파견관)

2. 주 이라크 대사관 (6명)

   o 대 사   외무관리관   최봉름
   o 공 사   외무부이사관   권찬
   o 1서겸영사   외무서기관   김정기(본부부임예정)
   o 외신관겸부영사 외신기사   임현식
   o 참 사 관   외무서기관   홍기철(파견관)
   o 건 설 관   4급   김도재

0039

철수 공관원 및 가족 명단

1. 주 쿠웨이트 대사관 (27명)

- 중근동과 -

성 명	직 위 (관 계)	동반가족	연 락 처
1. 이수련	소병용 대사 부인	-	922-6233
2. 이준화	참 사 관	처 및 자녀 4	923-2128
3. 이종애	최종석 영사 부인	자녀 3	742-8483
4. 이상희	김영기 외신관 부인	-	408-0253
5. 이정금	정운길 참사관 부인 (파견관)	자녀 2	594-5939
6. 임충수	건 설 관	처 및 자녀 2	-
7. 이기권	노 무 관	처 및 자녀 2	467-3137
8. 박혁주	공관 고용원	-	-
9. 이해자	"	-	-
10. 이경의	한국인 학교 교사	처	-

0040

2. 주 이라크 대사관 (24명)

성 명	직 위 (관 계)	동반가족	연 락 처
1. 최승연	권찬 공사 부인	자녀 1	272-7912
2. 김봉자	김정기 서기관 부인	자녀 2	780-9354
3. 조태용	서기관 *휴가중 사태로 일시귀국	처 및 자녀 2	794-1628
4. 정영희	임현식 외신관 부인 *사태전 일시 귀국	자녀 2	(0351) 5-5234
5. 전대원	홍기철 참사관 부인 (파견관)	자녀 2	426-7055
6. 박행심	김도재 건설관 부인	자녀 1	939-3567
7. 박안순	이양정 노무관 부인 *휴가중 사태로 일시귀국	자녀 1	(0346) 63-3309
8. 이강업 코트라 관장	(무역관장)	처 및 자녀 2	563-2240
9. 서현자	공관 고용원	-	-

0041

철수 공관원 및 가족 명단

1. 주 쿠웨이트 대사관 (27명)

- 중 근 동 과 -

성 명	직 위 (관 계)	동반가족	연 락 처
1. 이수련	소병용 대사 부인	-	922-6233
2. 이준화	참 사 관	처 및 자녀 4	923-2128
3. 이종애	최종석 영사 부인	자녀 3	742-8483
4. 이상희	김영기 외신관 부인	-	408-0253
5. 이정금	정운길 참사관 부인 (파견관)	자녀 2	594-5939
6. 임충수	건 설 관	처 및 자녀 2	799-8980
7. 이기권	노 무 관	처 및 자녀 2	467-3137
8. 박혁주	공관 고용원	-	전주(0652) 4-2029
9. 이혜자	"	-	306-5052
10. 이경의	한국인 학교 교사	처	699-9154

0042

2. 주 이라크 대사관 (24명)

성 명	직 위 (관 계)	동반가족	연 락 처
1. 최승연	권찬 공사 부인	자녀 1	~~272-7912~~ ~~979-4038~~ 571-7912
2. 김봉자	김정기 서기관 부인	자녀 2	~~780-9354~~ 514-0616
3. 조태용	서기관 *휴가중 사태로 일시귀국	처 및 자녀 2	794-1628
4. 정영희	임현식 외신관 부인 *사태전 일시 귀국	자녀 2	(0351) 5-5234
5. 전대원	홍기철 참사관 부인 (파견관)	자녀 2	426-7055
6. 박행심	김도재 건설관 부인	자녀 1	~~939-3567~~ 576-3779
7. 박안순	이양정 노무관 부인 *휴가중 사태로 일시귀국 (무역관장)	자녀 1	(0346) 63-3309
8. 이강업 코트라 관장	(무역관장)	처 및 자녀 2	563-2240
9. 서현자	공관 고용원	-	-

0043

이라크 및 쿠웨이트 아국 교민 철수 현황

(90.8.26. 현재)

이 라 크 : 총 248명

쿠 웨 이 트 : 총 592명

총 철수인원 :　840명

잔 류 인 원 :　477명

구분 국별	교민총수	귀국 및 인접국 대피	요르단 이동중 (이라크 체류포함)	요르단 체류	잔류자	비　고
쿠웨이트	605	545	4	43	13	〈잔류자〉 ・잔류희망교민 :9명 ・공관직원 : 4명
이 라 크	712	226	0	22	464	
계	1,317	771	4	65	477	

※ 이라크 현대근로자 44명, 8.26. 22:00 요르단 향발 예정

0044

주 쿠웨이트 외국공관에 대한 강제행사

지역별	국가별	강 제 행 사 내 용
미 주 (1)	미 국	○ 바그다드 도착 쿠웨이트 주재 미 공관원 및 가족 (110명) 출국 불허 ○ 단전 조치(자체 보조발동기 의존) 　* 수도공급 및 전화소통은 정상 ○ 아라크군, 대사관 주위 배치
구 주 (8)	영 국	○ 단전·단수 조치(8.25. 단전 해제)
	프랑스	○ 단수위해 대사관 담벽철거중
	이태리	○ 바그다드 도착 공관원 3명 출국불허 ○ 단전 조치(자체 보조발동기 의존)
	벨기에	○ 단수 조치
	덴마크	○ 단전·단수 조치
	동 독	○ 단전·단수 조치
	서 독	○ 단전·단수 시도 실패
	그리스	○ 단전·단수 조치
아 주 (1)	일 본	○ 잔류 공관원 2명에 대한 외교특권 상실 통보

0045

이라크 및 쿠웨이트 아국 교민 철수 현황

(90.8.27. 07:00 현재)

이 라 크 : 총 294 명

쿠 웨 이 트 : 총 592 명

총 철수인원 : 886 명

잔 류 인 원 : 431 명

구분\국별	교민총수	귀국(인접국 대피 포함)	요르단 이동중(이라크 체류포함)	요르단 체류	잔류자	비 고
쿠웨이트	605	545	4	43	13	〈잔류자〉 · 잔류 희망 교민 : 9명 · 공관직원 : 4명
이 라 크	712	226	44	24	418	
계	1,317	771	48	67	431	

0046

이라크 및 쿠웨이트 아국 교민 철수 현황

(90.8.27. 07:00 현재)
8.28 ?

이 라 크 : 총 294 명 (250)

쿠 웨 이 트 : 총 592 명

총 철수인원 : 886 명 (842)

잔 류 인 원 : 431 명 (435)

구분 국별	교민총수	귀국 (인접국 대피 포함)	요르단 이동중 (이라크 체류포함)	요르단 체류	잔류자	비 고
쿠웨이트	605	545	0 / 4	43 (47)	13	〈잔류자〉 · 잔류 희망 교민 : 9명 · 공관직원 : 4명
이 라 크	712	226	44 / 0	24	418+44 (462)	
계	1,317	771	48 / 4	67 (71)	431 (425)	

※ ─ 이라크 현대 근로자 44명, 8.27. 20:00 당지 출발예정
─ 이라크 정우 근로자 2명, 8.29. 24:00 요르단 향발

이라크 및 쿠웨이트 아국 교민 철수 현황

(90.8.28. 08:00 현재)

이 라 크 : 총 294 명

쿠 웨 이 트 : 총 592 명

총 철수인원 :   886 명

잔 류 인 원 :   431 명

구분 \ 국별	교민총수	귀국 (인접국대피포함)	요르단 이동중 (이라크 체류포함)	요르단 체류	잔류자	비 고
쿠웨이트	605	545	0	47	13	〈잔류자〉 . 잔류 희망 교민 : 9명 . 공관직원 : 4명
이 라 크	712	226	44	24	418	
계	1,317	771	44	71	431	

0048

주 쿠웨이트 외국공관에 대한 강제행사

지역별	국가별	강 제 행 사 내 용	대 응
미 주 (1)	미 국	○ 바그다드도착 공관원 및 가족(110명)출국불허 　- 8.26. 55명 터어키 국경통해 출국허용 ○ 단전 조치(자체 보조발동기 의존)	○ 워싱턴 주재 　이라크 외교관 　36명 추방 ○ 잔여 이라크 　외교관 19명의 　활동제한 　- 주바그다드 　　미 공관원과 　　동일한 인원수 　　유지
아 주 (2)	한 국	○ 단전조치 통보(현지시간 8.27. 13:00) 　- 단전시 자동단수되프로 관저보 철수예정 　- 관저도 단전조치 예상	
	일 본	○ 잔류 공관원 2명에 대한 외교특권 상실 통보 ○ 단전, 단수 조치	
구 주 (9)	영 국	○ 단전·단수 조치(8.25. 단전 해제)	
	프랑스	○ 이라크군, 단수위해 대사관 담벽철거중	
	이태리	○ 바그다드 도착 공관원 3명 출국불허 ○ 단전 조치(자체 보조발동기 의존)	
	서독, 벨기에	○ 단수 조치	
	그리스, 덴마크, 오스트리아 동 독	○ 단전·단수 조치	
중 동 (1)	레바논	○ 레바논 대사 및 공관원 12명 체포	
계		13 개 국	

0049

쿠웨이트 주재 외교 공관 철수 동향

구 분	지역별	국 가 명
1. 철수 결정 (19개국)	아주 (6)	인도, 말련, 스리랑카, 필리핀, 태국, 중국
	미주 (2)	브라질, 베네주엘라
	구주 (5)	소련, 체코, 핀랜드, 스위스, 오지리
	아중동(6)	바레인, 사우디, 요르단, 레바논, 수단, 나이지리아
2. 잔 류 (45개국)	아주 (6)	일본, 한국, 호주, 방글라데쉬, 파키스탄, 인도네시아
	미주 (3)	미국, 카나다, 쿠바
	구주(18)	영국, 벨지움, 불가리아, 덴마크, 프랑스, 노르웨이, 서독, 동독, 그리스, 이태리, 네덜란드, 폴란드, 루마니아, 스페인, 터키, 유고, 헝가리, 스웨덴
	아중동(18)	아프가니스탄, 알제리, 이집트, 가봉, 이란, 이라크, 리비아, 모리타니아, 니제르, 오만, 카타르, 세네갈, 소말리아, 시리아, 튀니지, 아랍에미리트, 예멘, 모로코

(참고사항) - 동남아, 동구 및 북구 일부국가 추가 철수 예상

0050

협조문용지

심의란: dp

분류기호 문서번호	중근동 720- 264 (	)	결 재	담당	과장	국장
시행일자	1990. 8. 28.			명규욱		(서명)
수 신	영사교민국장	발 신	중동아프리카국장			
제 목	피난철수교민 사후 대책					

이라크·쿠웨이트 사태와 관련, 노동부는 피난 철수교민의

취업알선 및 구직등록 안내를 별첨과 같이 통보하여 왔는바,

귀국소관 사항으로 사료되어 이를 이첩하오니 필요한 조치를

취하여 주시기 바랍니다.

첨 부 : 노동부 공문. 끝.

0051

"노사 관계 안정"

노 동 부

고관 32433-*11855*   (503-9749)   1990. 8. 24.

수신   외무부장관

제목   피난철수교민 사후대책 (취업알선)

1. 중근동 720-40479('90.8.22)의 관련입니다.

2. 피난철수교민 사후대책의 일환인 취업알선과 관련하여, 우리부에서
운영하고 있는 광역취업알선망에 의거 적극 취업알선 토록 산하지방노동관서에
지시하였으니, 별첨 지방노동관서 직업안정기관 명단을 참조하시어 피난철수
교민들이 인근 지방노동관서에 구직등록토록 안내하여 주시기 바라며,

3. 명단(주소)이 당부에 통보되는대로 관할 지방노동관서에 통보,취업
알선토록 추가 시달하겠음을 통보하오니 양지하시기 바랍니다.

첨부 : 지방노동관서 직업안정과 현황 1부.   끝.

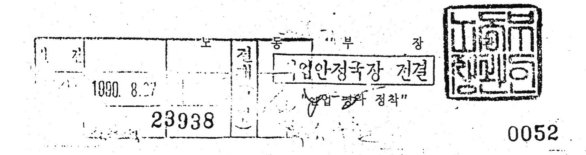

노   동   부   장

1990. 8. 27
23938

"산업 평화 정착"

0052

지방노동관서 직업안정과 현황

국립중앙직업안정소	150-093	영등포구 문래1동3가 77-11	(02)	635-2400
서울전문인력취업정보센터	137-073	서초구 서초3동1552-15서광빌딩3층	(02)	521-9192~4
부산전문인력취업정보센터	601-010	부산시 동구 초량동 1157-7	(051)	466-9153
대구전문인력취업정보센터	701-020	대구시 동구 신천동 543-21	(053)	424-7860
인천전문인력취업정보센터	400-103	인천시 중구 신흥동3가 7-241	(032)	884-9893
광주전문인력취업정보센터	500-080	광주시 북구 우산동 518-152	(062)	527-5732
서 울 지 방 노 동 청	110-420	종로구 관수동 4-6	(02)	272-1919
서울동부지방노동사무소	135-100	강남구 청담동 47-4	(02)	540-1897
서울서부지방노동사무소	121-090	마포구 염리동 156-1	(02)	701-1919
서울남부지방노동사무소	150-045	영등포구 당산동5가 121-115	(02)	677-1919
서울북부지방노동사무소	131-070	동대문구 용두동 125-1	(02)	926-1919
서울관악지방노동사무소	150-018	관악구 신림8동 1669-6	(02)	854-1919
춘천지방노동사무소	200-093	춘천시 효자3동 757	(0361)	3-1919
태백지방노동사무소	235-011	태백시 황지1동 308	(0395)	52-1919
강릉지방노동사무소	210-110	강릉시 포남동 48블럭 1-3롯드	(0391)	3-2400
원주지방노동사무소	220-110	원주시 단계동 783 (종합청사)	(0371)	43-1919
영월지방노동사무소	230-800	영월군 영월읍 영흥리 97-1	(0373)	72-1919
부 산 지 방 노 동 청	601-010	동구 초량동 1147-13	(051)	466-2400
부산동래지방노동사무소	607-010	동래구 명륜동 529	(051)	54-1919
부산북부지방노동사무소	616-090	북구 덕포동 761-2	(051)	328-1919
마산지방노동사무소	630-394	마산시 원남동4가 2	(0551)	45-2400
울산지방노동사무소	680-040	울산시 남구 신정동 4-5	(0522)	74-2400
진주지방노동사무소	660-320	진주시 상대동 285-1	(0591)	52-1919
충무지방노동사무소	650-020	충무시 북신동 663-15	(0557)	43-2400
대 구 지 방 노 동 청	701-020	대구 동구 신천2동 543-20	(053)	425-9183
대구남부지방노동사무소	701-020	대구 동구 신천3동 78-2	(053)	753-9166
포항지방노동사무소	790-052	포항시 죽도2동 46-35	(0562)	78-1919
구미지방노동사무소	730-030	구미시 남단동 174	(0546)	463-2400
영주지방노동사무소	750-020	영주시 휴천3동 36	(0572)	2-1919
안동지방노동사무소	760-150	안동시 대석동 146-11	(0571)	2-1919

0053

인 천 지 방 노 동 청	400-103	인천 중구 신흥동3가 7-241	(032) 884-9893
인천북부지방노동사무소	403-010	인천 북구 부평동 182-10	(032) 92-2400
수 원 지 방 노 동 사 무 소	440-090	수원시 고등동 4-1	(0331) 45-2400
부 천 지 방 노 동 사 무 소	421-110	부천시 중구 원미동 88-2	(032) 63-1919
안 양 지 방 노 동 사 무 소	430-017	안양시 안양7동 204-6	(0343) 48-1919
안 산 지 방 노 동 사 무 소	425-020	안산시 고잔동 542-3	(0345) 86-1919
의 정 부 지 방 노 동 사 무 소	480-013	의정부시 의정부3동 370-10	(0351) 42-1919
성 남 지 방 노 동 사 무 소	461-163	성남시 신흥3동 2550	(0342) 2-1919
광 주 지 방 노 동 청	500-120	광주시 북구 유동 40-5	(062) 524-1919
전 주 지 방 노 동 사 무 소	560-160	전주시 진북동 1021-2	(0652) 252-1919
제 주 지 방 노 동 사 무 소	690-032	제주시 삼도2동 20-4	(064) 23-2400
이 리 지 방 노 동 사 무 소	570-110	이리시 마동 181-7	(0653) 855-2400
군 산 지 방 노 동 사 무 소	573-330	군산시 금동 51	(0654) 3-1919
목 포 지 방 노 동 사 무 소	530-120	목포시 유동 9	(0631) 73-1919
여 수 지 방 노 동 사 무 소	550-020	여수시 문수동 111	(0662) 665-6881
대 전 지 방 노 동 청	301-050	대전시 중구 대흥동 508-52	(042) 26-2400
청 주 지 방 노 동 사 무 소	360-012	청주시 북문로2가 79-7	(0431) 52-1919
충 주 지 방 노 동 사 무 소	380-180	충주시 역전동 738-17	(0441) 43-2400
천 안 지 방 노 동 사 무 소	330-160	천안시 신부동 369-2	(0417) 551-2400
보 령 지 방 노 동 사 무 소	355-010	대천시 대천동 2030-3	(0452) 33-1919

0054

이라크 및 쿠웨이트 아국 교민 철수 현황

(90.8.29. 08:00 현재)

이 라 크 : 총 294 명

쿠 웨 이 트 : 총 592 명

총 철수인원 : 886 명

잔 류 인 원 : 431 명

구분 \ 국별	교민총수	귀국 (인접국 대피 포함)	요르단 이동중 (이라크 체류포함)	요르단 체류	잔류자	비 고
쿠웨이트	605	545	0	47	13	〈잔류자〉 · 잔류 희망 교민 : 9명 · 공관직원 : 4명
이 라 크	712	226	0	68	418	
계	1,317	771	0	115	431	

0055

이라크 및 쿠웨이트 아국 교민 철수 현황

(90.8.29. ~~08:00~~ 10:30 현재)

이 라 크 : 총 286 명
쿠 웨 이 트 : 총 592 명
총 철수인원 :   878 명
잔 류 인 원 :   449 명

구분 \ 국별	교민총수	귀국 (인접국 대피 포함)	요르단 이동총 (이라크 체류포함) (요르단 이동중)	요르단 체류	잔류자	비 고
쿠웨이트	605	546	0	46	13	〈잔류자〉 ·잔류 희망 교민 : 9명 ·공관직원 : 4명
이 라 크	722	226	0	60	436	
계.	1,327	772	0	106	449	

0056

이라크 및 쿠웨이트 아국 교민 철수 현황

(90.8.30. 08:00 현재)

이 라 크 : 총 286 명

쿠 웨 이 트 : 총 592 명

총 철수인원 :   878 명

잔 류 인 원 :   449 명

구분 \ 국별	교민총수	귀국 (인접국 대피 포함)	요르단 체류 (요르단 이동포함)	잔류자	비 고
쿠웨이트	605	546	46	13	〈잔류자〉 · 잔류 희망 교민 : 9명 · 공관직원 : 4명
이 라 크	722	226	60	436	
계	1,327	772	106	449	

0057

이라크 및 쿠웨이트 아국 교민 철수 현황

(90.8.30. 08:00 현재)

이 라 크 : 총 286 명
쿠웨이트 : 총 592 명
총 철수인원 : 878 명
잔 류 인 원 : 449 명

구분 \ 국별	교민총수	귀국 (인접국 대피 포함)	요르단 체류 (요르단 이동포함)	잔류자	비 고
쿠웨이트	605	546	46	13	〈잔류자〉 · 잔류 희망 교민 : 9명 · 공관직원 : 4명
이 라 크	722	226	60	436	· 공관원 (가족포함) 및 대기 출장자 18명 포함
계	1,327	772	106	449	

0058

쿠웨이트 주재 외교 공관 철수 동향

구 분	지역별	국 가 명
1. 철수 결정 (24개국)	아주 (7)	인도, 말련, 스리랑카, 필리핀, 태국, 중국, 일본
	미주 (2)	브라질, 베네주엘라
	구주 (8)	소련, 체코, 핀랜드, 스위스, 오지리, 스웨덴 헝가리, 터키
	아중동(7)	바레인, 사우디, 요르단, 레바논, 수단, 나이지리아, 모로코
2. 잔 류 (40개국)	아주 (5)	한국, 호주, 방글라데쉬, 파키스탄, 인도네시아
	미주 (3)	미국, 카나다, 쿠바
	구주(15)	영국, 벨지움, 불가리아, 덴마크, 프랑스, 노르웨이, 서독, 동독, 그리스, 이태리, 유고, 네덜란드, 폴란드, 루마니아, 스페인
	아중동(17)	아프가니스탄, 알제리, 이집트, 가봉, 이란, 이라크, 리비아, 모리타니아, 니제르, 오만, 카타르, 세네갈, 소말리아, 시리아, 튀니지, 아랍에미리트, 예멘

(참고사항) - 동남아, 동구 및 북구 일부국가 추가 철수 예상

0059

공관원, 교민(상사원포함) 철수 현황

90. 8. 30 현재

쿠 웨 이 트						이 라 크					
입 국			출 국			입 국			출 국		
일자	인원	비고	일자	인원	비고	일자	인원	비고	일자	인원	비고
8.9	2	김옥주	8.16	2	바레인	8.13	16	삼성 KAL 대우	8.15	9	삼성가족
8.17	93	○	8.20	93	특별(1)				8.20	6	특별(1)
8.19	127	○	"	109	특별(1)				8.25	1	주발크룬트
			8.23	10	특별(2)	8.15	11	경남 펀더	8.16	11	바레인
8.23	25	공관원	8.25	25	특별(3)	"	1	(주)성진	"	1	"
"	7	교민2명	"	7	"	8.17	3	정우	8.20	3	특별(1)
8.26	7		" 이라	?	기면 밤글	"	4	상은	8.25	4	런던
계 261			계			"	4	의은	8.18	4	"
						"	2	대림	8.20	2	특별(1)
						"	4	대우	8.20	3	"
									8.25	1	우발크룬트
						8.21	3	유학생	8.23	3	특별(2)
						8.23	9	현대	8.25	9	특별(3)
						"	15	공관가족	8.23	15	특별(1)
						계	72		계	72	

0060

근로자 철수·출국현황

쿠 웨 이 트						이 라 크					
입 국			출 국			입 국			출 국		
일자	인원	비고	일자	인원	비고	일자	인원	비고	일자	인원	비고
8.20	168	현대	8.20	81	특별(1)	8.12	5	현대	8.14	5	바레인
			8.23	87	특별(2)	8.13	8	삼성	8.15	8	"
8.21	105	현대	8.23	105	특별(3)	8.15	3	현대	"	3	동남아
8.26	32	현대				8.16	11	정우	8.20	3	특별(1)
"	4	" 지사							8.23	1	특별(2)
						8.17	1	대림	"	1	"
계	309		계	273		"	1	동아	"	1	"
						"	1	현대	"	1	"
						"	4	남광	"	4	"
						8.19	15	삼성	"	15	"
						"	7	현대	"	7	"
						8.20	7	정우	"	7	"
						"	12	한양	"	12	"
						8.21	1	한양	"	1	"
						"	31	현대	8.23	6	특별(2)
									8.25	25	특별(3)
						8.22	1	한양	8.23	1	특별(2)
						8.23	2	한양	8.23	1	특별(2)
						"	35	현대	8.25	35	특(3)
						"	2	경우	8.25	2	"
						"	2	계법	"	2	"
						8.25	18	현대			

0061

쿠 웨 이 트						이 라 크					
입 숙			준 숙			입 숙			준 숙		
일자	인원	비고	일자	인원	비고	일자	인원	비고	일자	인원	비고
						~~	~~~~~	~~~~			
						8.28	2	2,5			
						계	198		계	148	

0062

이라크 및 쿠웨이트 아국 교민 철수 현황

(90.8.31. 08:00 현재)

이 라 크 : 총 286 명

쿠 웨 이 트 : 총 592 명

총 철수인원 : 878 명

잔 류 인 원 : 449 명

구분\국별	교민총수	귀국 (인접국 대피 포함)	요르단 체류	잔류자	비 고
쿠웨이트	605	546	46	13	〈잔류자〉 · 잔류 희망 교민 : 9명 · 공관직원 : 4명
이 라 크	722	226	60	436	공관원(가족포함) 및 단기출장자 18명 포함
계	1,327	772	106	449	

※ 이라크 현대건설 소속 근로자 68명, 8.30. 06:30 요르단 향발

0063

공 관 원	철수가족 (관 계)	생년월일	귀 국 일	비 고
대사 최봉름 (34. 12. 2)	장연숙(처)	39. 12. 11	91. 1. 29 91. 2. 12	
참사관 홍기철 (45. 3. 1)	전대천(처) 홍 (자) 홍 (자)		91. 1. 29	
건설관 김도재 (37. 12. 22)				
2등 서기관 조태용 (56. 8. 29)	이진영(처) 조원상(자) 조한상(자)	57. 7. 23 84. 10. 10 86. 12. 8	91. 1. 16	
외신관 임현식 (55. 1. 9)	정영희(처) 임형진(자) 임미경(자)	57. 9. 10 83. 7. 15 82. 2. 14	91. 1. 29	
공사 권 찬 (37. 9. 29)	최승연(처) 권 범(자) 권 윤(자) 권 성(자) 권 영(자)	45. 5. 29 65. 10. 30 70. 6. 16 74. 9. 1 78. 8. 14		주 나고야 총영사 부임 90. 12. 17 본부 발령
노무관 이양정 (44. 4. 22)	박안순(처) 이민철(자) 이민석(자)	51. 7. 18 73. 3. 6 77. 4. 19	90. 12. 17	
1등 서기관 김정기 (44. 4. 22)	김봉자(처) 김현규(자)	51. 3. 28 77. 9. 6	90. 1. 7	

0064

2. 쿠웨이트

0065

발 신 전 보

	분류번호	보존기간

번   호 :   종별 : 초진급

수   신 : 주 쿠웨이트   대사///총영사 (사본 : 주 요르단, 이라크 대사)

발   신 : 장   관   (중근동)

제   목 : 교민 긴급 철수

연 : WKU-0260

    긴박한 사태가 전개될 것으로 전망되는바, 귀 공관 필수요원 이외
모든 잔류 교민 전원(96명) 금일중 (늦어도 8.22 까지) 귀지 철수토록 조치,
결과 보고 바람. 끝.

(중동아국장   이 두 복)

앙 고 재	90 년 월 일 중근동과	기안자 성명		과 장 심의관	국 장 전결		차 관	장 관

보 안 통 제	
외신과통제	

0066

외 무 부

종 별 :

번 호 : KUW-0463 일 시 : 90 0820 1000

수 신 : 이라크대사 사본:중근동,주요르단대사-본부중계필

발 신 : 주쿠웨이트대사

제 목 : 공관철수

1. 8.21 출발예정인 당관 직원가족 및 고용원의 명단은 아래와 같음.

2. 잔류인원은 다음 임. 그러나 미리 수속해 주시기 바람.

1. 이수련
2. 이준화
3. 전해희
4. 이은숙
5. 이혜숙
6. 이신규
7. 이인숙
8. 이정금
9. 정효재
10. 정성진
11. 임충수
12. 강규와
13. 임효정
14. 임재원
15. 이종애
16. 최상운
17. 최서운
18. 최혜욱
19. 이기권
20. 김화자

중아국   영교국   대책반

PAGE 1

발 신 전 보

번 호 : WKU-0275   900821 1128 FC   종별: 초진급

수 신 : 주   수신처 참조 《대사·총영사》 (사본 : 주 요르단 대사)   WBG-0301

발 신 : 장 관   (중근동)

제 목 : 공관원 및 가족 철수

대 : KUW-0463, 0466

　　　　KAL 특별기 2편 DC-10이 8.22. 20:00 서울발 운항(8.23. 06:00 암만 도착 〈현지시간〉) 예정인바, 귀관 소속 철수 공관원 및 가족등이 동 특별기를 이용 귀국토록 가능한 조치 바람. 끝.

　　　　　　　　　　　　　　　　　　　　(중동아국장　　　이 두 복)

수신처 : 주 쿠웨이트, 이라크 대사

보 안	
통 제	

앙고재	90년8월일	중근동과	기안자성명		과 장	심의관	국 장		차 관	장 관	외신과통제
							전결				

외 무 부

원 본

종 별 : 긴 급

번 호 : KUW-0475

일 시 : 90 0821 0900

수 신 : 장관(중근동,기정,노동,건설,이라크,요르단대사)

발 신 : 주쿠웨이트대사

제 목 : 공관원가족및 교민철수

연:관련전문

1.금 8.21.07:00 직원및가족 27명과 대사관 외국인고용원 4명(이집트인가족 3명,태국인1명),교민 5명 총 36명이 승용차 9대에 분승하여 출발하였음

2.이로서 현대건설 직원 36명,현지교민 16명이 잔류함 잔류교민에 대해서는 철수를 종용하였으나 본인들은 사업등 기타이유로 잔류키로 결정하였음

출발교민 5명 명단

이준규와부인,김만천,문정일,박찬규

잔류교민 16명 명단

강대억외가족 2명

유재석외가족 4명

김효관과부인

전청규

최길웅,.조성목

엄승환

김자철

오호.끝

(대사 소병용-국장)

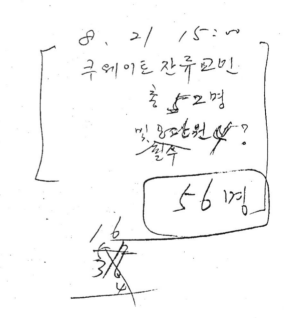

8. 21 15:○

쿠웨이트 잔류교민

총 52명

및 공관원 ?

철수

56명

중아국   1차보   정문국   안기부   건설부   노동부   대책반

외 무 부

종 별 : 지 급

번 호 : KUW-0476

일 시 : 90 0821 1000

수 신 : 장 관(중근동)

발 신 : 주 쿠웨이트 대사

제 목 : 피난 철수교민 대책

1. 수차에 걸쳐 보고와 건의드린대로 이번사태는 피난준비를 할수있는 예고시간이 전혀없이 돌발하였기 때문에 거의 모든 피난 철수교민이 거의 파산상태이므로 귀국비용 지원 및 본국에 도착후 친인척등 기탁처가 없는 이들에 대하여 기탁처를 마련할때까지 임시 거처의 제공도 필요함

2. 이번 피난 철수교민수가 비교적 많은 편이 아니니 앞으로 유사한 일시귀국하는교민이 생겼을 때에 대한 하나의 전형으로서 귀국편의, 국내체류 알선 지원등을 해주실것을 다시 건의드림

3. 대한적십자사도 참여시켜 국내 임시 거소등 지원활동을 할것도 생각할수 있을것같아 검토하실것을 건의함. 끝

(대사 소병용-국장)

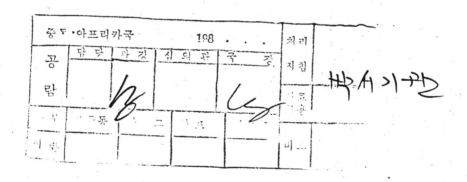

중아국   정문국   영고국   상황실   안기부

90.08.21   17:57 DY

외신 1과 통제관

0071

13

외 무 부

원 본

종 별 : 긴 급

번 호 : KUW-0477   일 시 : 90 0821 1700

수 신 : 장관(중근동,기정,노동,건설)

발 신 : 주쿠웨이트대사

제 목 : 교민체류자 철수

    연: KUW-0475

    현대 잔류자 36명 전원과 잔류교민 16명중 일부(7명 예상)가 내일(8.22)오전에
출발 예정임. 잔류교민중 철수인원수와 성명은 내일 최종 확인하여 이들 출발
사실과함께 보고드리겠음. 끝

    (대사 소병용-국장)

중동·아프리카국		198 . . .			처리지침	
공람	담당	과장	심의관	국장		
					자료활용	
	노동	그	아프리	삼또?	비고	

중아국	1차보	2차보	영교국	안기부	건설부	노동부	대책반	최환

PAGE 1   90.08.22   00:10 CG

                                          외신 1과 통제관

                                                        0072

외 무 부

종 별 : 긴 급

번 호 : KUW-0478

일 시 : 90 0822 1200

수 신 : 장 관(중근동,기정,건설,노동,주요르단 대사)

발 신 : 주 쿠웨이트 대사

제 목 : 교민 철수

연: KUW-0477,475

1. 연호인원 예정대로 출발하였음

2. 출발교민 7명 명단 유재성의 가족 4명

(처 원현임, 자: 유자밀라,유근성,유동찬)김효관과 부인, 엄승환

3. 잔류인원 9명은 간곡한 권고에도 불구하고 나름대로의 개인사정으로 결코 떠날수 없다고 하므로 끝까지 남아 있을것으로 예상되므로 이로서 피난교민의 철수작업은 완결됨. 이들 9명은 함께 있는것이 보다 안전할것으로 생각하여 가능한대로 대사관과 관저에 수용하고자 의논하고 있음. 끝

(대사 소병용-국장)

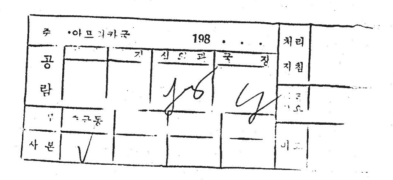

주	• 아프리카국			198 . . .		처리
공			기	신 ? 과	국 장	지침
람						
	중근동					
사 본	✓					비

중아국   1차보   미주국   통상국   영교국   안기부   건설부   노동부   대책반

90.08.22   18:50 BB

외신 1과 통제관

0073

외 무 부

종 별 : 긴 급

번 호 : KUW-0482　　　　　　　　　　　　일 시 : 90 0823 0730

수 신 : 주요르단, 이라크대사(사본:중근동,기정)

발 신 : 주쿠웨이트대사

제 목 : 공관가족

　　연: KUW-0475, 0478

　　1. 요르단정부가 국경을 일시 폐쇄하고 피난민의 입국을 금지시키기로 하였다는바 공관 가족 일부 입국을 주선해주시기 바라며, 결과 가능하면 회보바람.

　　2. 현대 최종인원및 일부교민 합계 43명도 금명간 요르단국경 도착 예상되오니같은 조치바람

　　3. 요르단의 동 조치는 너무많은 피난민들이 요르단에 체류중 때문이라하니 우리와 같이 요르단에서 즉시 출국하는 경우와 외교관및 가족의경우는 충분히 예외가될수있을 것으로생각됨.끝

　　(대사 소병용-대사)

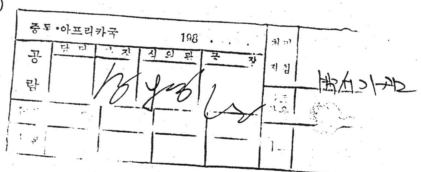

중아국　　미주국　　통상국　　정문국　　영교국　　안기부　　대책반

외 무 부

종 별 : 긴 급

번 호 : KUW-0483   일 시 : 90 0823 0900

수 신 : 주이라크대사 사본:중근동

발 신 : 주쿠웨이트대사

제 목 : 공관원 일시철수

연: KUW-0480

1. 이문제는 허가절차시간등 절차의 문제가아니라 관련사항 보고한대로 귀관에서자동차를 파견하지않으면 당관 잔류인원이 후에 철수는 고사하고 일체 외부의 행동이 불가능할것이 분명하므로 모든 가능한 방법으로 시도해 주시기바람

2. 일부 당지 대사관에는 귀지 대사관으로부터 직원이 파견되어 있는곳도 있음.귀관직원이나 차량은 당지에서 외교관지위를 인정받을것 이므로 결정적인 도움이될것임.끝

(대사 소병용-대사)

중아국   미주국   통상국   정문국   영교국   안기부   대책반

발 신 전 보

번 호 : WBG-0386   900831 1438 CG   종별 : 긴급

WKU-0288   WJO-0282

수 신 : 주   수신처 참조   대사//총영사

발 신 : 장 관   (중근동)

제 목 : 교민 철수 성과 치하

   1. 8.31 오전 대통령주재 국가 안보회의에서 걸프지역 사태에 관하여 보고 하였는바, 대통령께서 귀관이 공관장과 직원이 합심하여 교민을 신속하고 안전하게 철수시킬 수 있도록 효과적으로 대처한 노고를 치하 하였음.

   2. 소병용 대사 이하 주 쿠웨이트 공관 잔류 인원이 어려움을 용기있게 극복하고 있음을 아울러 치하하였음.   끝.

                         (장   관   최 호 중)

수신처 : 주 이라크, 쿠웨이트, 요르단 대사

앙고재	90년 8월 31일 중근동과	기안자 성명 박유욱		과 장	심의관	국 장	제1차관보	차 관	장 관	보안통제
										외신과통제

(의영)

0076

3. 이라크

0077

발 신 전 보

번   호 :   종별 : **초기급**

수   신 : 주 이라크   대사.총영사//   (사본 : 주 요르단, 쿠웨이트 대사)

발   신 : 장 관   (중근동)

제   목 : 교민 긴급 철수

대 : BGW-0543

연 : WBG-0281, 0293, WKU-0260

    1. 긴박한 사태가 전개될 것으로 전망되는바, 귀 공관 필수요원 이외 모든 잔류교민 전원이 금주중(늦어도 주말까지) 완전 철수토록 긴급 조치하고 결과 보고 바람.

    2. 현대건설 본부와 긴급 협의후 동사 사장은 동사 소속 필수요원 포함 전원의 긴급 철수 지시를 귀지점에 하달 하였다는바, 동 지점과 접촉 철수 관련 조치 바람. 끝.

                                (중동아프리카국장   이 두 복)

보안통제	

앙고재	기안자성명		과 장	국 장	차 관	장 관	외신과통제
90년 월 일 중근동과				전결			

0078

발 신 전 보

	분류번호	보존기간

번 호 : WBG-0293   900820 1642 FA   종별 : 초긴급

수 신 : 주   이라크   대사.총영사////

발 신 : 장 관   (중근동)

제 목 : 교민 긴급 철수

대 : BGW-0543

연 : WBG-0281

　　　　귀지 교민도 최대한 신속히 철수시키는 것이 정부 방침임. 대호 2항
관련 현대측에도 조속 철수 필요성을 인식하고 있으니 ~~여하정도 없는 범위내에서~~
최대한 신속 철수토록 ~~조치~~ 바람. 끝.

　　　　　　　　　　　　　　　　(중동아프리카국장   이 두 복)

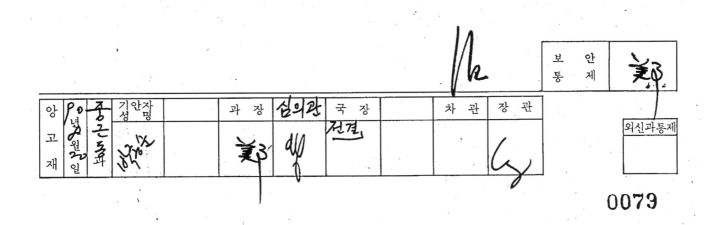

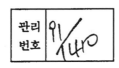

외　무　부

종　별 : 긴급

번　호 : BGW-0546　　　　　　　　　　　　일　시 : 90 0820 1100

수　신 : 장관(건설,노동,기정,중근동,영재,요르단대사)

발　신 : 주 이라크대사

제　목 : 교민철수

　　　대: WBG-257
　　　연: BGW-538

　　1. 쿠웨이트의 현대소속 아국 근로자 105 명과 태국근로자 459 명등 564 명이 32 대의 차량에 분승 8.19.21:00 당지에서 요르단으로 향발 하였으며 동 차량이 계속 암만으로 이동할 예정임

　　2. 이라크의 정우소속 근로자 7 명과 가족 2 명을 포함한 유학생 일행 3 명등 ⑩ 명이 8.19.24:00 에, 한양의 아국근로자 ⑫ 명과 삼국근로자 9 명등 21 명이 8.20.06:00 에 각각 요르단 국경까지만 운행이 가능한 버스편으로 당지를 향발하였는바 요르단 국경에서 암만까지 수송대책이 요망됨

　　3. 당관은 8.19 아국인에 대한 철수가 가능한 지금 모든 행정력을 동원 소속근로자 전원의 신속한 철수가 이루어 지도록 조치 할것을 각업및 개인에게 긴급지시하였음.
끝

　　(대사 최봉름-국장)
　　예고:90.12.31

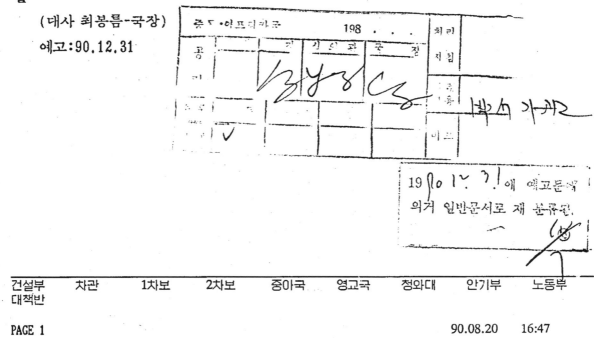

건설부　　차관　　1차보　　2차보　　중아국　　영고국　　청와대　　안기부　　노동부
대책반

관리
번호 91/141

외 무 부

종 별 : 지 급

번 호 : BGW-0547

일 시 : 90 0820 1100

수 신 : 장관(중근동,정일)

발 신 : 주 이라크 대사

제 목 : 훗세인대통령,외국인인질화선언(79호)

1. 훗세인 대통령은 8.19 이라크 및 쿠웨이트에 체류하고있는 외국인에게 보낸 공개 서한에서 걸프 지역에서의 미국등 서방군대의 철수와 이라크에 대한 봉쇄 해제를 제의하면서, 이제의가 수락 된다면 외국인은 즉시 출국이 허용 될것이라고 발표함. 동 대통령은 또한 이라크는 사우디를 공격하지 않을 것이며, 사우디도 이라크를 공격하지 않는다는 안보리 보장을 요구하면서, 외국 군대의 사우디 철수일정은 사우디 군사 개입에 소요된 시한을 초과해서는 안된다는 조건을 제시함

2. 동 대통령은 동 서한은 "이라크 국민들은 이라크에 대한 위해가 제거될때 까지 외국인을 억류하기로 결정 하였다는" 8.17 국회의장 성명을 공식화한것으로 상기 제의가 수락된다면 자신의 헌법상의 권한을 사용하여 외국인이 이라크를 떠날수 있도록 하겠다고 강조함. 끝

(대사 최봉름-국장)

예고:90.12.31

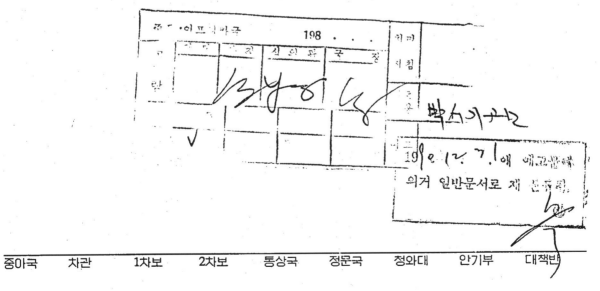

			198 . . .	
		심의관	국 장	

19 12 7 에 예고받는 의거 일반문서로 재 분류함

중아국	차관	1차보	2차보	통상국	정문국	정와대	안기부	대책반

PAGE 1

90.08.20   16:50
외신 2과 통제관 BT

0081

발 신 전 보

분류번호	보존기간

번   호 : _____   종별 : **초긴급**

수   신 : 주 이라크   대사. 총영사//   (사본 : 주 요르단, 쿠웨이트 대사)

발   신 : 장 관   (중근동)

제   목 : 교민 긴급 철수

　　　　　대 : BGW-0543

　　　　　연 : WBG-0281, 0293, WKU-0260

　　　1. 긴박한 사태가 전개될 것으로 전망되는바, 귀 공관 필수요원 이외 모든 잔류교민 전원이 금주중(늦어도 주말까지) 완전 철수토록 긴급 조치하고, 결과 보고 바람.

　　　2. 현대건설 본부와 긴급 협의후, 동사 사장은 동사 소속 필수요원 포함 전원의 긴급 철수 지시를 귀지점에 하달 한다는바, 동 지점과 접촉 철수 관련 조치 바람. 끝.

　　　　　　　　　　　(중동아프리카국장   이 두 복)

	보 안 통 제	
	외신과통제	

앙고재	90년 월 일 중근동 과 박강1소	기안자 성명	과 장	심의관	국 장 전결	차 관	장 관

0082

외 무 부

종 별 : 긴 급

번 호 : BGW-0550   일 시 : 90 0820 1300

수 신 : 주요르단대사 -중계필

발 신 : 주이라크대사

제 목 : 공관가족 철수협조

당관 직원가족 및 이강업 상무관(인솔)등 총15명이 8.23.09:00 이라크 항공으로
귀지향발함. 동인들의 인적사항 아래 통보하니 빠른 방법으로 서울까지의 항공권
구입및 귀지 호텔예약등 협조바람. 예산은 당관 철수경비 5만불중(귀관으로
송금요청함)사용하고 추후 정산바람.

이름 직칙 여권번호생년월일

MRS.SEUNG YEON KWON WIFE OF MINISTER ███████

YOUNG KWO SON ████████████

MRS.DAE WON HONG WIFE OF COUNSELLOR ██████████

JEE SUN HONG DAUGHTER ████████████

JEE EUN HONG ' ███████████

MRS.HAENG SIM KIM WIFE OF CONST. ATTACHE ████████ MISS.JI YUN KIM DAUGHTER

████████████

MRS.BONG JA KIM WIFE OF FIRST SECRE.██████

HYUN KOO KIM SON ██████████

HYUN MIN KIM SON ████████

MR.GAHNG UP LEE COMMERCIAL ATTACHE ██████████

MRS.BOK SOON WIFE ████████

HYO SUN LEE DAUGHTER ██████████

JOON HO LEE SON ████████

MRS.HYUN JA SEO EMPLOYEE ██████. 끝

(대사 최봉름-대사)

종아국 대책반 안기부 통상국 김민국 1차변 2라변

PAGE 1   90.08.20   19:40 CG

외신 1과 통제관

0083

걸프사태 : 재외동포 철수 및 보호, 1990-91. 전14권 (V.3 쿠웨이트 및 이라크, 1990.8.20-31) 401

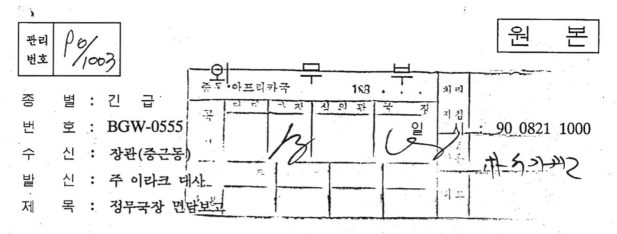

관리
번호 P0/1003

원 본

종 별 : 긴 급

번 호 : BGW-0555

수 신 : 장관(중근동)

발 신 : 주 이라크 대사

제 목 : 정무국장 면담보고

1. 본직은 8.20 외무성 AL-BAYRAKDAR 정무국장을 면담하고, 8.2 현재 주재국체류 아국인은 713 명이었으나 그간 118 명이 출국하고 8.20 현재 595 명이 잔류하고있음을 밝히면서, 아국정부의 불파병 입장과 이.이전 말기 이라크공군이 칸간 폭격시 아국근로자 사망사건을 상기키고 아국인 출국수속 간소화 방안을 정책적으로 고려해줄것을 요청함

2. 동국장은 체류민간인 철수관계 문제는 동국장 소관사항이 아니고 영사국장 소관이라고 하면서 본 출국절차 문제를 정책적으로 고려할 의사를 명백히 하지않음(아국인 잔류인원은 타외국인(예, 인도인 17 만 2 천)에 비해 매우 적은 수자라고 암시)

3. 본직은 주쿠웨이트 북한 통상대표부 철수시 주재국 체류가능 여부를 문의한바, 동 국장은 본건에 대해서 아는바 없으며, 주재국이 북한과 외교관계를 단절한 사실을 상기시키면서 만약의 경우, 북한 직원의 당지 체류가능성을 일축하였음. 동 국장은 북한인원의 철수 문제는 쿠웨이트주재 타국 외교관에 준해 의전실에서 취급될것이며, 정무국에서 취급할 문제가 아니라고함

4. 관찰및 분석

가. 주재국 아국인원 철수관련, 주재국은 "발주처의 허가"를 출국제한 수단으로 하고있음이 명백하나, 지금까지 몇몇 주재상사원, 진출업체 간부및 필수요원을 제하고는 대체로 출국허가를 받은셈임. 다만, 8.21 현재 현대건설 잔류인원은 454 명, 삼성은 39 명등인바, 동 잔류인원수가 격감하지 않은 이유는 동관련 건설업체 자체의 철수의사가 확실히 정해지지 않은 때문인것으로 분석됨

나. 주쿠웨이트 북한통상대표부 철수관련, 현재로서는 그들이 주재국 잔류 가능성은 없는것으로 보임. 한편, 금번 사태관련 북한의 대이라크 공식입장에 대해

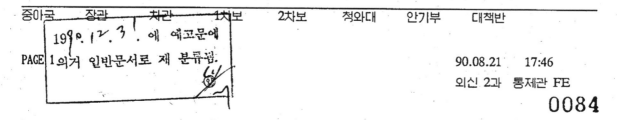

종아국   장관   차관   1차보   2차보   청와대   안기부   대책반

1990. 12. 3. 에 예고문에

PAGE 1 의거 일반문서로 재 분류됨.

90.08.21   17:46

외신 2과 통제관 FE

0084

정무국장이 본직에게 문의한것으로 보아 본건관련 주재국이 북한과의 공식적 접촉은
없었던것으로 분석됨. 끝
    (대사 최봉름-차관)
    예고:90.12.31

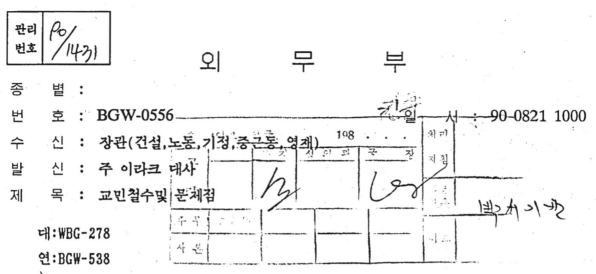

외　무　부

관리번호	P0/1431

종　별 :

번　호 : BGW-0556

일　시 : 90-0821 1000

수　신 : 장관(건설, 노동, 기정, 중근동, 영재)

발　신 : 주 이라크 대사

제　목 : 교민철수및 문제점

대:WBG-278

연:BGW-538

1. 이라크의 현대소속 아국근로자 31 명과 삼국인 근로자 17 명등 48 명이 8.21.02:00 당지-암만간의 영업용버스로 당지를 출발하였음.

2.8.21.09:00 현재 이라크의 잔류교민은 다음과같음

가. 공관:직원 12 명, 가족 14 명등 26 명(무역관장과 가족포함)

나. 건설업체(임직원포함)

-남광 2, 삼성 39, 정우 8, 한양 19, 현대 454 및 가족 7 등 461, 도합 529 명

다. 상사: 상사원 2, 가족 3 등 5 명

라. 기타 개별취업자 4 명등 총 564 명임.

3. 이라크의 잔류교민철수에는 다음과같은 문제점이 있으며 대책강구가 요망됨

나. 각사의 철수방침등 상황

-잔류인력이 가장 많은 현대의 경우 근로자의 우선철수 방침하에 최근에 부입된 701 현장을 제외하고는 사직서제출을 조건으로 본인의 희망에 따라 철수시키고 있으며 일반 사원의 경우에는 근무만기자 또는 휴가자등 극히 제한적인 직원을 대상으로 철수시키고 있음

-삼성의 경우 현지소장이 아브그레이브도로의 하자보수를 위하여 필요한 최소한의 인력이라고 판단한 39 명을 제외하고는 전원 철수시켰다고 보고있으며 바그다드에 대한 피폭위험이 없는한 당분간 계속 잔류할것이라함

-기타 한양, 정우, 남광등은 가능한한 전원 철수키로하고 출국수속중임

나. 문제점

각사가 시공중이거나 하자보수중인 공사의 정상추진을 하고자할경우, 조속한

건설부 노동부	장관 대책반	차관	1차보	2차보	중아국	영교국	청와대	안기부

1990.12.31 에 일반문서로 재 분류됨.

PAGE 1

90.08.21　18:11

외신 2과　통제관 FE

0086

철수가 불가능한 실정이며 조기철수를 위하여는 타절준공등의 조치가 필요하나 다음과같은 문제점때문에 진출업체장은 철수를 주저하고있으며 본격적인 철수를 단행하지 못하고있음

    -주재국 발주처와의 마찰

    -최종완공시까지 이행하여할 최종미수금, 유보금등의 정산절차 중단 및 이에따른 손실, 부입장비, 자재 재반출절차 미이행에 따른 손실, 각종공사대전의 연불협의 중단등 경영손실에 대한 책임문제때문에 전원철수를 주저하고 있으며 본사로부터의 확고한 지침을 대기하고있는 실정임.

    각사는 당지에서의 긴박한 상황이 없음을 이유로 공사의 정상추진을 시도하고있으나 근로자 대부분이 동요하고있어 정상시공은 어려운 실정임

    다. 의견

    -근로자가 대부분인 교민의 조속한 철수를 위하여는 본사차원에서 확고한 전원철수 지침이 시달되어야 할것임

    -이경우에도 발주처에서는 아국업체가 시공한 시설의 운영및 유지관리를 위한 필수요원의 출국비자발급을 거부할것이므로 사실상 전원철수는 불가능할것으로 보임.끝

    (대사 최봉름-국장)

    예고:90.12.31

외 무 부

종 별 : 긴 급

번 호 : BGW-0561

일 시 : 90 0821 1600

수 신 : 장관(중근동,기정) 사본:주요르단대사-중계필

발 신 : 주 이라크 대사

제 목 : 공관직원 가족철수

대:WBG-300,301

1. 당관직원 가족 10 명, 무역관장및 가족 4 명, 고용원 1 명등 15 명이 8.23 09:00 시 IA613 편으로 당지 출발, 암만 도착예정임

철수대상자 명단

√ 최승연(권찬 공사 처:45.5.29 생)
  권영(" 자 :78.8.4)
√ 전대원(홍기철 참사관 처:52.5.5)
  홍지선(" 녀:79.8.18)
  홍지은(" 녀:84.7.12)
√ 박행심(김도재 건설관 처:43.5.1)
  김지연(" 녀:72.6.16)
√ 김봉자(김정기 서기관 처:51.3.18)
  김현구(" 자:77.9.6)
  김현민(" 자:80.8.4)
  이강업(무역관장:53.4.2)
  최복순(무역관장 처:57.7.29)
  이효선(" 녀:85.7.5)
  이효준(" 자:88.10.31)
  서현자(공관 고용원:64.10.24)

공관원 및고용원
10 명

2. 8.23 현재 당관 잔류인원은 본직및 처, 공관원 5 명, 고용원 6 명(아국인4, 제 3 국인 2, 이라크인 제외)임

3. 철수가족의 당지 출발시간이 8.23.09:00 로서 암만 도착시간이 10:00

중아국 대책반	장관	차관	1차보	2차보	정문국	영교국	정와대	안기부

PAGE 1

시이후가될것인바, 특별기 제 2 편(8.23.06:00 암만도착)에 탑승 가능하도록 각별한 협조를 부탁드림.

4. 또한 쿠웨이트 대사관직원(이준화참사관, 임충수건설관, 이기권노무관)과 소대사부인등 공관가족 전원및 고용원등 27 명이 금 8.21 밤 당지에 도착, 8.22 아침 육로로 요르단 국경으로 향발할 계획으로있는바, 동 쿠웨이트 대사관직원 및 가족의 암만도착도 8.23 오전이 예상되므로 특별기 탑승이 가능하도록 적극 협조바람. 쿠웨이트철수 직원의 육로 철수관련, 바그다드발 암만 여객기(매일1 편)는 여권및 ID 카드를 제시하여야만 예약이 가능하고 또한 시간상 당지도착후 예약은 거의 불가능 실정(8 월말까지 예약불가)이므로 부득이 육로 출국하게된점을 참고바람. 끝

(대사 최봉름-국장)

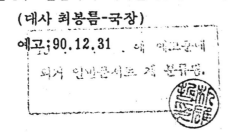

예고;90.12.31 . 에 예고급에
의자 일반문서로 재 분류됨.

발 신 전 보

		분류번호	보존기간

번   호 :   종별 : **초긴급**

수   신 : 주   쿠웨이트   대사 / 총영사 (사본 : 주 요르단, 이라크 대사)

발   신 : 장   관   (중근동)

제   목 : 교민 긴급 철수

연 : WKU-0260

　　　　긴박한 사태가 전개될 것으로 전망되는바, 귀 공관 필수요원 이외
모든 잔류 교민 전원(96명) 금일중 (늦어도 8.22 까지) 귀지 철수토록 조치,
결과 보고 바람. 끝.

　　　　　　　　　　　　　　　　　　　(중동아국장   이 두 복)

	보 안	
	통 제	

앙고재	년월일	과	기안자 성명		과 장		국 장		차 관	장 관

외신과통제

0090

발 신 전 보

번   호 : WBG-0308   900822 1054 DN   종별 : 긴급

수   신 : 주 수신처 참조 ~~대사·총영사~~ (샤본 : 주 요르단 대사) WKU.-0278 WJO.-0225

발   신 : 장 관   (중근동)

제   목 : 공관원 및 가족 철수

연 : WKU-0275, WBG-0301

귀관소속 철수 공관원 및 가족등이 KAL 특별기 2편(DC-10), (8.23 06:00 암만 도착 예정)에 필히 동승, 귀국토록 지시하니 차질없기 바라며, 결과 보고 바람. 끝.

(중동아프리카국장   이 두 복)

수신처 : 주 이라크, 쿠웨이트 대사

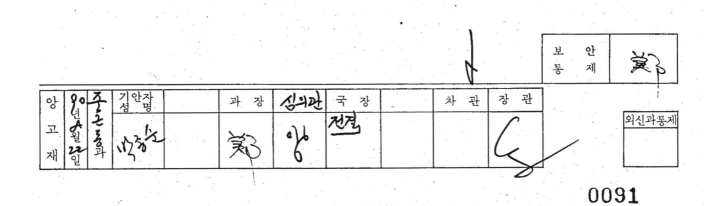

0091

발 신 전 보

WBG-0310   900822 1107 EZ   종별: 긴급

번 호 : ─────────────────────────

수 신 : 주   수신처 참조   대사 . 총영사

발 신 : 장 관   (중근동)

제 목 : 이라크·쿠웨이트 아국 근로자 출국 동향

WSB -0344   WBH -0112
WAE -0173   WJO -0227

이라크·쿠웨이트 사태 관련, 노동부는 주재국 진출 아국 근로자 출국 동향등에 대해 아래와 같이 요청하여 왔는바, 귀관 소관사항에 대해 적의 조치하고 결과 보고 바람.

- 아   래 -

○ 진출 회사별 총 근로자에 대한 출국 근로자수 파악 보고 (매일 24:00 현재 기준)

○ 불가피 사유로 출국이 어려운 근로자에 대해서는 안전대책 강구후 잔류토록 할것 (주 이라크)

○ 근로자 현황, 출국 근로자수 및 사유등 변동 상황에 대해 노동부에 수시 전문 보고 (노무관)

○ 이라크·쿠웨이트 철수 근로자 현황(총원, 철수인원, 잔여인원) 매일 보고 (주 요르단 대사관 노무관).   끝.

(중동아프리카국장   이 두 복)

수신처 : 주 이라크, 쿠웨이트, 사우디, 바레인, UAE, 요르단 대사

	기안자 성명	과장	심의관	국장		차관	장관
앙고재 90년 월 일 중근동과				전결			

관리번호 PO/1454

외　무　부

종　별 : 긴급

번　호 : BGW-0565　　　　　　　　　　　일　시 : 90 0822 1000

수　신 : 주요르단대사　　사본:장관(중근동,영재,기정)

발　신 : 주 이라크 대사

제　목 : 쿠웨이트 공관직원및 가족철수

　　　　연: BGW-0561

　　　　대: WBG-0309

　　　1. 쿠웨이트 공관직원 및 가족 27 명과 공관 고용원 4 명 (제 3국인, 이집트 3, 태국 1), 교민 5 명등 36 명이 8.22.01:30 당지에 무사히 도착하였음

　　　2. 동 철수단의 당지 도착시간이 예상외로 지연 되었고 또한 부녀자의 건강과 안전을 고려, 당지에서 충분히 휴식후 8.22.17:00 시경 바그다드를 출발, 요르단 국경으로 향발할 예정으로 있는바, 암만에서의 특별기 2 탑승은 어려울 것으로 보임

　　　3. 동 철수단을 위한 국경에서의 영접및 호텔 예약과 아울러 시간상 특별기탑승이 불가시 타 항공편 예약바람

　　　4. 동 철수단의 차량은 8 대로서 차량 1 대가 부족하여 당지에서 국경까지 1대 지원할 예정이오니 국경 통과후 1 대 지원되도록 조치바람. 끝

　　　(대사 최봉름-대사)

예고:1990.12.31 . 에 예고문에
의거 일반문서로 재 분류됨　　　　　　198 .

중아국	장관	차관	1차보	2차보	영교국	청와대	안기부	대책반

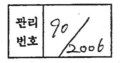

외 무 부

종 별 : **긴 급**

번 호 : BGW-0567

일 시 : 90 0822 1130

수 신 : 장관(건설,노동,기정,중근동,영재), 사본:주요르단대사(중계필)

발 신 : 주 이라크 대사

제 목 : 교민철수

대:WBG-278

연:BGW-510

1. 한양의 아국근로자 1 명이 8.21.09:00 공로로 암만으로 철수하였음

2. 현대의 아국근로자 35 명과 가족 5 명등 40 명 및 현대상사직원및 가족 3 명등 4 명 도합 44 명의 아국인이 8.22.20:00 암만까지의 전세버스로 당지를 출발예정임

3. 정우 근로자 3 명및 개별취업자 2 명등 아국인 5 명과 동사소속 삼국근로자 2 명도합 7 명이 8.22.24:00 요르단국경까지 운행이 가능한 버스편으로 당지를 출발할 예정인바 국경에서 암만까지의 수송대책이 요망됨(정우 이라크지사장이 현재 암만 한보지사에 체류중인바 차량준비 지시가능)

4. 한양의 아국근로자 3 명이 8.23.09:00 공로로 암만으로 철수예정임

5. 연호로 기보고한 정우의 철수인원 13 명을 14 명으로 정정 보고함. 끝

(대사 최봉름-국장)

예고:90.12.31

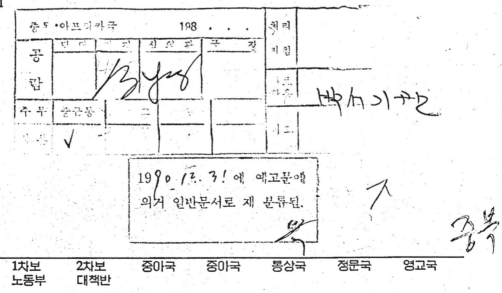

1990.12.31 에 예고문에 의거 일반문서로 재 분류됨.

건설부	차관	1차보	2차보	중아국	중아국	통상국	정문국	영교국
청와대	안기부	노동부	대책반					

PAGE 1

90.08.22   18:55

외신 2과 통제관 DO

0094

외 무 부

종 별 : 지 급

번 호 : BGW-0569   일   시 : 90 0822 1130

수 신 : 장 관(정무삼 중근동과장)

발 신 : 주 이락 대사(권찬 공사)

제 목 : 업연

　　대: WBG-0304

　　대호 말씀하신 전문은 8.21.10:00 주쿠웨이트 대사관에 무위 전달조치 하였으니안심하시기 바람. 이준화 참사관등 쿠웨이트 공관직원 1진 및 가족전원 총 27명이 8.21 바그다드에서 1박하고 8.22.17:00 요르단 국경지역으로 육로 출발 예정이며 당지에서 최대 지원하고 있으나 원체 먼거리에 차량 노후등으로 철수 애로점이 많음.끝

─────────────────────────────────────

중아국

PAGE 1

외 무 부

종 별 :

번 호 : BGW-0571

일 시 : 90 0822 1900

수 신 : 주쿠웨이트대사 사본:장관(중근동)

발 신 : 주 이라크대사

제 목 : 공관원 일시철수

대: WBG-0480

1. 귀관이 차량지원 요청에 대하여 당관은 공관장차및 차석차, 행정차 (토요다 웨곤 87년형) 3대만이 사용 가능한바, 당관 운영상 행정차의 파견은 불가능함

2. 지금까지 주재국 의전실에서 당관에 통보한바를 종합해볼때 당관 차량을 귀관 대기용으로 파견하도록 허가해줄지 의문시되면, 설혹 허가 되더라도 허가는 받는데 5-7일 정도의 시일이 소요됨

3. 본직 판단으로는 8.24 이후 귀관을 포함 직원이 외교특권을 인정하지 않는다는 주재국 정책으로 미루어 보아 본건 당관 차량의 귀관 대기용으로 허가되기는불가능할것으로 사료됨. 끝

(대사 최봉름-대사)

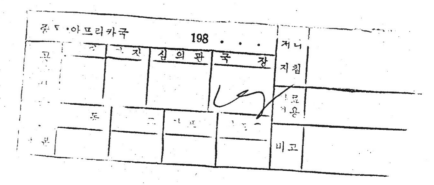

90.08.23 06:29 DA

외신 1과 통제관 0096

발 신 전 보

WBG-0313   900823 0845 CT   종별 : 초긴급 ~~WKU -0281~~

번   호 :

수   신 : 주   수신처 참조   대사//총영사

발   신 : 장 관 (중근동)

제   목 : 요르단 정부, 국경 폐쇄

1. 주 요르단 대사가 2801 8.23. 08:00 전화로 보고한바에 의하면 요르단
정부는 철수 외국인 과다 유입 방지를 위하여 8.22. 24:00 부터 이라크와의
국경을 완전 폐쇄하였다니 ~~근로자 및 교민 철수 지도에 참고~~ 바람.
지난번 나도 확인

2. 상기 사항 주 요르단 대사에게 재확인 지시 하였는바 확인되는대로
재통보 위계임. 끝.

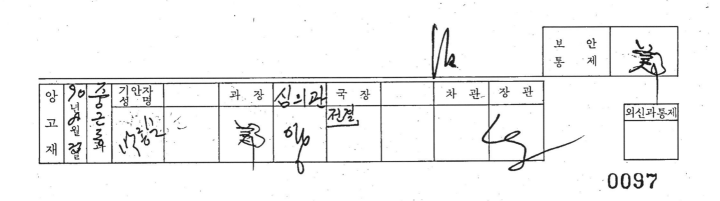

(중동아프리카국장   이 두 복)

수신처 : 주 이라크 , 쿠웨이트 대사

발 신 전 보

	분류번호	보존기간

번   호 : WBG-0315   900823 1132 CT   종별 : 긴급

수   신 : 주 이라크   대사.총영사

발   신 : 장 관 (중근동)

제   목 : 교민 안전 철수

대 : BGW-0556

1. 쿠웨이트 교민의 안전 신속 철수를 실현할수 있도록 최선의 협조와 노력을 다한 귀하와 모든 직원의 노고를 높이 평가하고 위로함.

2. 본부로서는 제반상황을 구체적으로 설명할수 없는 사정이나 사태의 심각성으로 보아 한사람의 교민이라도 가능한 조속 철수 시키는것이 절대적으로 필요하다는 판단이니 최대한의 노력을 다하기 바람. 끝.

3. 현대측도 합법적으로 출국이 가능한 인원을 최대한 철수하는 방침임을 참고 바람.

(중동아프리카국장   이 두 복)

(장 관   최 호 중)

출력을 다시해기 바람.

2차관보

	앙고재	90년월2일	기안자성명		과장	심의관	국장	1차관보	차관	장관
		주근동과				루권				

보안통제	

외신과통제

0098

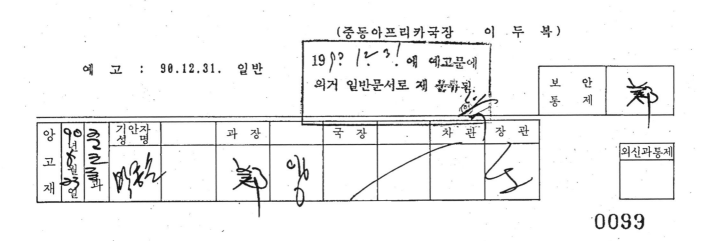

분류번호	보존기간

발 신 전 보

WBG-0322   900823 1535 DY

번   호 :   종별 :

수   신 : 주 이라크   대사 / 총영사 /   (사본 : 주 요르단, 터키 대사) WJO-0241 WTU-0394

발   신 : 장   관   (중근동)

제   목 : 쿠웨이트 공관원 철수

대 : JOW-0327

1. 주 요르단 대사 보고에 의하면 8.23. 0시부터 이라크.요르단 국경이 폐쇄 되었으며 8.23. 06시까지 동 가족의 일행이 국경까지 도착하지 않았다 함.

2. 쿠웨이트 공관원 가족 27명이 귀지에서 암만으로 출발 하였는지 여부 및 출발시간 지급 보고 바람.

3. 공관 폐쇄 이유로 이들이 요르단 국경 통과가 불허될 가능성도 있으므로 귀국에서 이들의 국경 통과 여부를 확인 보고 바라며 불허될 경우 귀지 요르단 대사관과 접촉, 이들이 외교관 가족임을 설명코 국경 통과를 허용토록 교섭 바람. 이들의 출국이 사전처리 없을 경우에도 대비방법.

4. 요르단과 이라크간의 국경이 폐쇄되어 교민들의 철수가 사실상 불가능할 경우 이와 관련 대책을 보고 바람. 끝.

(중동아프리카국장   이 두 복)

예 고 : 90.12.31. 일반

19?? 12 31 에 예고문에 의거 일반문서로 재 분류됨.

앙고재	90년 8월 23일	기안 자성명		과 장		국 장		차 관	장 관

보 안 통 제	

외신과통제

0099

관리
번호 B0/1459

외 무 부

종 별 : 긴 급

번 호 : BGW-0573

일 시 : 90 0823 1000

수 신 : 장관(중근동) 사본:주요르단대사

발 신 : 주 이라크 대사

제 목 : 쿠웨이트 공관원 및가족철수

연:BGW-0565

대:WBG-0316

1. 쿠웨이트 공관원및가족 27 명은 연호 기보고한 바와같이 8.22.18:00 시 바그다드를 출발, 요르단 국경으로 향발하였음

2.8.23. 아침 외신에 의하면 요르단 국경이 폐쇄 되었다고 하는바, 당관은 외무성 의전실을 통하여 동 보도의 사실여부의 확인과, 쿠웨이트 공관직원, 가족의 국경통과 여부를 추적하고 되돌아 오는일이 없도록 협조 요청함.

3. 당관 직원 가족등 15 명은 8.23.09:00 IA 603 편으로 암만을 출발하였음.끝

(대사 최봉름-국장)

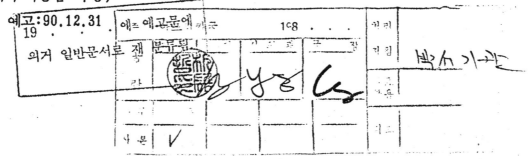

예고:90.12.31
19.
의거 일반문서로 재분류됨

| 중아국 | 차관 | 1차보 | 2차보 | 청와대 | 안기부 | 대책반 |

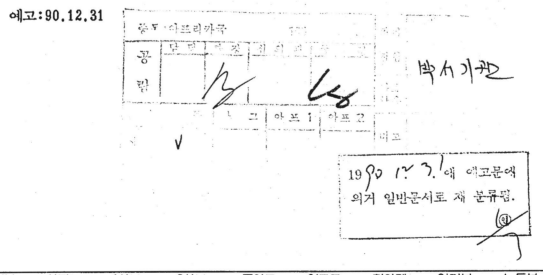

외 무 부

종 별 : 긴 급

번 호 : BGW-0576   일 시 : 90 0823 1000

수 신 : 장관(건설,노동,기정,중근동,영재,요르단대사)

발 신 : 주 이라크대사

제 목 : 교민철수

대:WBG-278

연:BGW-538

1. 쿠웨이트의 현대근로자 36 명 및 교민 7 명등 인도근로자 16 명등 59 명이 8.22.21:00 무사히 당지 현대캠프에 도착하였으며 현대 아국근로자는 당지로부터의 철수여부에 대한 본사의 지침을 대기중이고 인도근로자는 당지 인도대사관에 인계할 예정임

2. 이라크 현대건설 근로자 40 명(가족 5 명 포함)및 현대상사 4 명(가족 3포함)등 44 명의 아국인이 8.22.21:30 암만의 전세버스로 당지를 출발하였음

3. 정우 아국근로자 2 명및 개별취업자 2 명등 아국인 4 명과 방글라데시인3 명등 7 명이 8.22.24:00 육로로 당지를 출발하였음.(당초 아국근로자 3 명이철수예정이었으나 2 명으로 변경). 끝

(대사 최봉름-국장)

예고:90.12.31

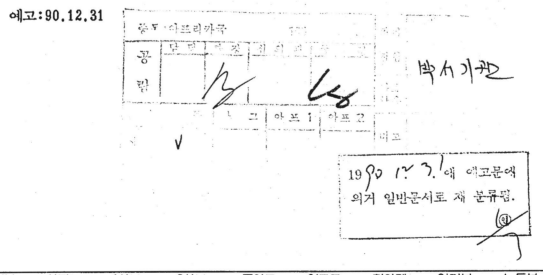

1990 12 3.1에 예고문에 의거 일반문서로 재 분류됨.

건설부 대책반	차관	1차보	2차보	중아국	영교국	청와대	안기부	노동부

PAGE 1   90.08.23   16:36

외 무 부

종 별 : 지 급

번 호 : BGW-0577   일 시 : 90 0823 1130

수 신 : 장관(건설,노동,기정,중근동),사본:요르단대사(중계필)

발 신 : 주 이라크 대사

제 목 : 아국근로자 출국동향

대: WBG-310

연: BGW-484, 489, 499, 517, 524, 532, 546, 556, 567

1. 진출회사별 출국근로자 현황및 잔류현황에 대하여는 철수때마다 연호등으로 기보고하였으며 향후에도 철수실시 또는 예정현황을 발생시마다 수시보고 위계임

2. 불가피한 사유로 출국이 어려운 근로자에 대하여는 외출금지, 경계강화, 비상연락 체재유지, 비상대피 시설의 적격유지 및 근로자 안전대피에 관한 세부계획등을 이미 시행하고있으며 앞으로도 상황 전개에 대비한 안전대피등 단계별 행동계획등을 신속히 시행위계임.

3. 한양의 아국근로자 3 명이 8.23.09:00 공로로 암만으로 철수하였음. 끝

(대사 최봉름-국장)

예고:90.12.31

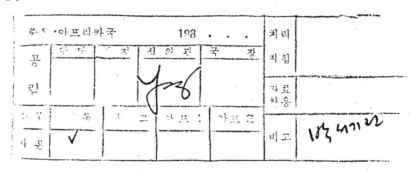

외 무 부

종 별 : 긴 급

번 호 : BGW-0582

일 시 : 90 0823 1700

수 신 : 장관(중근동, 영재, 기정, 건설, 노동) 사본:주요르단대사-중계필

발 신 : 주 이라크 대사

제 목 : 쿠웨이트대사관 공관원 가족일행 국경봉과

1. 8.22.18:00 당지를 출발한 쿠웨이트 공관원 가족일행 전원이 8.23.06:30 국경에 도착, 09:30 까지 이라크국경쪽 출국수속을 모두 마치고 요르단 국경쪽으로 넘어간 사실이 현지 안내인이, 당관에 출두 보고로 확인되었음

2. 상기 사실을 주요르단 대사관에 요르단 국경 봉과 지원토록 조치해주시고 결과를 알려주시기 바람. 끝

(대사 최봉름-국장)

중아국 노동부	장관 대책반	차관	1차보	2차보	영교국	청와대	안기부	건설부

분류번호	보존기간

발 신 전 보

번   호 : WBG-0332   900824 0143 답별 : 긴급

수   신 : 주   이라크   대사!!총영사

발   신 : 장 관   (중근동)

제   목 : 쿠웨이트 공관원 가족 철수

대 :   BGW-0582

　　　　주 요르단 대사는 대호 쿠웨이트 공관원 가족 일행이 금 23일 13:50
(현지시간) 요르단 국경에 도착, 입국 수속 중임을 알려 왔으니 참고 바라며,
동 사실을 주 쿠웨이트 대사관에 통보 바람.   끝.

(중동아프리카국장   이 두 복)

예 고 : 9Q912.31.. 일반에 예고문에
의거 일반문서로 재 분류됨.

앙고재	90년8월21일 중근동과	기안자성명 박규옥		과 장		국 장		차 관	장 관

보 안 통 제	
외신과통제	

0104

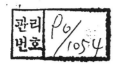
분류번호	보존기간

발 신 전 보

번 호 : WBG-0338   900824 1430 DY   종별 : 긴급

수 신 : 주 이라크   대사//총영사   (사본 : 주 요르단, 터어키 대사)   WJO-0251 WTU-0396

발 신 : 장 관 (중근동)

제 목 : 교민 긴급 철수

WBG-0315, 0322

　　　　1. 요르단 국경 폐쇄로 잔류 교민의 요르단 경유 철수가 사실상 어려운 형편임을 감안, 육로 이동에 의한 터어키 국경 경유, 터어키-서울 직항 KAL 특별 전세기 투입에 의한 철수 방법을 검토 중인바, 이에 대한 귀견 및 여타 최적의 대책 방안이 있을시 이도 함께 지급 보고 바람.

　　　　2. 상기 철수방법에 참고코져 하니, 주재국 터어키 국경(자코 및 HABUR) 육로 이동 거리, 소요시간, 안전성 및 터어키 국경 HABUR 까지의 육로 이동 가능 여부등 철수 관련사항 파악 보고 바람.

　　　　3. 이와관련, 주 터어키 대사는 별첨과 같이 보고 하였는바 철수 대책에 참고 바람.

첨 부 : 관련 전문 사본 . 끝.

1990. 12. 3예 예고문에 의거 일반문서로 재 분류

(중동아프리카국장   이 두 복)

예고문 : 1990. 12. 31 일반분류

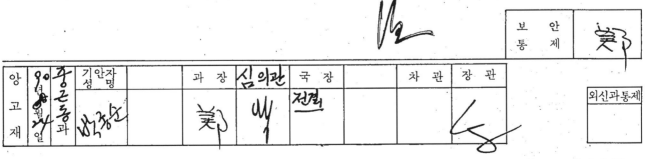

보 안통 제	

앙고재	90년8월24일중근동과	기안자성명 박창순	과 장	심의관	국장 전결	차 관	장 관

외신과통제

0105

발 신 전 보

분류번호 | 보존기간

번 호 : WBG-0339   900824 1431 DY   종별: 지급
                                              WJO -0252
수 신 : 주 이라크   대사.총영사 (사본 : 주 요르단 대사관)

발 신 : 장 관 (중근동)

제 목 : 공관원 및 가족 철수

연 : JOW-0314, WBG-0332
대 : BGW-0561, 0573

1. 귀 공관 가족 15명(KOTRA 포함) 전원이 KAL 특별기 제2편(암만발)
으로 무사히 8.24. 10:15 서울 도착 하였음.

2. 주 쿠웨이트 공관원 및 가족 27명은 KAL 서울-트리폴리 정기 항공편
(KE 802 암만발 <8.25. 17:50> 서울착 예정 <8.26. 16:35>) 동승, 귀국을 추진
중임을 주 쿠웨이트 공관에 알려주기 바람. 끝.

(중동아프리카국장   이 두 복)

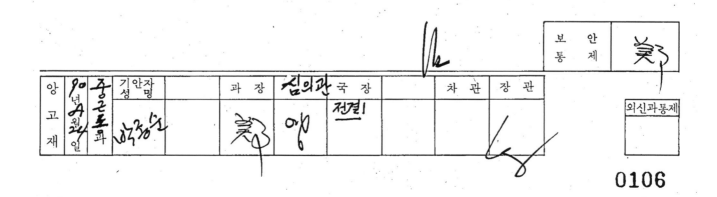

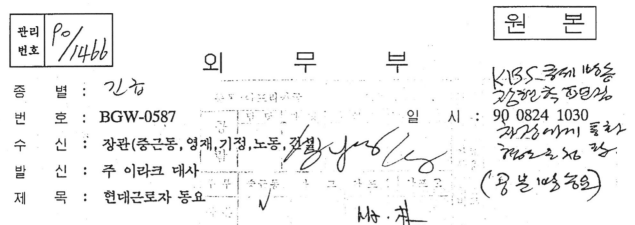

외 무 부

종   별 : 긴급

번   호 : BGW-0587

일   시 : 90 0824 1030

수   신 : 장관(중근동, 영재, 기정, 노동, 건설)

발   신 : 주 이라크 대사

제   목 : 현대근로자 동요

1. 8.23. 21:00 서울 국제방송 뉴스와 요르단 국경폐쇄 및 48 시간내 이라크내 전쟁 발발 위험 가능성이 보도되자 당지 현대 701 공사 소속 근로자 80 여명(현재 바그다드 대기)이, 출국 비자발급이 지연되고 있는데 대해 불만을 토로하며 현장소장 김선태 상무와 면담중, 욕설을 퍼부으며 일부 과격 근로자들은 비자발급을 기다릴것 없이 전쟁 나기전 대사관직원 1 명과 김소장을 인질로하여 현장차량을 탈취해서라도 무조건 국경으로 떠나보자는 주장도 나왔으나, 근로자 대표 4 명이 일단 대사관 설명을 듣자고 하여 8.24. 01:10 경 동대표 4 명이 당관에 도착했음

2. 본직은 01:30-02:40 간 파견관 및 건설관 배석하에 동 근로자 대표들을 면담, 우리 정부의 인원철수 방침과 대주재국 교섭내용및 주재국측 비자발급의 문제점등을 소상히 설명하고, 주재국 비상시국하의 집단행동을 자제하면서 우리정부와 대사관을 믿고 질서있게 출국을 대기토록 설득하고 현장소장도 발주처당국과 협조, 비자획득을 위해 최선을 다할것을 약속함으로써 동 소요는 일단 진정됨

3. 이번사태는 전쟁임박 보도와 함께 요르단 국경폐쇄로 출국길이 막힌데 따른 불안과 출국 비자발급 지연에 대한 불만 (회사측에서 안내보내는것으로 오해) 등이 원인이 되었는바, 당지 분위기를 감안, 국제방송의 자극적 보도자제를 재차 건의하며, 아국인력에 대한 요르단 국경봉과 특별교섭을 적극 추진해주시고 그결과를 통보바람.

4. 당관은 본건관련, 각현장별 대화및 교육을 통해 잔류근로자 동요 방지에 최선을 다할계획임. 끝

(대사 최봉름-차관)

예고 : 90.12.31

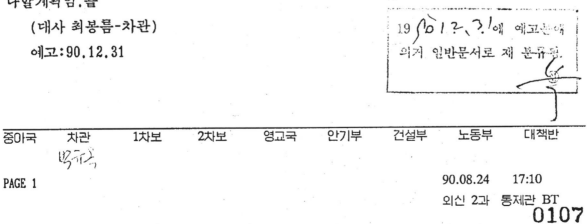

1990.12.31.에 예고문에 의거 일반문서로 재 분류됨.

중아국	차관	1차보	2차보	영교국	안기부	건설부	노동부	대책반

PAGE 1

90.08.24   17:10
외신 2과   통제관 BT
0107

발 신 전 보

분류번호 | 보존기간

번 호 : WBG-0344 900824 1933 DY   종별 :

수 신 : 주 이라크 대사. *참/하사*

발 신 : 장 관 (중근동)

제 목 : 현대근로자동요

대 : BGW-0587

    KBS 국제방송 편성책임자와 대호 보도의 문제점을 협의하여 앞으로 신중한 배려를 해주기로 협조 약속하였음. 끝.

(중동아프리카국장 이 두 복)

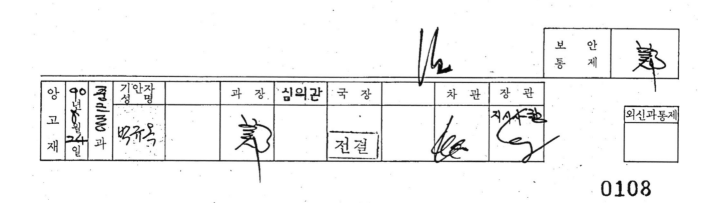

외 무 부

종 별 : 긴 급

번 호 : BGW-0595　　　　　　　　　일 시 : 90 0825 1000

수 신 : 장관(건설,노동,기정,중근동,영재,요르단대사) 중계필

발 신 : 주 이라크대사

제 목 : 교민철수

　　　　대: WBG-278

　　　　연: BGW-576

　　1. 이라크 현대 아국 근로자 16 명 및 가족 2 명등 18 명과 태국 근로자 26명등 44 명이 8.25. 02:30 암만까지의 전세버스로 당지를 출발하였음.

　　2. 연호의 쿠웨이트 현대 최종 철수근로자 36 명중 32 명 및 교민 7 명등 39명과 인도인 2 명등 도합 41 명이 8.25. 06:30 18 대의 차량에 분승 당지를 출발하였으며 현대 철수잔여 인원인 쿠웨이트 지점장등 4 명은 현대캠프에 체재하면서 철수 여부에 대한 본사의 지침을 대기중이고 인도인 16 명중 14 명은 8.23 당지 인도대사관에 인계하였음.

　　3. 이라크 현대 아국근로자 44 명이 8.26.22:00 경 암만까지의 전세버스로 당지를 출발예정임.끝

　　　(대사 최봉름-국장)

　　　예고:90.12.31

건설부	장관	차관	1차보	2차보	중아국	영교국	청와대	안기부
노동부	대책반							

관리 번호 91/1412

외 무 부

종 별 : 긴 급

번 호 : BGW-0598

일 시 : 90 0825 1200

수 신 : 장관(중근동)

발 신 : 주 이라크 대사

제 목 : 교민 긴급철수

대:WBG-313,338

1. 대호관련, 본직은 8.26 외무성 AJJAM 영사국장과 접촉, 아국 교민철수 대책에 관하여 협의한 내용을 아래 보고함

　가. 주재국은 아국교민이 요르단 국경 또는 터키국경 어느쪽으로 출국해도 무방하다는 입장임. 그러나 터키 국경은 현재 폐쇄된 상태임

　나. 동국장은 또한 아국교민의 경우 바그다드-암만간 이라크 항공의 전세기이용이 가능할지도 모른다는 정보를 알려주면서 이라크 항공 당국자와 협의해 보도록 권유함

2. 이라크 항공사측에 문의한바, 현재 바그다드-암만간 매일 1 편(09 시 출발, 18 시 도착)이외에 전세기 운항을 한적은 없으나 이문제는 고위책임자와의 협의가 있어야 될것이라고 함

3. 현대건설 지사는 현재 암만으로부터의 전세버스를 계약 암만국경을 통한철수를 진행하고 있음.

4. 본직 판단으로는 우선 전세버스등을 이용, 기존철수로 철수하되, 바그다드-암만 공로철수도 병행하고, 상기방법이 불가능할경우, 터키국경 통과방법을 개척하는것이 바람직하나, 일시의 많은 인원의 출국허가를 받을수없는 현상황하에서는 KAL 전세기 운항은 암만에 국한, 운항하는것이 적절하다고 사료됨. 끝

(대사 최봉름-국장)

예고:90.12.31 일반

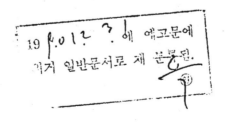

19 90 12 31 에 예고문에 의거 일반문서로 재 분류됨.

중아국 대책반 | 장관 | 차관 | 1차보 | 2차보 | 정문국 | 영교국 | 청와대 | 안기부

PAGE 1

90.08.25　19:11

외신 2과　통제관 CW

0110

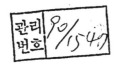

발 신 전 보

WBG-0357   900826 1146 DN   종별: 긴급
                                      WJO -0263   WTU -0398

번   호 :

수   신 : 주   이라크   대사. ~~총영사~~ (사본: 주요르단, 터어키대사)

발   신 : 장   관   (마그)

제   목 : 교민철수

연 : WBG-0313

대 : BGW-0598

1. 요르단정부의 요르단 국경재개방(8.24. 16:00이후)실시가 확인(주요르단대사 보고)
된바, 종전과같이 귀지 잔류교민의 요르단 국경경유 철수를 추진키바라며, 가능한
모든 잔류인원이 조속히 철수토록 바람.

2. 바그다드- 압만 공로이용 철수도 가능한한 병행 추진하기 바람.

                                      (중동아국장 이 두 복)

예고 : 90.12.31. 일반.

1990.12.31에 예고문에
의거 일반문서로 재 분류됨.

| | 보 안 통 제 | |
| | | |

앙 고 재	90년 8월 6일	기안자 성명		과장 심의관	국장		차 관	장 관	
					전결				외신과통제

0111

외 무 부

종 별 : 지 급

번 호 : BGW-0608   일   시 : 90 0826 1300

수 신 : 장관(건설,노동,기정,중근동,영재,요르단대사)

발 신 : 주 이라크대사

제 목 : 교민철수

대:WBG-278

연:BGW-595

1. 연호의 현대 쿠웨이트지점장등 4 명이 8.25.26:00 2 대의 차량에 분승 암만으로 향발하였음

2. 연호의 쿠웨이트 현대근로자 32 명 및 교민 7 명등 39 명과 인도인 2 명도합 41 명이 8.25.06:30 당지를 출발 21:30 국경에 도착하였으나 18 대의 차량중 픽업종류 6 대는 이라크 국경 초소에서 군일들로부터 강압에 의하여 빼앗기고 12 대의 차량으로 철수하였음

3. 당초 8.26.22:00 경 당지를 출발예정이던 이라크의 현대 아국근로자 44 명이 일정을 바꾸어 8.27.20:00 경 당지를 출발 예정임

4. 이라크의 정우근로자 2 명이 8.27.24:00 경 암만까지의 택시로 당지를 출발예정임

5. 현대 701 공사 바스라 인력 18 명이 8.23-25 간 바그다드로 임시철수하였으며 현재 바스라에는 아국근로자 62 명 및 삼국근로자 38 명등 100 명이 잔류하고있음. 끝
(대사 최봉름-국장)

예고:90.12.31.

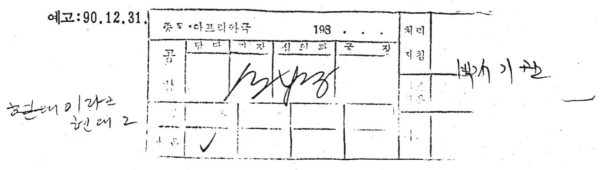

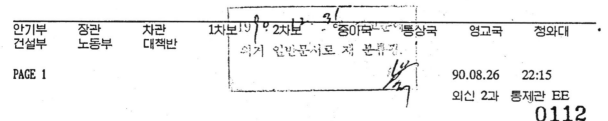

안기부   장관   차관   1차보   2차보   중아국   통상국   영교국   청와대
건설부   노동부   대책반

의거 일반문서로 재 분류됨

PAGE 1   90.08.26   22:15

외신 2과   통제관 EE

0112

분류기호 문서번호	중근동 720- 265 ( )	협 조 문 용 지	결	담당	과장	국장

심의관: 예

분류기호 문서번호	중근동 720- 265	협 조 문 용 지	결	담당	과장	국장
시행일자	1990. 8. 28.		재	明규옥	美	(서명)
수　신	기획관리실장	발 신	중동아프리카국장			
제　목	주이라크 대사관 파우치 수발					

1. 주 이라크 대사관은 파우치 수발을 위한 항공 일정을 아래와 같이 알려왔으니, 금후 파우치가 동 대사관으로 수발 되도록 조치하여 주시기 바랍니다.

2. 바그다드 공항이 폐쇄된 상태에서 임시 운항되고 있고 항공업무가 정상화되지 않고 있는 점을 감안, 보안 유지를 위해 비밀문서는 파우치 발송 대상에서 제외시켜 주시기 바랍니다.

- 아　　　　래 -

ㅇ 항공일정 : ● 바그다드→암만.

　　　　　　매일 IA163　09:00 / 10:30

　　　　　　● 암만→바그다드.

　　　　　　매일 IA164　18:00 / 19:30. 끝.

0113

1505-8 일 (1)
85. 9. 9 승인 "내가아낀 종이 한장 늘어나는 나라살림

190mm×268mm(인쇄용지 2급 60g / ㎡).
가 40-41 1990. 3. 15

걸프사태 : 재외동포 철수 및 보호, 1990-91. 전14권 (V.3 쿠웨이트 및 이라크, 1990.8.20-31) 431

외 무 부

종 별 : 지 급

번 호 : BGW-0597

일 시 : 90 0825 1200

수 신 : 장관(중근동,기문,신이,기정)

발 신 : 주 이라크 대사

제 목 : 파우치수발

대:WBG-343

1. 대호관련, 당지 이라크항공사에 확인한바 8.23 일부터 매일 1 회 바그다드-암만, 암만-바그다드간 운항하고있다함

2. 현재 주재국 공항이 폐쇄조치 상태에서 임시 운항하고있어, 모든 항공업무가 정상적으로 이루어지고 있지않은점을 감안, 본부발 첫정파를 시도할경우는 공문(비밀문건 제외), 신문및 잡지등 중요치않은 문건들을 송부토록 바람.

3. 동 항공일정은 다음과같음

바그다드-암만

매일 IA163 09:00/10:30

암만-바그다드

매일 IA164 18:00/19:30. 끝

(대사 최봉름-국장)

예고:90.12.31까지

19[90. (2.7). 에 예고문에 의거 일반문서로 재 분류됨.

중아국   기획실   정문국   신일   신이   안기부   대책반

PAGE 1

90.08.25   19:15
외신 2과   통제관 CW
0114

외 무 부

종 별 : 지급

번 호 : BGW-0621   일 시 : 90 0828 1200

수 신 : 장관(건설,노동,기정,중근동,영재,요르단대사) 중계필

발 신 : 주 이라크대사

제 목 : 교민철수

　　대: WBG-0278

　　연: BGW-608

　　1. 이라크 현대 아국근로자 40 명, 방글라데시 19 명, 태국 5 명등 64 명이 8.27. 21:00 암만까지의 버스로 당지를 출발하였음

　　2. 이라크 정우근로자 2 명이 8.27. 24:00 암만까지의 영업용 택시로 당지를출발하였음. 끝

　　(대사 최봉름-국장)

　　예고:90.12.31

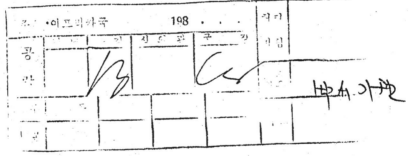

　　　　1990 12.31 에 예고문에 의거 일반문서로 재 분류됨.

건설부 대책반	차관	1차보	2차보	중아국	영교국	정와대	안기부	노동부

PAGE 1

발 신 전 보

WBG-0369   900828 1034 FC

번   호 :

종별 : 긴급

수   신 : 주   이라크   대사. 총영사

발   신 : 장   관   (중근동)

제   목 : 잔류 무의탁 철수 교민 현황

　　　　잔류교민 철수 수송에 참고코져 하니 귀지에 아직까지 잔류하고 있는
무의탁 교민(아국업체 소속 이외자) 있는지 여부 및 있을경우, 요르단 향발
예정 시기를 파악 지급 보고 바람.　　끝.

　　　　　　　　　　　　　　　　　(중동아프리카국장　　이 두 복)

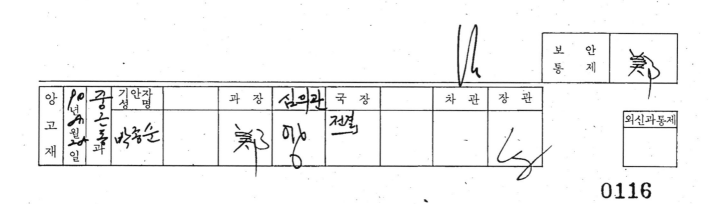

0116

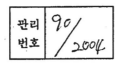

외 무 부

관리번호 90/2004

종 별 : 지 급

번 호 : BGW-0623   일 시 : 90 0828 1200

수 신 : 장관(건설,노동,기정,중근동,영재,요르단대사)-중계필

발 신 : 주 이라크대사

제 목 : 잔류 무의탁 철수교민현황

대 : WBG-0369

1. 8.28 현재 이라크 잔류교민은 총 436 명으로서 이중 434 명은 공관원및 가족 또는 건설업체, 상사등 종사자들이며 잔여 일반교민 2 명중 1 명은 현지 양말공장 기술자로 취업 중이고 나머지 1 명은 일본주재 도요다회사 취업교민으로서단기 출장자인바 귀국시의 철수비용을 모두 부담할수 있는 교민이며 무의탁 교민은 없음. 끝

(대사 최봉름-국장)

예고:90.12.31

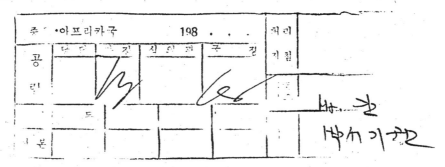

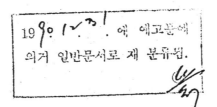

1990.12.31. 에 예고문에 의거 일반문서로 재 분류됨.

건설부   차관   1차보   2차보   중아국   영교국   안기부   노동부   대책반

PAGE 1

90.08.28 18:22

외신 2과 통제관 BT

0117

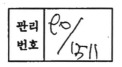

외 무 부

종 별 : 지 급

번 호 : BGW-0632   일 시 : 90 0829 1030

수 신 : 장관(건설,노동,문교,기정,중근동,영재)

발 신 : 주 이라크 대사

제 목 : 철수교민자녀 국내취학조치건의

연:BGW-0499

1. 쿠웨이트, 이라크 교민 취학자녀 대부분은 그동안 당해 지역 외국인 학교에 취학하고 있었으나 사태후 쿠웨이트 교민은 거의 전원이 철수하였고 이라크교민의 경우에도 취학자녀는 전원 귀국한바 있음

2. 양국 공히 자녀들이 취학하고 있는 외국인 학교의 9 월 신학기 개교는 불가능할 뿐 아니라 사태가 정상화 되지않고 현상황이 장기화될 경우 비록 개교가실현된다 하드라도 각종 위험부담 때문에 해당 지역에서의 자녀취학은 사실상 불가능하며 방치할경우 상당기간의 수업결손이 예상됨

3. 따라서 귀국을 완료한 취학자녀에 대하여는 이들의 귀국이 전쟁으로 연유된 불가항력이 었다는 사실을 고려하여 국내취학을 조속히 허용 (외국인학교 발급재증명 생략등 절차간소화 포함), 수업결손이 생기지 않도록 특별대책을 강구하여 주실것을 재차 건의함. 끝

(대사 최봉름-국장)

예고:90.12.31

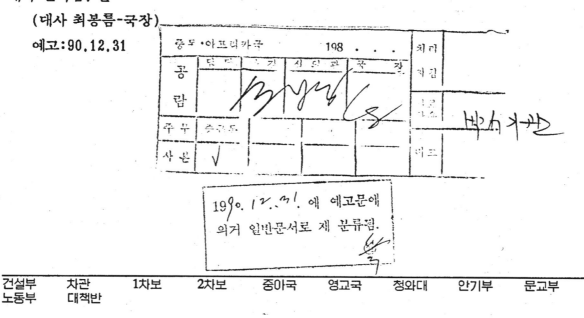

1990.12.31. 에 예고문에 의거 일반문서로 재 분류됨.

| 건설부 | 차관 | 1차보 | 2차보 | 중아국 | 영교국 | 청와대 | 안기부 | 문교부 |
| 노동부 | 대책반 | | | | | | | |

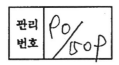

외 무 부

종 별 : 지 급

번 호 : BGW-~~0632~~ 0633

일 시 : 90 0829 1030

수 신 : 장관(건설,노동,기정,중근동,영재,요르단대사-중계필)

발 신 : 주 이라크대사

제 목 : 교민철수계획

대: WBG-0278

1. 8.29.10:00 현재 이라크 잔류교민 현황은 다음과같음

가. 공관:11 명 (고용원 4, 가족 1 포함)

나. 건설업체:4 22 명(남광 2, 삼성 39, 정우 3, 한양 15, 현대 363)

다. 상사 1 명

라. 기타교민 :2 명

마. 합계:436 명

2. 9.10 경까지의 잠정 철수계획은 다음과 같으며 비자발급 및 수송차량확보 상황에 따라 유동적임

가. 현대: 8.31 까지 약 70 명,9.1-10 까지 약 120 명, 도합 190 여명

나. 기타, 남광 2 명, 정우 3 명, 한양 9 명등 총 204 명

3. 현대 701 공사 바스라 아국인력 5 명이 8.28 바그다드 캠프로 임시철수 하였음.

끝

(대사 최봉름-국장)

예고:90.12.31

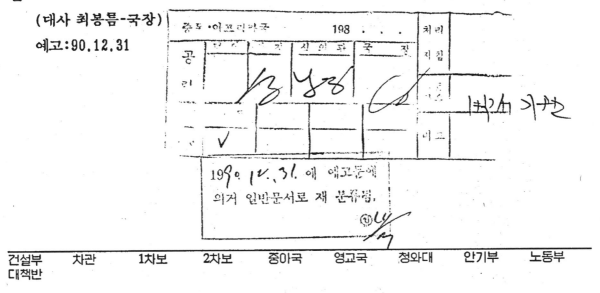

1990 12. 31. 에 예고문에 의거 일반문서로 재 분류됨.

건설부 대책반	차관	1차보	2차보	중아국	영교국	청와대	안기부	노동부

PAGE 1

90.08.29 17:48

외신 2과 통제관 BT 0113

발 신 전 보

분류번호	보존기간

번 호 : WBG-0382   900830 1723 DY   종별 :

수 신 : 주 이라크   대사//총영사

발 신 : 장 관   (중근동)

제 목 : 철수교민 인원 현황

연 : WBG-0369

대 : BGW-0615, 0623

8.29 까지 귀 주재국 체류 철수교민 및 잔류교민 인원 현황이 본부 파악인원 통계와 약간(10여명) 차이가 있는바, 철수교민 현황자료 작성에 참고 코져 하니 아래사항 보고 바람.

1. 철수전의 귀지 체류 교민 총 인원(본부 파악온 712명)

2. 8.29 까지 철수교민 총 인원(본부 파악온 귀국 226, 요르단 체류 68, 잔류교민 418명임). 끝.

(중동아프리카국장   이 두 복)

보안통제	

앙고재	90년 8월 0일 중근동	기안자성명	과장	심의관 국장 전결	차관 장관

외신과통제

0120

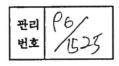
외 무 부

종 별 : 지급

번 호 : BGW-0640   일 시 : 90 0830 1130

수 신 : 장관(건설,노동,중근동,기정,영재,요르단대사-중계필)

발 신 : 주 이라크대사

제 목 : 교민철수

대: WBG-278

연: BGW-633

1. 현대 아국 근로자 68 명이 8.30.06:30 국경까지만 운행이 가능한 버스로 당지를 출발하였으며 국경으로부터 암만까지는 요르단주재 현대지사가 준비한 차량으로 수송 예정임

2. 8.30.10:00 현재 이라크 잔류교민은 공관 11 명(고용원 4, 가족 1 포함), 건설업체 354 (남광 2, 삼성 39, 정우 3, 한양 15, 현대 295), 상사 1 명, 일반교민 2 명등 총 368 명임

3. 현대 701 공사 바스라 아국인력 25 명이 8.29 바그다드 캠프로 임시철수하였으며, 바스라현장 잔류인원은 아국근로자 32 명 및 제삼국 근로자 38 명등 70 명임.끝

(대사 최봉름-국장)

예고:90.12.31

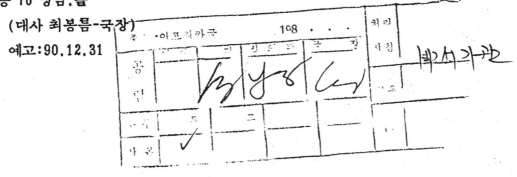

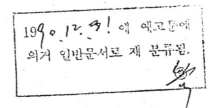

1990.12.31 애 예고문에 의거 일반문서로 재 분류됨.

건설부 대책반	차관	1차보	2차보	중아국	영교국	청와대	안기부	노동부

PAGE 1

90.08.30   17:30

외신 2과 통제관 BT

0121

외 무 부

종 별 : 지 급

번 호 : BGW-0647

일 시 : 90 0830 1300

수 신 : 장관(건설,노동,기정,중근동)

발 신 : 주 이라크 대사

제 목 : 압류차량 반환요구

연:BGW-608

연호 쿠웨이트 현대근로자등 아국교민 39 명과 인도인 2 명등 41 명이 18 대의 차량에 분승 철수중 8.25. 21:30 경 국경초소에서 주재국 군인들에게 강압에 의하여 빼앗긴 6 대의 현대소속 차량과 관련, 본직은 8.30.AJJAM 영사국장을 면담코 동사건 경위를 상세히 설명하고 반환해 줄것을 요청 하였던바 동국장은 유감을 표시하면서 차량 반환에 최대한 협조할 것임을 본직에게 약속하였음. 끝

(대사 최봉름-국장)

예고:90.12.31

중 5·아프리카국		100 ...		처리	
공람	담당	과장	심의관	국장	지침
			yso		
수무	주근동	나 그	사표 1	사표 2	자료 차용
사원	✓				비고

```
1990 12 31 에 아····
의거 일반문서로 재 분·····
```

건설부   차관   1차보   2차보   중아국   청와대   안기부   노동부   대책반

PAGE 1

90.08.31   18:01

외신 2과 통제관 BT

0122

발 신 전 보

	분류번호	보존기간

번   호 : WBG-0386   900831 1438 CG   종별 : 긴급

WKU -0288   WJO -0282

수   신 : 주 수신처 참조   대사//총영사

발   신 : 장 관   (중근동)

제   목 : 교민 철수 성과 치하

　　　1. 8.31 오전 대통령주재 국가 안보회의에서 걸프지역 사태에 관하여 보고 하였는바, 대통령께서 귀관이 공관장과 직원이 합심하여 교민을 신속하고 안전하게 철수시킬 수 있도록 효과적으로 대처한 노고를 치하 하였음.

　　　2. 소병용 대사 이하 주 쿠웨이트 공관 잔류 인원이 어려움을 용기있게 극복하고 있음을 아울러 치하하였음.   끝.

　　　　　　　　　　　　　　　　　　(장、　　관　　　최 호 중)

수신처 : 주 이라크, 쿠웨이트, 요르단 대사

	보 안 통 제	
	(의명)	

	90년 8월 31일	중근동과	기안자 성명 백규목		과 장	심의관	국 장	제1차관보	차 관	장 관	외신과통제
앙고재						예					

0123

4. 요르단

0124

외 무 부

종 별 : 긴급

암호수신

번 호 : JOW-0305　　　　　　　　　　　일 시 : 90 0820 1400

수 신 : 장 관(중근동, 영재, 마그, 노동부, 건설부, 기정)사본:주이락, 쿠웨이트대사

발 신 : 주 요르단 대사　　　　　　　　　　　　　(중계필)

제 목 : 교민철수(현대)

　　　연:JOW-0302

　　1. 연호 쿠웨이트 현대소속 1 진(168 명) 및 이락 현대 근로자 8 인 및 쿠웨이트 철수교민 가족 10 명, 총 186 명 금 8.20. 10:00 암만에 무사히 도착함

　　2. 태국인 근로자 688 경은 주재국 입국 수속을 종료하고 인수할 태국 요원에게 인계, 임시 난민촌으로 향하였음

　　　(대사 박태진-국장)

중아국	차관	1차보	2차보	중아국	통상국	영교국	안기부	건설부
노동부	대책반							

PAGE 1

90.08.20　21:39
외신 2과　통제관 DO

0125

걸프사태 : 재외동포 철수 및 보호, 1990-91. 전14권 (V.3 쿠웨이트 및 이라크, 1990.8.20-31) 443

외 무 부

종 별 : 초긴급

번 호 : JOW-0309   일 시 : 90 0820 2320

수 신 : 장 관(중근동,마그,기정)

발 신 : 주 요르단 대사

제 목 : 쿠웨이트 철수 교민문제점

연: JOW-0304

1. 2 차에 걸쳐 당지로 철수한 쿠웨이트 교민들은 이번사태로 하루아침에 실제난민이 되었을 뿐만 아니라 사전에 조금도 예상하지 못하였던 변을 당하여 은행으로 부터의 인출등 사전준비를 전혀하지 못한 상태에서 피난나온 실정임

2. 졸지에 모든 재산과 생활 터전을 잃은 이들은 허탈한 상태에서 아래내용의국가적인 차원의 구호를 호소하고 있음

가. 귀국직후 부터의 생활대책

1) 정상 회복시까지 당분간의 숙식문제

2) 융자내지 직장알선문제

나. 철수도중의 제비용 지원

항공료 및 경유지 체류비 (요르단)

3. 쿠웨이트 철수 교민의 실상이 특히 어려운 실정인바 이들에 대한 정부의 각별한 배려가 요망됨

(대사 박태진-국장)

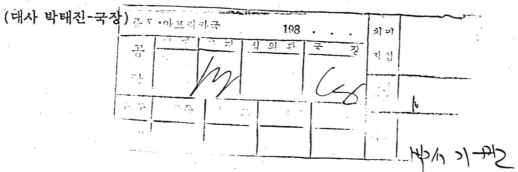

중아국   중아국   안기부   상황실

90.08.21   05:49 DA

외신 1과 통제관

0126

발 신 전 보

분류번호	보존기간

번   호 : WJO-0218   900821 1130 FC   종별 : **긴급**

수   신 : 주 요르단   대사. 송영식   WBG-0302 WKU-0276
          (사본 : 주 이라크, 쿠웨이트 대사)

발   신 : 장   관   (중근동)

제   목 : 교민 긴급 철수

연 : WJO-0217, WBG-0300

　　　1. 철수 사후대책 수립에 필요하니, 무의탁 철수교민 현황(인원수등)을 파악(명단 추후 별도) 보고 바라며, 요르단 체류중인 철수 교민 인원 현황(숫자, 소속등) 및 특별기 이용 귀국자 인원(명단등)도 파악 함께 보고 바람.

　　　2. 무의탁 철수교민의 귀국 항공임등 지원문제는 현재 관련부서와 협의중임.

　　　3. 귀지 철수교민용 생필품 포함 긴요한 비상품을 원할경우, KAL 특별기 2편(8.22. 10:00 서울발)에 송부코져 하니 귀견 지급 회보 바람. 끝.

　　　　　　　　　　　　　(중동아프리카국장   이 두 복)

보 안 통 제	

앙 고 재	90 년 월 일 중 근 동 과	기안자 성명	과 장	심의관 국 장 전결		차 관	장 관	외신과통제

외 무 부

종   별 : 긴 급

번   호 : JOW-0312   일   시 : 90 0821 1100

수   신 : 장 관(중근동,마그,영재,노동부,건설부,기정)

발   신 : 주요르단 대사

제   목 : 교민철수

　　1.쿠웨이트 현대 2진 105명은 8.20 11:00 요르단 입국수속을 마치고 금21일 08:40 암 만에 무사히 도착함. 태국 근로자는 요르단 입국후 태국측에 인계함

　　2.이라크의 정우개발 제회철등 근로자 7인,한양 양정균등 근로자 12인 및 유학생 일행 3명 8.20밤 암만에 도착함.

　　(대사 박태진-국장)

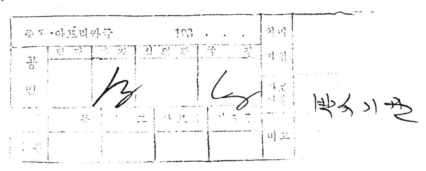

중아국   1차보   중아국   정문국   영교국   안기부   건설부   노동부   대책반

PAGE 1   90.08.21   16:41 DP
                                              외신 1과 통제관.
                                                  0128

14

외　무　부

원　본

종　별 : 지　급

번　호 : JOW-0313　　　　　　　　일　시 : 90 0821 1430

수　신 : 장　관(중근동,마그,영재,노동부,기정)

발　신 : 주 요르단 대사

제　목 : 교민철수

1. 8.21 현재 당지에 체재하고있는 이락, 쿠웨이트 교민 잔류 현황은 다음과 같음

　가. 쿠웨이트 철수교민:16명

　-입원환자 가족 2세대 14명, 임산부 가족2명. 임산부 가족 남상권,조지혜 부부는 출산예정일이 8.22 전후로 당분간 체류가 불가피할 것으로 보임(KAL 측에서도 탑승시키지 않음)

　나. 건설 근로자 및 기타:247명

　-이락주재 정우개발 근로자:8명

　-이락주재 한양건설근로자:13명

　-이락주재 현대근로자:31명

　-쿠웨이트 주재 현대근로자:192명

　-이락주재 유학생:3명

　다. 전기 잔류교민일부, 건설노무자 및 유학생등은 KAL 특별기 제 2편으로 귀국조치 예정임

　2. 8.20 KAL 특별기 제 1편으로 귀국한 교민중 약30세대 190명 미만이 무의탁 교민으로 추산되나 당지에서 자세한 내용의 파악은 곤란한바, 동행하는 쿠웨이트 한인회장(장정기)을 통해 알아봄이 좋을것임

　(대사 박태진-국장)

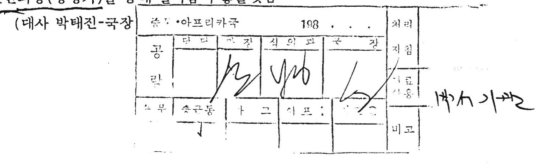

중아국　　1차보　　중아국　　영교국　　안기부　　노동부

외 무 부

종 별 : 긴 급

번 호 : JOW-0317   일 시 : 90 0821 1620

수 신 : 장 관(중근동, 영재, 경이, 노동, 기정)

발 신 : 주 요르단 대사

제 목 : 근로자 철수및 귀국상황 보고(종합)

1. 금번 이.쿠 사태이후 양지역 아국 근로자 철수현황(종합)을 아래와 같이 보고함

가. 이락지역 (철수 : 85명, 귀국 63명, 대기 22명)

-8.14. 현대 5명

-8.15 삼성 17명귀국, 현대3명귀국

-8.18 현대1명귀국

-8.20 정우 11명철수 9명귀국, 대림 1명, 동아1명, 남광4명, 삼성 15명, 현대 7명귀국

-8.20 정우 7명철수대기, 한양 12명 철수대기

-8.21 한양 1명 철수대기

나. 쿠웨이트 지역 (철수 : 277명, 귀국 : 85명, 대기 : 192명)

-8.20 현대 172명 철수, 85명귀국, 87명대기

-8.21 현대 105명 철수, 대기

2. 현대기인원중 현대 192명, 정우 7명, 한양13명등은 23일 특별기편 귀국 예정임

(대사 박태진-국장)

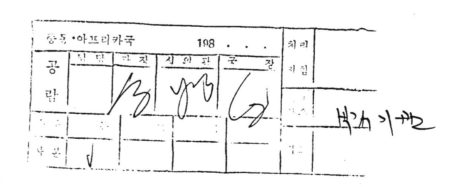

중아국	1차보	2차보	경제국	영교국	안기부	노동부	대책반

외 무 부

종 별 : 긴 급

번 호 : JOW-0314

수 신 : 주이락 대사 사본:중근동

발 신 : 주 요르단 대사

제 목 : 공관원 가족 및 교민철수

대: WJO-0221

KAL 특별기 제 2편이 8.23 06:00 당지 도착함을 감안, 쿠웨이트 공관 직원 및 가족
등 일행이 가능하면 늦어도 8.22 까지는 당지에 도착토록 조치바람

(대사 박태진-주 이락대사)

중아국   대책반

90.08.21   20:57 CG

외신 1과 통제관

0131

발 신 전 보

분류번호	보존기간

번   호 : WJO-0226   900822 1055 DN   종별 : 긴급

수   신 : 주   요르단   대사.총영사   (사본 : 주 쿠웨이트, 이라크 대사)   WKU-0279 WBG-0309

발   신 : 장 관   (중근동)

제   목 : 공관원 및 가족 철수

연 : WJO-0217

　　KAL 특별기 제2편(DC-10)(8.23 06:00 암만 도착 예정)에 이라크 및 쿠웨이트 주재 아국 철수 공관원 및 가족이 필히 동승 귀국토록 좌석확보등 필요조치 하고 결과 보고 바람. 끝.

(중동아국장   이 두 복)

앙고재	기안자 성명	과장	심의관 국장	차관 장관	보안통제
			전결		외신과통제

0132

발 신 전 보

	분류번호	보존기간

번 호 : WJO-0228   900822 1107 EZ   종별: 긴급

수 신 : 주 요르단 대사. 총영사///

발 신 : 장 관 (중근동)

제 목 : 공관원 및 가족 철수 관련

      교민 철수 관련 현지 특파 취재기자에 의해 쿠웨이트 아국 공관원 및 가족 철수 기사가 보도되었는바, ~~아직 일부 교민이 찬류된 상황에서 아국 공관원이 철수로~~ 아국은 쿠웨이트 공관을 계속 유지 가능 방침임에도 불구하고 ~~하는점에 대해 국내 일각에서의 부정적 시각~~ 공관 철수로 오해될 가능성이 있음을 유념, 향후 공관원 및 가족 철수에 대한 보도가 나오지 않도록 각별 조치 바람. 끝.

                              (중동아프리카국장 이 두 복)

앙고·재	기안자 성명	과장	심의관	국장	차관	장관	보안통제
90년 8월 22일 중근동과				전결			

외신과통제

0133

발 신 전 보

	분류번호	보존기간

번 호 : WJO-0235   900823 0846 CT   종별 : 초긴급

수 신 : 주 요르단   대사. 총영사

발 신 : 장 관   (중근동)

제 목 : 요르단 정부, 국경 폐쇄

       귀관 김 참사관 보고에 의하면 주재국 정부가 8.22. 24:00을 기해
이라크와의 국경을 완전 폐쇄 하였다는 바 동 사실 재확인 바람. 끝.

동 폐쇄 조치가 철수인원의 과다 유입으로인한 처리능력 부족
측기술상의 이유인지 여부, 그기간 전망, 항공로 도 차단되었는지
여부, 그러면 민간여객 가능 여부바람
이라크 측의 입장동
                              (중동아프리카국장   이 두 복)

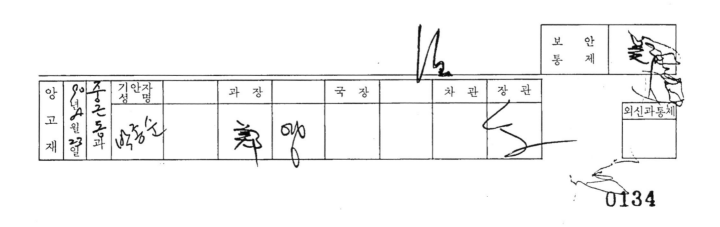

앙고재	중근동과	기안자 성명	과장	국장	차관	장관		보안 통제	외신과통제
80년월일									

0134

발 신 전 보

분류번호	보존기간

번   호 : WJO-0236   900823 1133 CT   종별 : 지급
                                                  WBG-0316

수   신 : 주   요르단   대사·총영사 (사본 : 주 이라크 대사)

발   신 : 장   관 (중근동)

제   목 : 공관원 및 가족 철수

쿠웨이트 아국 공관원 및 가족(2명)의 귀지 도착여부 보고 바람. 끝.

(중동아프리카국장 이 두 복)

보안통제								
	기안자 성명		과 장	심의관	국 장		차 관	장 관
90 년 월 일 중근동과					전결			

외신과통제

0135

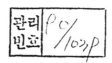

	분류번호	보존기간

발 신 전 보

WJO-0242   900823 1536 DY

번   호 : _____   종별 : _____

                                    WBG -0323

수   신 : 주 요르단   대사 / 총영사   (사본 : 주 이라크 대사)

발   신 : 장 관   (중근동)

제   목 : 이라크.요르단 국경 폐쇄

대 : JOW-0327

1. 주 이라크 대사의 8.22. 오전(현지시간) 보고에 의하면 대호 쿠웨이트 가족 27명이 8.22. 01:30시에 도착, 휴식후 8.22. 17:00 시 바그다드 출발, 요르단 국경으로 향발 예정인바 이들이 예정대로 출발경우 국경에는 8.23. 오후 도착 예정이므로 요르단 국경에서 계속 대기하기 바라며 이들의 국경 통과가 불허될 경우를 대비, 귀지에서도 적극 교섭 바람.

2. 주 이라크 대사관으로 부터 이들의 출발시간 등이 보고 되는대로 통보 하겠음. 끝.

(중동아프리카국장   이 두 복)

예 고 : 90.12.31. 일반

보 안 통 제	

앙고재	기안자 성명		과장		국장		차관	장관	외신과통제
90년 8월 23일 과									

외 무 부

종 별 : 초긴급

번 호 : JOW-0327   일 시 : 90 0823 0640

수 신 : 장 관(중근동,마그,기정)   사본: 주이락대사(중계필)

발 신 : 주 요르단 대사

제 목 : 이락.요르단 국경폐쇄

1. 이락.요르단 국경이 8.23. 0시부로 돌연 폐쇄되었음이 요르단 국경현지에서 02경 확인되었음.

2. 쿠웨이트 공관원 및 가족일행은 외교관 예외조치를 받을수 있을 것으로 기대하고 요르단 국경에서 대기하고 있으나 06:00 현재까지 만나지 못하고 있음(요르단-이락간 국경 70 KM 이격)

3. 이락측에서의 출국여부 확인및 출국불가시 대책 시급 강구요망.끝.

(대사 박태진-국장)

종아국	차관	1차보	2차보	미주국	중아국	통상국	정문국	청와대
안기부	대책반							

PAGE 1   90.08.23   13:25 DC

외신 1과 통제관

0137

외 무 부

종   별 : 초긴급

번   호 : JOW-0330   일   시 : 90 0823 1020

수   신 : 장 관(중근동,마그,영재,기정)

발   신 : 주 요르단 대사

제   목 : 이락.요르단 국경폐쇄

　　　　대: WJO-0235
　　　　연: JOW-0327

1. 09:00 현재 철수인원 이락 출국여부 미확인상태이며 요르단 입국을 위하여는 금 08:20 주재국 외무성 OBEIDAT 정부국장에게 한국 외교관 및 가족들에 대한 입국 허용 요청을 긴급구난으로 강력히 요청하였던바 동인은 최선을 다할것을 약속하였음

2. 금 09:00까지 요르단 국경에서 대기중이던 당관 직원이 쿠웨이트 공관원 가족들이 이락 국경에 계속있는지 여부를 확인키 위해 요르단.이라크 국경 관계자들의 특별허가를 받아 70 KM 의 완충지대를 지나 이라크 국경으로 출발하였음.

3. 동국경 폐쇄 이유는 주재국에서 수송문제등 감당할수 없는 많은피난민의 이유라고 하고있으나 이락의 입장등 (이락쪽에서 폐쇄할시세계 여론의 지탄대상 우려)을 고려한 정치성도 내포되어 있는것을 판단됨.

4. 09:00 바그다드 출발 이락항공은 10:00 경 당지도착으로 정상 운행함. (대사 박태진- 국장)

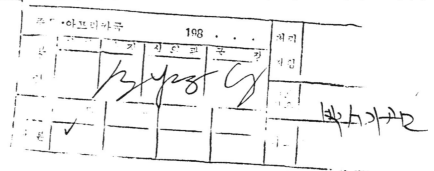

중아국 안기부	차관 대책반	1차보	2차보	미주국	중아국	통상국	정문국	영교국

90.08.23   16:45 WG

외신 1과 통제관

0138

외 무 부

종 별 : 긴 급

번 호 : JOW-0331   일 시 : 90 0823 1120

수 신 : 장 관(중근동, 마그, 영재, 기정),사본:주이락,쿠웨이트 대사(중계필)

발 신 : 주 요르단 대사

제 목 : 쿠웨이트 공관원 철수

대:WJO-0232

1. 대호 현지시간 11:00 에 쿠웨이트 공관원 일행에 대한 주재국 내무성으로 부터 특별입국 승인받았음

2. 요르단 입국은 이상의 특별승인으로 순조롭게 진행될 전망임

(대사 박태진-국장)

예고:90.12.31. 일반

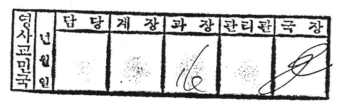

영 사 교 민 국	년 월 일	담 당	계 장	과 장	관리관	국 장

중아국   장관   차관   1차보   2차보   중아국   통상국   정문국   영교국
정와대   안기부   대책반

PAGE 1   90.08.23   18:45

외신 2과 통제관 DO

외 무 부

종 별 : 지 급

번 호 : JOW-0333   일 시 : 90 0823 1500

수 신 : 장 관(영재,중근동,경이,노동,기정) 사본:주이락대사-중계필

발 신 : 주 요르단 대사

제 목 : 근로자 철수상황보고(23.12:00)

1. 8.23 12:00 현재 근로자 철수상황을 아래와 같이 보고함

가. 쿠웨이트(192 명)

-8.20 철수(현대)87 명

-8.21 철수(현대)105 명

나. 이라크(29 명)

-8.20., 8.23 철수(한양) 15 명

-8.20 철수(정우)8 명

-8.21 철수(현대) 6 명

다. 당지 잔류인원 현대 5, 정우 1, 한양 1, 주재원등 7

2. 상기 인원은 23 일 11:45 특별기편 귀국하였음

3. 동전세기편 쿠웨이트 교민 10, 이락 공관원 가족 15 명, 기자단 5 명등 총 254 명이 동승하였음

(대사 박태진-국장)

영교국 노동부	장관 대적반	차관	1차보	2차보	중아국	경제국	정문국	안기부

90.08.23   23:03
외신 2과 통제관 CW
0140

외 무 부

종 별 : 지 급

번 호 : JOW-0334   일 시 : 90 0823 1500

수 신 : 장 관(중근동, 마그, 영재, 기정) 사본:주이락대사-중계필

발 신 : 주 요르단 대사

제 목 : 쿠웨이트 공관원 철수

　　　연:JOW-0331

　　　연호 일행은 금 23 일 13:50 요르단 국경에 도착 입국수속중인바, 수속이
종료되는대로 암만향발 예정임

　　　　(대사 박태진-국장)

중;아국	장관	차관	1차보	2차보	중아국	정문국	영교국	청와대
안기부	대책반							

외 무 부

종   별 : 지 급

번   호 : JOW-0335

일   시 : 90 0823 1700

수   신 : 장 관(중근동,마그,영재,노동,기정)사본:주이락대사-중계필

발   신 : 주요르단대사

제   목 : 교민철수

대:WJO-0244

대호 이라크 현대근로자 44명 및 정우등 7명 계 51명도 입국허용되어 8.23 16:30
현재 요르단 입국수속중에 있음.

(대사 박태진-국장)

중아국 노동부	장관 대책반	차관	1차보	2차보	중아국	영교국	청와대	안기부

FAGE 1

90.08.24   00:19

외신 2과 통제관 CW

0142

외 무 부

종 별 : 긴 급

번 호 : JOW-0337　　　　　　　　　　　일 시 : 90 0823 2100

수 신 : 장 관(중근동,마그,기정) 사본:주이락,쿠웨이트 대사-중계필

발 신 : 주 요 르 단 대사

제 목 : 쿠웨이트 공관원 철수

　　　연:JOW-0334

　　　연호일행(공관원 및 가족 27 인, 아국 교민 5 인, 제 3 국인 4 인)36 명은 8.23

20:00 암만에 무사히 도착함

　　　(대사 박태진-국장)

종아국 안기부	장관 대책반	차관	1차보	2차보	중아국	정문국	영교국	청와대

외   무   부

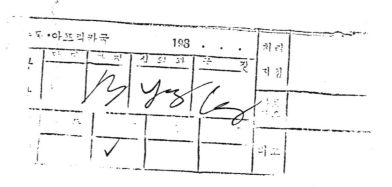

종   별 : 긴급

번   호 : JOW-0339   일   시 : 90 0824 1030

수   신 : 장 관(중근동,마그,영재,노동,건설,기정)사본:주이락대사

발   신 : 주 요르 단 대사

제   목 : 교민철수

　　　연: JOW-0335

　　　연호 일행(현대 44 인, 정우 2 인, 개인사업 2 인, 제 3 국인 3 인)은 8.2400:20
암만에 무사히 도착함

　　　　　(대사 박태진-국장)

중아국 노동부	차관	1차보	2차보	중아국	영교국	청와대	안기부	건설부

PAGE 1   90.08.24   17:12
　　　　　　　　　　　　　　　　　　　　　　　　외신 2과 통제관 BT
　　　　　　　　　　　　　　　　　　　　　　　　　　　　0144

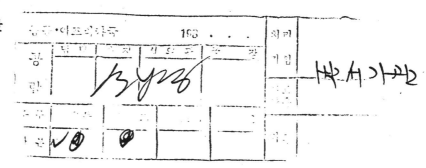
외 무 부

종 별 : 지 급
번 호 : JOW-00343   일 시 : 90 0824 1730
수 신 : 장 관(중근동,마그,기정)
발 신 : 주 요르단 대사
제 목 : 교민긴급철수

대:WJO-0251

1. 금번 요르단 국경 폐쇄로 동국경 지대에는 현재 7 만명 이상(증가추세)이 크게 혼잡한 가운데 질서를 기대하기 어려운 실정임

2. 국경폐쇄 이후에도 아국 교민의 추가 입국 교섭은 가능할수 있을 것이나, 국경지대의 상황으로 보아 완충지대의 물리적인 통과자체가 어려워 질것이 예상되는바, 대호 철수방안 가능시 적극추진 요망됨

(대사 박태진-국장)

예고:90.12.31 일반

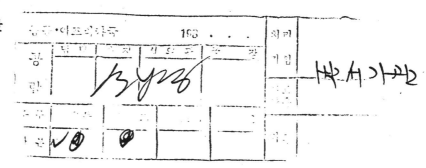

중아국   차관   1차보   2차보   중아국   통상국   청와대   안기부   대책반

PAGE 1   90.08.25   00:17
                                                         외신 2과   통제관 DO
                                                              0145

< 첨부 >   (모스탄. 여기 제외)

가. 육로이동의 가능및 안전성 여부

이락 국경 터키도시 HABUR 에서 공항까지 육로이동이 가능하며 동지역은 <u>쿠르드족</u>
<u>테러리스트들이 가끔 출몰하는 지역이므로</u> 다소 위험은 없지 않으나 이용도로가
국도이므로 안전에 큰위험은 없을것으로 보임

나. 국경에서 통과사증 발급

터키와 아국은 사증 면제협정이 체결되어 있으므로 터키입국 사증이 필요없음

다. 국경에서 공항까지의 교통수단

국내항공을 이용하는경우 국경에서 인근 국내공항을 이용할수 있으며, 임차버스를
이용하는 경우 이스탄불 국제공항까지 약 40 시간이 소요됨. 국내항공을 이용하는경우
1 일 1 회 있으며, 필요한경우 터키항공으로부터 전세도 가능하다함. 한국에서
전세기를 보내는경우 국경 인근지역에 있는 국내공항이용도 가능하다함.

라. 체류시 수용시설

터키정부가 마련한 특별한 수용시설은 없으며 호텔, 여관등을 이용할수 있다함.

마. 기타

아국정부가 아국인을 터키경유 철수시키고자 하는경우 사전에 외무성과 접촉,
협조해달라고 요청하고, 터키는 터키-이라크 국경지역 관공서에 이라크로부터 오는
외국인에 대하여 최대한의 편의를 제공하도록 특별지시를 내려놓고 있다고 하였음.

0146

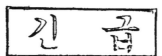

발 신 전 보

관리 번호	10/473

WJO-258

WYO-0162   900825 1430 FA

	분류번호	보존기간

번   호 : ~~WYO-0162~~   900825 1430 FA   종별 :

수   신 : 주 요르단   대사//총영사   (사본 : 주 이라크 ~~대사~~)

발   신 : 장   관   (중근동)

제   목 : 교민 철수

연 : WJO-0251
대 : JOW-00343

    외신 보도에 의하면, 주재국 정부가 폐쇄 하였던 이라크와의 국경을
재개방 할 예정이나, 하루 2만명만 통과를 허용할 것이라고 주재국 내무장관이
발표 하였다는바 진위 여부 파악 보고 바라며, 사실일 경우, 종전과 같이 이라크
잔류 교민의 귀지 경유 철수 추진을 재검토 중인바, 귀견 및 관련 참고사항도
지급 보고 바람. 끝.

(중동아프리카국장   이 두 복)

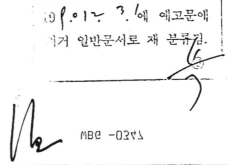

'91.12~3.1에 예고문에
의거 일반문서로 재 분류됨.

WBG -0347

앙 고 재	90 년 월 일 중근동과	기안자 15장○○		과장 국경	심의관	국장 전결		차 관	장 관		보안통제	외신과통제

0147

원 본

외 무 부

종 별 : 긴 급

번 호 : JOW-0346

일 시 : 90 0825 1230

수 신 : 장 관(중근동, 마그, 영재, 기정, 노동, 건설)

발 신 : 주 요 르 단 대사

제 목 : 요르단 국경 재개

연: JOW-0330

1. 요르단 정부는 내무성 발표를 통해 8.22 자정을 기해 폐쇄한바 있는 요르단. 이라크 국경을 8.24 오후 4 시를 기해 재개하였음

2. 이락으로부터 주재국에 입국하는 근로자는 대부분이 이집트인으로 이들의 주재국 출국을 돕기위해 벨지움이 25,26 일에 군용 수송기 2 대를 파송하며, EC 제국이 이미 130 만불을 지원키로한외에 화란과 프랑스가 848 천불, 노르웨이가 332 천불을 지원하는등 국제기구 및 각국이 이에 적극협조하고 나섬에 따라주재국으로서도 인도주의적 견지에서 취한조치로 보고있음

3. 금번 국경재개로 국경지대에 머물고있는 수만의 난민들의 문제는 점차 호전될것으로 전망됨

(대사 박태진-국장)

예고 90.12.31 까지

중아국 안기부	장관 건설부	차관 노동부	1차보 대책반	2차보	중아국 (마가)	정문국	영교국	청와대

외 무 부

종 별 : 긴급

번 호 : JOW-0352

일 시 : 90 0825 1500

수 신 : 장 관(중근동,마그,기정,노동) 사본:주이락대사-중계필

발 신 : 주 요르단 대사

제 목 : 국경 재개

대:WJO-0258

1. 8.25 14시 현재 관심내용 주재국 내무차관에게 직접확인결과 아래와 같음

가. 국경재개 사실과 함께 요르단 국경지대의 현재 형편은 여전히 복잡은 하나 소봉은 되고있음(이락측의 형편은 미확인)

나. 한국인에 대한 앞으로의 계속되는 요르단 입국에 적극 협조용의 표명

2. 현 상황으로는 이락 출국문제만 해결되면 요르단내에서의 교민철수는 종전과 여히 계속추진 될수 있을것으로 예상됨

(대사 박태진-국장)

예고:90.12.31 까지

외 무 부

종 별 : 긴 급

번 호 : JOW-0354

일 시 : 90 0825 1840

수 신 : 장 관(중근동, 영재, 마그, 노동, 건설, 기정) 사본:주이락, 쿠웨이트대사

발 신 : 주 요르단 대사

제 목 : 쿠웨이트 공관원, 가족 및 교민철수

대:WJO-0248

당지 체류중인 쿠웨이트 공관원 및 가족(한글학교 교장부부 포함) 27 명, 쿠웨이트 교민 4 명, 이락 현대근로자 69 명, 이락 정우 2 명, 이락 교민 2 명등 104 명이 KE-802 편 탑승 금 8.25 18:30 당지를 출발함

(대사 박태진-국장)

중아국 안기부	장관 건설부	차관 노동부	1차보 대책반	2차보	중아국	정문국	영교국	청와대

PAGE 1

90.08.26 06:23

외신 2과 통제관 CW

0150

외 무 부

종 별 : 긴급

번 호 : JOW-0356   일 시 : 90 0826 0310

수 신 : 장 관(중근동, 마그, 영재, 노동, 기정) 사본:주이락, 쿠웨이트대사-필

발 신 : 주 요르단 대사

제 목 : 교민철수

대:WJO-259

1. 8.25 02:30 바그다드를 출발한 현대근로자 16 명 및 가족 2 명은 8.25 19:30 암만에 무사히 도착함

2. 또한 8.25 06:30 바그다드를 출발한 현대근로자 32 명, 쿠웨이트 교민 7 명 및 인도인 2 명 도합 41 명은 8.26 03:00 요르단 입국 수속을 마치고 암만으로향발함

(대사 박태진-국장)

중아국 노동부	장관 대책반	차관	1차보	2차보	중아국	영교국	청와대	안기부

외 무 부

종   별 : 긴 급

번   호 : JOW-0357   일   시 : 90 0826 0900

수   신 : 장 관(중근동, 영재, 마그, 노동, 건설, 기정)(사본:주 이락대사-필)

발   신 : 주 요르단 대사

제   목 : 교민철수

　　　연: JOW-0356

　　　연호 현대근로자 34 명(쿠웨이트 :32 명, 이락:2 명) 및 쿠웨이트 교민 7 명은 8.26 08:10 암만에 무사히 도착함.

　　　(대사 박태진-국장)

중아국	장관	차관	1차보	2차보	중아국	영교국	청와대	안기부
건설부	노동부	대책반						

PAGE 1   90.08.26   15:41

발 신 전 보

분류번호	보존기간

번 호 : WJO-0262　　900826 1046　CF　종별 : 긴급

수 신 : 주 요르단　　대사. 총영사 (김참사관님)

발 신 : 장 관 (중근동과장배)

제 목 : 업연

제번하옵고 예비비 요구 보충자료 제출관계로 하기자료 파악되면 지급 송부하여

주시기바람.

1. 무의탁 철수 교민의 숫자 및 인적사항(성인 어린이 구분)

2. 전세기 이외 탑승 출국자 및 인적사항

	기안자 성명		과 장		국 장		차 관	장 관
앙 고 재 90년 월 일	박재우							

보 안 통 제	
외신과통제	

0153

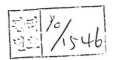

발 신 전 보

빈 호 : WJO-0264   900826 1147 DN   종별 : 긴급

수 신 : 주   요르단   대사. 총영사 (사본: 주이라크, 터어키대사)   WBG-0358   WTU-0399

발 신 : 장 관   (중근동)

제 목 : 교민철수

연 : WJO-0258

대 : JOW-0346, 0352

귀주재국 국경 재개방에따라 종전과같이 이라크 잔류교민의 주재국 국경
경유 철수를 추진하니 ~~동교민의~~ 국경통과 및 귀지 체류에 필요한 제반조치바람.
~~동록지시 하였으니~~

(중동아국장 이 두 복)

예고 : 90.12.31. 일반.

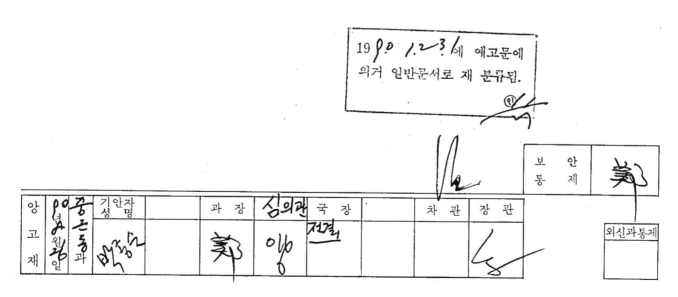

1990. 1. 2~3 1에 예고문에
의거 일반문서로 재 분류됨.

		기안자성명		과장	심의관	국장		차관	장관	보안통제
앙고재	90년중근동월과일					전결				외신과통제

0154

외 무 부

종　별 :

번　호 : JOW-0362　　　　　　　　　　　일　시 : 90 0827 1530

수　신 : 장 관(중근동,마그,기정,노동,기재,총외)

발　신 : 주 요르단 대사

제　목 : 경비지원

대: WJO-0180

이락,쿠웨이트 교민들의 기본 항공료 및 당지체재비외 당관의 교민,근로자
철수지원을 위한 관련경비가 크게 부족되고 있는바 10,000.-지원건의함

(대사 박태진-국장)

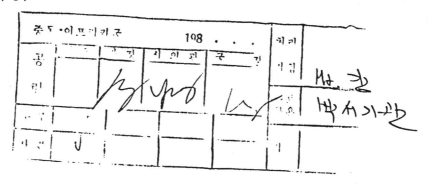

중아국　　총무과　　기획실　　중아국　　안기부　　노동부

PAGE 1

발 신 전 보

빈   호 :   WJO-0271   900828 1035   ER   종별 : 긴급

수   신 : 주   요르단   대사. 총영사

발   신 : 장   관   (중근동)

제   목 :   잔류 무의탁 철수 교민 현황

　　　철수교민 수송에 참고코져 하니 이라크 및 쿠웨이트로 부터 철수, 현재
귀지에 잔류하고 있는 무의탁 교민(아국업체 소속 이외자)현황(인원등) 및 업체
소속 인원을 파악 지급 보고 바람.   끝.

　　　　　　　　　　　　　　　　　　　　　　　　　(중동아국장   이 두 복)

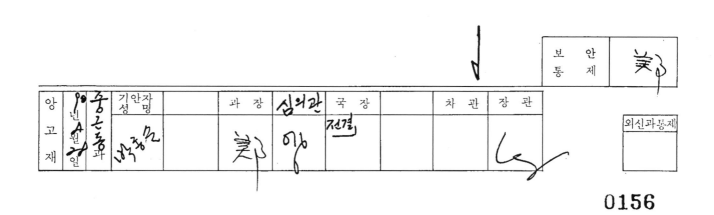

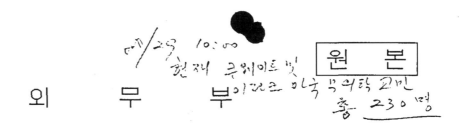

현지 근웨이트및
부이르은 이국 무의탁 교민
총 230 명

외 무 부

종 별 : 긴 급

번 호 : JOW-0369   일 시 : 90 0828 1300

수 신 : 장 관(중근동, 영재,노동,건설,기정)사본:주 쿠웨이트,이락 대사

발 신 : 주 요르단 대사

제 목 : 교민 철수

대: WJO-0271

현지에 체류중인 무의탁 교민 및 업체 소속 인원현황은 다음과 같음

1. 무의탁 교민

-쿠웨이트 교민: 10명 ✓

.출산관계로 체류하고 있는 남상권 부부, 영아등 3명

.잔류 교민: 7명

2. 업체소속

가. 현대 근로자: 93명

-쿠웨이트: 36명

-이라크: 18명(39명은 금일 28일중 도착 예정)

나. 기타: 3명

-한양: 1명(당분간 당지 계속 체류 예정)

-정우: 2명(금 28일중 암만 도착 예정)

(대사 박태진-국장)

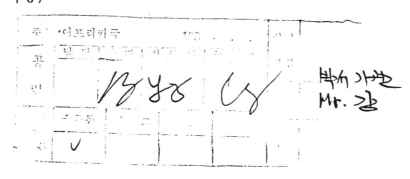

중아국   1차보   미주국   통상국   영교국   안기부   건설부   노동부   대책반

2차보

PAGE 1   90.08.28   19:09 BB

외신 1과 통제관

0157

외 무 부

종 별 : 긴 급

번 호 : JOW-0370   일 시 : 90 0828 1320

수 신 : 장 관(중근동, 영재,노동,건설,기정)사본:주 이락대사

발 신 : 주 요르단 대사

제 목 : 난민 주재국 입국 제한

   1. 주재국 정부는 금 8.28 부터 외국국민의 일시 대거 유입을 막기위해 이집트인을제외한 제3국인의 요르단 입국을 제한하여 이라크 현대 아국근로자 40명이 금일 오전 11:40 국경에 도착, 입국수속코자 하였으나 상부 지시를 이유로 이를 거부하였음

   2. 이에 본직은 HAMAD 내무차관에게 직접협조를 요청한바, 한국인은 제한대상이될수 없다고 즉시 국경에 지시하여 상기 아국근로자들의 입국수속이 현재 진행중에있음

   (대사 박태진-국장)

중아국 대책반   1차보   2차보   미주국   통상국   영교국   안기부   건설부   노동부

PAGE 1   90.08.28   19:27 AO
                                          외신 1과 통제관
                                                    0158

외 무 부

종 별 :

번 호 : JOW-0371   일 시 : 90 0828 1500

수 신 : 장관(중근동, 영재,마그,노동,건설,기정)사본:주쿠웨이트대사

발 신 : 주 요르단 대사

제 목 : 쿠웨이트 철수교민

대: WJO-0262

1. 대호 쿠웨이트 철수교민 261명중 KOTRA 직원및 한인학교 교장 가족의 현지 친출 9개상사 (11가구) 직원들을 제외한 전교민들은 일단 국내의 연고자 유무와 상관없이 일단 무의탁 교민으로 취급 되어야 할것으로 보이는바 현지 파악인원 아래와 같음

2. 무의탁 교민

성인: 153명

12세미만: 28명

5세미만: 5명

3. 현재로서는 전세기외 탑승 무의탁 귀국자는 없으며, 그간 당지에 체류하던 무의탁자중 타국으로 출발한 인원은 정소웅 가족 4인(방콕), 김만철(제네바) 및 허병석의 자허 성욱 (사이프러스) 6인임

(대사 박태진-국장)

마그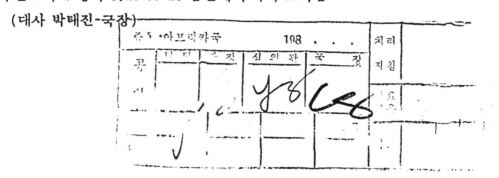

암 호 수 신

종 별 : 긴 급

번 호 : JOW-0377

일 시 : 90 0829 0930

수 신 : 장 관(중근동, 영재, 마그, 노동, 기정, 건설)주 이락대사-중계필

발 신 : 주 요르단 대사

제 목 : 교민철수

대: WJO-0265

연: JOW-0370

연호 이라크 현대근로자 64 명(아국인:40 명, 방글라데시인:19 명, 태국인:5명)과 정우근로자 2 명이 8.29 00:20 암만에 무사히 도착함

(대사 박태진-국장)

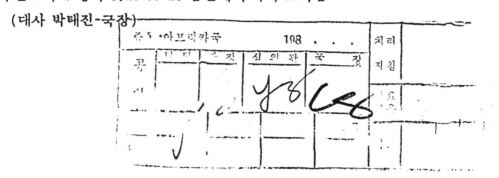

					처 리 지 침
공					

중아국   차관   1차보   2차보   중아국   영교국   청와대   안기부   건설부
노동부   대책반

90.08.29   15:58

외신 2과   통제관 BT

0160

외 무 부

종 별 : 지 급

번 호 : JOW-0389

일 시 : 90 0831 0930

수 신 : 장 관(중근동, 영재, 마그, 노동, 건설, 기정)사본:주 이락대사 - 중계필

발 신 : 주 요르단 대사

제 목 : 교민철수

대:WJO-0280

이라크 현대근로자 68 명은 8.31 06:00 암만에 무사히 도착함

(대사 박태진-국장)

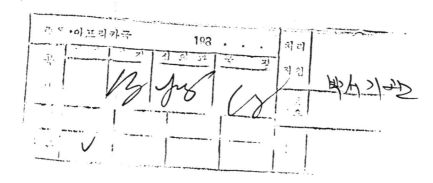

중아국   차관   1차보   2차보   중아국   영교국   청와대   안기부   건설부
노동부

발　신　전　보

분류번호	보존기간

번　　　호 : _WBG-0386_　900831 1438　CG　종별: 긴급

　　　　　　　　　　　　　　　　　　　　　　　　WKU -0288　✓WJO -0282

수　　　신 : 주　수신처 참조　~~대사//총영사~~

발　　　신 : 장　관　（중근동）

제　　　목 : 교민 철수 성과 치하

　　1.　8.31 오전 대통령주재 국가 안보회의에서 걸프지역 사태에 관하여
보고 하였는바, 대통령께서 귀관이 공관장과 직원이 합심하여 교민을 신속하고
안전하게 철수시킬 수 있도록 효과적으로 대처한 노고를 치하 하였음.

　　2.　소병용 대사 이하 주 쿠웨이트 공관 잔류 인원이 어려움을 용기있게
극복하고 있음을 아울러 치하하였음.　끝.

　　　　　　　　　　　　　　　（장　　　관　　　최　호　중）

수신처 : 주 이라크, 쿠웨이트, 요르단 대사

（의명）

보 안 통 제	裵
외신과통제	

앙고재	중근동과	기안자 성명	과장 신의관	국장	제1차관보	차관	장관
90년 8월 31일		백규옥	裵				

0162

외교문서 비밀해제: 걸프 사태 11
걸프 사태 재외동포 철수 및 보호 1: 쿠웨이트 및 이라크(1)

초판인쇄 2024년 03월 15일
초판발행 2024년 03월 15일

지은이 한국학술정보(주)
펴낸이 채종준
펴낸곳 한국학술정보(주)
주 소 경기도 파주시 회동길 230(문발동)
전 화 031-908-3181(대표)
팩 스 031-908-3189
홈페이지 http://ebook.kstudy.com
E-mail 출판사업부 publish@kstudy.com
등 록 제일산-115호(2000. 6. 19)

ISBN 979-11-6983-971-6 94340
      979-11-6983-960-0 94340 (set)